O SISTEMA TOYOTA DE PRODUÇÃO

S556s   Shingo, Shigeo
          O Sistema Toyota de Produção do ponto de vista da Engenharia
       de Produção / Shigeo Shingo ; tradução Eduardo Schaan. – 2. ed. –
       Porto Alegre : Bookman, 1996.
          282 p. ; 23 cm.

          ISBN 978-85-7307-169-6

          1. Administração de Empresas – Engenharia de Produção –
       Sistema Toyota de Produção. I. Título.

                                                           CDU 658.51

Catalogação na publicação: Mônica Ballejo Canto - CRB 10/1023

SHIGEO SHINGO

O SISTEMA TOYOTA DE PRODUÇÃO

DO PONTO DE VISTA DA ENGENHARIA DE PRODUÇÃO

Tradução:
Eduardo Schaan

Revisão:
Amarildo Cruz Fernandes
Mestre em Engenharia de Produção pela UFRGS

Consultoria, supervisão e revisão técnica desta edição:
José Antônio Valle Antunes Júnior
Mestre em Engenharia de Produção pela UFRGS
Sócio-gerente da Produttare Consultores Associados

Reimpressão 2017

1996

Obra originalmente publicada sob o título
A study of the Toyota Production System from an Industrial Engineering Viewpoint
© Productivity Press, Inc., 1989

Capa:
Joaquim da Fonseca

Preparação do original:
Jane Faleck

Supervisão editorial:
Letícia Bispo de Lima

Editoração eletrônica:
VS Digital

Reservados todos os direitos de publicação, em língua portuguesa, à
ARTMED® EDITORA S.A. (BOOKMAN® COMPANHIA EDITORA
é uma divisão da ARTMED® EDITORA S.A.)
Av. Jerônimo de Ornelas, 670 - Santana
90040-340 Porto Alegre RS
Fone (51) 3027-7000 Fax (51) 3027-7070

É proibida a duplicação ou reprodução deste volume, no todo ou em parte, sob quaisquer formas ou por quaisquer meios (eletrônico, mecânico, gravação, fotocópia, distribuição na Web e outros), sem permissão expressa da Editora.

SÃO PAULO
Av. Embaixador Macedo Soares, 10.735 - Pavilhão 5 - Cond. Espace Center
Vila Anastácio 05095-035 São Paulo SP
Fone (11) 3665-1100 Fax (11) 3667-1333

SAC 0800 703-3444

IMPRESSO NO BRASIL
PRINTED IN BRAZIL

Apresentação à Edição Brasileira

O Sistema Toyota de Produção (STP) vem demonstrando historicamente se constituir em uma potente estratégia dentro da competição intercapitalista.

Seu objetivo central consiste em capacitar as organizações para responder com rapidez às constantes flutuações da demanda do mercado a partir do alcance efetivo das principais dimensões da competitividade: flexibilidade, custo, qualidade, atendimento e inovação. Dessa forma, o STP deve ser observado como um *benchmarking* fundamental no campo da Engenharia de Produção.

Observa-se que as indústrias brasileiras têm experimentado algumas características e técnicas do STP, tais como o *Kanban* e o JIT, sem compreender em profundidade as bases conceituais desse sistema de produção.

O livro de Shingo, *Sistema Toyota de Produção do ponto de vista da Engenharia de Produção,* trata precisamente de elucidar, tanto quanto possível, as raízes dos conceitos que fundamentaram a criação do STP.

Shingo deixa transparente que o STP foi construído utilizando-se simultaneamente uma teoria geral de produção e uma testagem empírica da teoria via uma lógica do tipo tentativa e erro. Essa teoria geral da produção, proposta originalmente na Toyota por Shigeo Shingo e Taiichi Ohno, apresenta várias facetas, que vão desde aspectos ligados à Economia Industrial até a Engenharia de Produção. As preocupações de Shingo, porém, estão focadas nos aspectos relativos à Engenharia de Produção.

Objetivando formalizar uma teoria geral de Engenharia de Produção, o livro desenvolve muito os conceitos de Mecanismo da Função de Produção e de Perdas.

O Mecanismo da Função de Produção foi apresentado pela primeira vez em 1945, em um encontro técnico da Associação Japonesa de Gerenciamento (*Japan Management Association*).

Ele propõe que os sistemas de produção constituem-se em uma rede funcional de processos e operações: o processo refere-se ao fluxo de materiais ou serviços no tempo e no espaço; as operações, à análise da ativação das pessoas e dos equipamentos disponíveis no tempo e no espaço.

A lógica do Mecanismo da Função Produção rompe a visão hegemônica proveniente do ambiente industrial taylorista/fordista, no qual os processos e as operações eram percebidos como pertencentes ao mesmo eixo de análise. Shingo recupera, de forma geral, os principais conceitos da Engenharia de Produção Americana. São estudadas a representação dos processos proposta originalmente por Gilbreth no ano de 1921 e o desenvolvimento do estudo das operações proposta por Taylor. Contudo, Shingo postula que essas duas formas de visualizar a produção, o processo e a operação, referem-se a dois eixos distintos e inter-relacionados de análise. Formaliza, ainda, seus pressupostos teóricos, demonstrando que os esforços de melhoria dos sistemas produtivos devem priorizar permanentemente uma visão de processo.

A originalidade do pensamento de Shingo constituiu-se em um marco para o desenvolvimento do Sistema Toyota de Produção em particular, e para os Sistemas de Produção de forma geral. Assim, várias teorias e princípios hoje hegemônicos no campo da Engenharia de Produção são compatíveis com a priorização da visão do processo proposto por Shingo. Entre elas destacam-se: a Teoria das Restrições desenvolvida por Ellyauh Goldratt, a concepção de Reengenharia de Negócios e Processos e a lógica do Controle da Qualidade Total. Por exemplo, uma comparação entre as obras escritas por Shingo e Goldratt demonstra que as teorias utilizadas são muito similares no que tange ao aspecto geral. Porém, enquanto Shingo discute mais detalhes táticos da implementação das melhorias, tais como os aspectos ligados à Troca Rápida de Ferramentas e à redução de defeitos, Goldratt preocupa-se com a mensuração dos resultados dessas melhorias nos processos postulando a necessidade da construção de um sólido conjunto de indicadores gerenciais.

Outro ponto relevante a ressaltar relativamente ao Mecanismo da Função de Produção é o seu caráter dialético. A partir da visualização dos sistemas produtivos enquanto uma rede pode-se desenvolver de forma sistemática uma visão de síntese, via uma ótica global dos processos, e de análise a partir do uso simultâneo de uma microanálise dos processos e das operações.

Associado ao Mecanismo da Função de Produção, Shingo propõe a utilização de uma ferramenta sistemática para a conceituação e análise das perdas nos Sistemas Produtivos.

Novamente, aproveitando-se dos estudos dos principais nomes da Engenharia de Produção norte-americanos do início do século, no caso específico Taylor e Ford, Ohno e Shingo desenvolveram uma sistemática abrangente de análise das perdas nos sistemas produtivos. Esse tipo de trabalho visa especificamente a eliminar os custos desnecessários ao sistema produtivo, o que é denominado por Shigeo Shingo de princípio do não custo. Portanto, pode-se afirmar que existe uma teoria que sustenta o Sistema Toyota de Produção. Essa teoria baseia-se na priorização das melhorias na função processo via a eliminação contínua e sistemática das perdas nos sistemas produtivos.

Além disso, a obra de Shigeo Shingo deve ser visualizada a partir de uma síntese entre suas propostas teóricas e sua prática industrial. Tal aspecto é muito importante, porque o verdadeiro laboratório da Engenharia de Produção é a fábrica. Os conhecimentos desenvolvidos para a construção do Sistema Toyota de Produção demonstram essa tese de forma inequívoca.

Entre os vários exemplos de conceitos e técnicas geradas no bojo deste processo destacam-se:

a) O Método da Troca Rápida de Ferramentas, um pré-requisito básico do Sistema Toyota de Produção e do *Just-In-Time*, proposto e formalizado por Shigeo Shingo.
b) O conceito de garantia de qualidade dos produtos embasado no conceito do Controle de Qualidade Zero Defeitos e no Sistema *Poka-Yoke*, desenvolvido por Shingo.
c) O método *Kanban*, desenvolvido por Taiichi Ohno, por meio de uma criativa analogia com o supermercado americano.

É importante salientar, ainda, que as técnicas propostas por Shingo foram testadas amplamente na prática, via consultorias realizadas pelo próprio autor no Japão, na Europa e nos EUA.

Tendo como pano de fundo as colocações feitas até aqui, uma pergunta torna-se evidente: e o Brasil nesse contexto?

Várias técnicas que constituem o Sistema Toyota de Produção têm sido estudadas e implementadas no Brasil (por exemplo, técnicas de modificação de *layout* voltadas à manufatura celular, Troca Rápida de Ferramentas e *Kanban*, entre outras). No entanto, em grandes linhas, pode-se afirmar que um pensamento sistêmico, estratégico e crítico sobre sistemas do tipo STP ainda está por ser amplamente desenvolvido.

O ponto central deste embate crítico, tendo como referência o STP, exige um conhecimento profundo das bases conceituais de construção deste sistema. Aos profissionais ligados à Engenharia de Produção no país, cabe a discussão, a adaptação, a criação e a difusão das teorias mais modernas de produção, entre as quais se inclui, sem dúvida, o STP.

É preciso responder a um conjunto de questões, tais como:

a) As empresas brasileiras já implantaram os pré-requisitos básicos (tempos e métodos, operação-padrão, roteiros de produção e explosão dos produtos) necessários para a construção de sistemas evoluídos de gestão da produção?
b) Existe uma consciência dos empresários quanto à necessidade de reduzir os tempos de preparação, a partir da utilização do método da Troca Rápida de Ferramentas, para viabilizar a fabricação de lotes menores, visando a atender com rapidez e flexibilidade o mercado?
c) Em função da relação entre o custo horário da mão de obra e das máquinas no Brasil ser completamente distinta da relação 5:1 encontrada no Japão, os sistemas de produção no Brasil não deveriam ser projetados de forma distinta do japonês no que tange, por exemplo, à preocupação com a continuidade operacional das máquinas?
d) A cadeia de fornecimento no Brasil, especialmente as pequenas e médias empresas, está preparada para o fornecimento das peças na qualidade, no tempo e na quantidade certa, ou seja, para o fornecimento *just-in-time*?
e) A atual qualificação dos recursos humanos nas organizações nacionais permite a utilização eficaz de práticas modernas de gestão, tais como a gestão participativa e a multifuncionalidade multimáquinas e multiprocessos?
f) As máquinas hoje existentes no parque produtivo nacional apresentam as características necessárias para possibilitar a utilização de Sistemas Produtivos com Estoque Zero, em aspectos tais como: Capacibilidade, Autonomação (Pré-Automação), Confiabilidade e Controle Autônomo de Acidentes (Acidente Zero)?
g) Quais os pré-requisitos básicos para que possam ser implantados com eficácia os sistemas de planejamento e controle da produção, de forma geral, e o *Kanban* de forma particular?

Responder sistemicamente a estas e outras questões é um desafio à Engenharia e à Administração de Produção brasileira.

Certamente a leitura crítica do livro *Sistema Toyota de Produção do ponto de vista da Engenharia de Produção* pode contribuir significativamente nesse sentido.

José Antônio Valle Antunes Júnior

Prefácio à Edição Japonesa

Apesar do lento crescimento da economia depois da crise do petróleo de 1974, os resultados obtidos pela Toyota Motors, "a empresa mais lucrativa do Japão", atraíram grande atenção e admiração do meio industrial. Geralmente, o "Sistema Toyota de Produção" e o "método *Kanban*" são considerados o segredo do sucesso da Toyota e muitos livros foram publicados sobre o tema com títulos, tais como O Segredo dos Grandes Lucros da Toyota e Toyota — Segredos do Método *Kanban*.

A maioria desses livros foi escrita por jornalistas especializados em economia, cuja abordagem, em geral, não é técnica. Preocupei-me com o fato de que isso poderia passar ideias equivocadas aos leitores; felizmente, o sr. Taiichi Ohno, ex-vice-presidente de manufatura da Toyota, publicou dois livros sobre o assunto, O Sistema Toyota de Produção: Além da Produção em Larga Escala *(Toyota Seisan Hōshiki)* e *Workplace Management* (Nihon Nōritsu Kyokai).

No prefácio de *O Sistema Toyota de Produção*, o Sr. Ohno expressa a esperança de que seu livro possibilite a muitas pessoas compreender o Sistema Toyota de Produção de forma correta e implementá-lo com êxito nas suas próprias fábricas. Ao mesmo tempo, ele admite que, devido à ênfase dada em conceitos, poucos estudos de caso são apresentados. Após ler seu livro, tive de concordar com ele.

Workplace Management está bem escrito. Além disso, é baseado no conhecimento e experiência acumulados durante sua longa associação com a Toyota. Ao mesmo tempo em que enfatiza métodos, esta obra ainda é, fundamentalmente, mais uma descrição do Sistema Toyota de Produção que um estudo aprofundado.

Desde 1955, tenho realizado "seminários de tecnologia da produção" na Toyota, que tiveram a participação de mais de 3 mil pessoas, em um total de 78 seminários até julho de 1980. Além disso, desenvolvi uma relação duradoura com a Toyota Motors a partir do meu trabalho como consultor na área de melhoria de plantas industriais.

Consultores em administração não podem fornecer qualquer informação confidencial ou de propriedade exclusiva das empresas para as quais trabalham. Não obstante, muitas companhias japonesas têm forte desejo de aprender a respeito do Sistema Toyota de Produção, já que ele é considerado superior. É importante, portanto, fornecer informações corretas e abrangentes. *Workplace Management* e *O Sistema Toyota de Produção* foram ambos publicados para satisfazer essa demanda. Em consequência disso, foi possível que eu efetuasse, publicamente, um detalhado estudo do Sistema Toyota de Produção baseado em material publicado.

É natural que as outras empresas japonesas tentem aprender o Sistema Toyota de Produção. Receio, no entanto, que com o acesso a descrições apenas superficiais, eles poderiam aplicar o sistema de forma inadequada ou copiá-lo sem espírito crítico.

Somente um estudo detalhado do tema pode impedir que isso aconteça e garantir que o leitor entenda quais condições são necessárias para que a implementação tenha êxito. Meu estudo irá:

- Explicar a filosofia por trás do sistema Toyota de produção
- Acrescentar informação onde seja necessário
- Criticar pontos fracos e reconhecer méritos
- Chamar a atenção para os aspectos importantes do sistema

A maior parte das publicações existentes está cheia de descrições floreadas do Sistema Toyota de Produção e do "método *Kanban*" da Toyota. Ainda assim, nenhum esforço é feito no sentido de revelar a essência real dos sistemas. Em meu livro, planejo tratar do assunto de tal maneira que as características especiais se destaquem.

Uma leitura d'*O Sistema Toyota de Produção* revelou-me que ele está escrito na linguagem característica da Toyota. A terminologia pode estar clara ao pessoal da Toyota, mas, para o público em geral, há apenas explicações vagas que podem levar a equívocos de compreensão. Por exemplo:

Perda devido à superprodução. "Precisávamos somente de mil peças, mas por havermos assumido que teríamos alguns defeitos, fabricamos 1.200. Contudo, o nível de defeitos foi menor, e precisamos de apenas 1.080 peças. Isso criou um excedente de 120 peças."

No Sistema Toyota de Produção, a superprodução é, geralmente, considerada indesejável, e muitas pessoas a consideram um mal e realizam esforços para minimizá-la. Quando afirmo: "Você certamente tem um grande estoque, talvez tenha superproduzido", eu poderia obter como resposta: "Não, isso não é superprodução. Poderemos utilizá-lo para suprir as necessidades do próximo mês". Ou, quando pergunto: "Qual seria sua opinião se houvesse completado a produção em 15 de março para uma entrega do dia 20?", irão responder: "Isso é bom". Quando pergunto por que isso é bom, poderiam dizer: "É muito melhor do que estar atrasado". Mesmo assim, a superprodução na Toyota está fora de questão.

Esses são casos claros de más interpretações das teorias do Sr. Ohno. É importante ser claro nesse ponto, pois, do contrário, não se compreenderá o que o Sistema Toyota de Produção enfatiza com a afirmação: "Perda por superprodução relaciona-se com produzir 100% dos itens antecipadamente".

Taxas menores de operação das máquinas são aceitáveis. Em nenhum ponto do Sistema Toyota de Produção está dito que é necessário melhorar as taxas de operação das máquinas; apenas que as máquinas devem estar preparadas para operação, quando necessário. Em outras palavras, é essencial ter capacidade suficiente para operar sob condições de maior demanda. Isso é bem diferente do conceito convencional de eficiência de máquina.

No Sistema Toyota, a ênfase é dada a operações simultâneas de máquinas, quando um trabalhador opera várias máquinas.

O que o Sistema Toyota decide entre as seguintes alternativas?

- Reduzir o nível de eficiência de uma máquina porque ela está ociosa no momento em que a operação estiver terminada e não houver um trabalhador disponível para atendê-la
- Reduzir o número de máquinas a cargo de um operador, deixando-o ocioso ao retornar à máquina pois ela ainda estará em operação

A Toyota, na maioria dos casos, irá escolher a primeira situação na qual a eficiência mais baixa de operação da máquina é tolerada, de maneira que tempos de espera em excesso para o operador sejam eliminados. Como se justifica essa escolha? A lógica da Toyota funciona dessa forma: máquinas e instalações serão depreciadas a zero, ao passo que os salários dos trabalhadores terão de ser pagos para sempre, geralmente, a uma taxa crescente.

Ademais, quando seus respectivos custos por hora forem comparados, a proporção de mão de obra em relação à máquina é de 5:1. Assim, o Sistema Toyota de Produção atinge a questão econômica básica: em vez de preocupar-se com a eficiência das máquinas, ele realiza melhorias naquela área onde maiores reduções de custo podem ser atingidas.

Controle visual. O Sistema Toyota de Produção enfatiza o que chama de controle visual. Nas minhas visitas a Toyota, fiquei muito impressionado com o número de dispositivos de controle visual, tais como o *Kanban* e o *andon* (murais de controle iluminados).

Muitas pessoas acreditam que a única característica do Sistema Toyota de Produção é o controle visual. Assim, muitas fábricas adotaram esse sistema, cuja única função é informar ocorrências de anormalidades de maneira mais rápida.

Obviamente, é melhor ser informado por um indicador rápido do que por um lento, ou por nenhum. Porém, há algo mais importante do que ser bem informado, ou seja, decidir qual medida deve ser tomada, se e quando uma situação anormal ocorrer. De acordo com a explicação do Sr. Ohno em *O Sistema Toyota de Produção*, é fundamental prevenir a reincidência. Essa afirmação simples é bastante significativa: se você sofre de apendicite, a mera aplicação de gelo para alívio da dor não será suficiente; o apêndice terá que ser removido cirurgicamente para que não o faça sofrer de novo. No contexto industrial, isso significa que você precisa de ações decisivas quando situações anormais ocorrem. Você deve responder imediatamente, parando a máquina ou a linha de produção, e não reiniciar a produção até que a causa da anormalidade tenha sido eliminada.

Visitei algumas plantas onde o controle visual era utilizado, mesmo que o conceito não tivesse sido completamente entendido. Tais empresas não usufruem de todas as suas vantagens. Uma compreensão dos princípios básicos do Sistema Toyota de Produção é necessária, se quisermos aplicá-lo de forma correta. É muito arriscado implementar o sistema copiando simplesmente técnicas superficiais. O fracasso é um resultado provável. É necessário, portanto, proceder com cuidado.

Uma das minhas preocupações após ler diversos livros sobre o Sistema Toyota de Produção é que, enquanto esses livros realmente descrevam princípios e técnicas com explicações detalhadas, o assunto é tratado de maneira específica e descrito mais como uma forma destinada a prender a atenção do leitor do que de uma forma metodológica. Por exemplo, enfatiza-se frequentemente o *just-in-time*, mas não há qualquer discussão do que tem de ser feito para chegar a ele. Você pode começar a ter uma ideia depois de ler esses livros, diversas vezes, mas muitos não irão informá-lo claramente *o que* precisa ser feito. Em relação à autonomação, outro pilar de sustentação do Sistema Toyota de Produção, esses livros, com frequência, não contêm explicações específicas além da descrição do conceito como "automação com dispositivos de autofuncionamento" ou "máquinas com funções humanas".

Balanceamento é outro conceito que não é totalmente explicado. Os livros podem simplesmente dizer: "Se a carga da linha de montagem principal não é uniforme, vários problemas nos processos de fabricação de peças ou nas plantas dos subcontratantes irão surgir". É possível que nenhuma explicação de como atingir o balanceamento seja oferecida. Sinto que tal tratamento do assunto é inadequado.

Para implementar com sucesso o Sistema Toyota de Produção, você deve compreender corretamente as ideias básicas por trás desses princípios e conhecer os métodos e técnicas para ser capaz de implementá-los de uma forma sistemática; do contrário, temo que você possa cometer sérios erros, os quais irão resultar no fracasso do sistema — mesmo que você tenha uma clara compreensão de determinadas técnicas.

Qualquer um que analise cuidadosamente o Sistema Toyota de Produção chegará à seguinte conclusão: a redução nos tempos de *setup*, obtida com a ajuda do sistema TRF (Troca Rápida de Ferramentas) é essencial. Por esse motivo podemos dizer que o sistema TRF é a condição *sine qua non* do Sistema Toyota de Produção.

O desenvolvimento da Troca Rápida de Ferramentas deu-se em três estágios:

Estágio 1

Em 1950, conduzimos a análise de utilização de uma prensa de 800 toneladas na *Toyo-Kogyo*. Um tempo longo e valioso foi perdido quando não pudemos encontrar um parafuso para fixar a matriz à prensa. Isso ajudou-me a perceber que as trocas de ferramentas e matrizes tinham de ser divididas em dois grupos de atividades:

- *Setup interno* — procedimentos que podem ser executados apenas quando a máquina está parada
- *Setup externo* — procedimentos que podem ser executados enquanto a máquina está em operação

Estágio 2

Em 1957, bases de motores eram usinadas em uma grande plaina mecânica de tipo aberto na Mitsubishi Heavy Industries. Era nossa tarefa aumentar a capacidade da máquina. Após debater-nos com o problema, decidimos acrescentar uma segunda mesa à plaina porque as trocas de ferramentas estavam consumindo muito tempo.

Enquanto uma base de motor era usinada, a próxima era preparada em uma mesa auxiliar. Quando a usinagem estava terminada, a mesa auxiliar com a próxima peça era instalada na máquina. Dessa maneira, fomos capazes de aumentar a utilização da máquina. O gerente de fabricação ficou muito satisfeito com nossa proeza. Hoje, vejo que fizemos a conversão de *setup* interno em *setup* externo.

Se eu tivesse tratado essa melhoria como o avanço conceitual que era, poderia ter introduzido o sistema TRF 13 anos mais cedo. Arrependo-me muito disso.

Estágio 3

Em 1970, trocas de matrizes em uma prensa de mil toneladas levavam quatro horas para serem realizadas. Após saber que a Volkswagen na ex-Alemanha Ocidental trocava matrizes equivalentes, rotineiramente, em duas horas, o chefe de departamento solicitou que reduzíssemos nosso tempo de troca para um tempo similar. Tivemos que trabalhar duro para consegui-lo, mas seis meses mais tarde nosso tempo de troca era de uma hora e meia. Essa redução foi facilitada:

- Pela divisão dos elementos de troca de matrizes em *setup* interno e externo
- Pelo aprimoramento das técnicas e métodos para outros elementos internos e externos

Três meses mais tarde, o chefe de departamento novamente entrou em contato comigo para realizar melhorias no procedimento de *setup* da matriz. Ele havia sido instruído pelos seus gerentes a reduzir o tempo de preparação da prensa para três minutos!

No princípio, pensei que isso fosse impossível — havíamos gasto uma boa quantidade de tempo e trabalhado arduamente para reduzir os tempos de *setup* de quatro horas para uma hora e meia. Mas então tive uma inspiração:

Por que não converter *setup* interno em externo? Imediatamente, escrevi, no quadro-negro, as oito técnicas necessárias para atingir a TRF. Depois disso, expliquei ao Sr. Sugiura, o gerente, ao Sr. Ikebuchi, o supervisor e ao Sr. Ota, o contramestre, como poderíamos atingir nosso objetivo utilizando o sistema TRF.

Até hoje estou convencido de que minha experiência na Mitsubishi vinha tomando forma em meu subconsciente como uma ideia latente durante todo esse tempo. Ela deflagrou este revolucionário sistema em razão de meu grande interesse nas trocas de matrizes — um interesse gerado por inspiração e pelas persistentes exigências do Sr. Ohno, então Diretor Executivo da Toyota.

Este *Sistema Toyota de Produção do Ponto de Vista da Engenharia de Produção* levou-me às seguintes conclusões:

- A eliminação da perda por superprodução não pode ser alcançada sem a TRF

- Tempos de ciclo reduzidos requerem produção em lotes pequenos (também nesse ponto a TRF é crucial)
- A TRF deve ser alcançada se quisermos ser capazes de responder a mudanças na demanda do consumidor

O Sr. Ohno deve ter percebido que há uma estreita conexão entre os aspectos principais do Sistema Toyota de Produção e o sistema TRF. Foi isso que o levou, na sua busca por um sistema ideal de produção, à convicção de que reduções drásticas nos tempos de *setup* eram essenciais. Essa convicção instigou-o a demandar do seu pessoal que atingisse tempos de troca de ferramentas e matrizes em três minutos. Felizmente, suas exigências e a minha ideia latente, associadas ao meu forte interesse nas reduções de tempos de *setup*, surgiram, juntas, no momento oportuno. Estou convencido de que foi esse feliz conjunto de circunstâncias que possibilitou a invenção do "Sistema TRF". Gostaria, portanto, de expressar meu apreço e o maior respeito ao Sr. Ohno por sua inspiração e orientação.

Muitas indústrias japonesas implementaram ou estão implementando agora o Sistema Toyota de Produção e o "sistema TRF", obtendo grandes benefícios. A Federal-Mogul Corp., nos Estados Unidos, e a H. Weidmann, na Suíça, também adotaram esses sistemas com sucesso. Acredito que o conceito do "sistema TRF" irá, no futuro, espalhar-se por todo o mundo.

Muitos acreditam que ao implementar um novo sistema, somente *know-how* é necessário. No entanto, se você quer obter êxito, você deve entender, também, *know-why*.

Com o *know-how*, você pode operar o sistema, mas você não saberá o que fazer no caso de encontrar problemas sob condições diferentes das usuais. Com o *know-why*, ou "sabendo o porquê", você entende por que você tem de fazer o que está fazendo e assim enfrentar situações de mudança. Dessa forma, se você adquire apenas o *know-how* acerca do Sistema Toyota de Produção, você pode não ser capaz de implementá-lo de forma efetiva na sua operação onde as características e condições de produção muito provavelmente diferem de forma considerável daquelas da Toyota. Consequentemente, mesmo que a Toyota tenha vantagens com o sistema, você pode obter resultados negativos. Uma compreensão geral do Sistema Toyota de Produção é, portanto, necessária. A esse respeito, é importante ter especial cuidado com a maioria das publicações mais antigas sobre o assunto, pelo fato de abordarem os conceitos e as técnicas separadamente, sem aparente coordenação.

Algumas publicações sobre o tema, por exemplo, descrevem o método do Sistema Toyota de Produção e os sete tipos de perda, como a perda causada pelo estoque, a perda por superprodução, a perda devido às esperas de processo, etc. Essas são óbvias e qualquer um irá entendê-las. A perda devido ao estoque em si pode ser reconhecida como uma forma de perda. Por outro lado, há muitas pessoas que consideram o excesso de estoque aceitável porque ele permite aos pedidos inesperados serem atendidos rapidamente. O problema agora é como superar essa aparente contradição. Para tratar dessa situação, é importante apresentar métodos específicos, tais como reduções radicais no ciclo de produção, produção em lotes pequenos e o sistema TRF.

Este livro foi escrito por um engenheiro de produção e está baseado em um estudo detalhado do método de produção da Toyota. Portanto, pode diferir do livro escrito pelo Sr. Ohno, o originador do sistema.

Enquanto for visto simplesmente como sendo um sistema de controle de produção, o Sistema Toyota de Produção não irá diferir, na essência, de outros sistemas de controle de produção. Entretanto, o Sistema Toyota de Produção é a extrapolação de uma ideia que tenho reforçado em meus seminários, um modo de pensar o gerenciamento da produção em termos de uma visão de melhoria da planta baseada em princípios essenciais. Esse conceito básico foi enfatizado aos engenheiros da Toyota nos vários seminários que realizei desde 1965. Consequentemente, meus conceitos e o Sistema Toyota de Produção têm muito em comum. Também é natural que minha forma de pensar tenha sido bastante influenciada pelo método Toyota de produção.

Acredito que o princípio significativo e a característica única do Sistema Toyota de Produção estão no seguinte fato: visando à eliminação do estoque (antes visto como um mal necessário), vários fatores básicos devem ser exaustivamente explorados e melhorados. Contínuos esforços devem ser feitos para cortar os custos de mão de obra. A eliminação total do desperdício é o princípio básico do Sistema Toyota, e se não houver compreensão dos elementos básicos, não haverá compreensão do todo. (Sigo adiante na análise do conceito de eliminação do desperdício em meu livro, *Systematic Thinking for Production Improvement - a Scientific Thinking Mecanism for Improvement* (publicado pela Productivity Press, MA.)

O maior problema encontrado enquanto estudava o Sistema Toyota de Produção do ponto de vista da Engenharia de Produção* é o fato de ser frequentemente considerado como sinônimo de sistema *Kanban*. O Sr. Ohno escreve:

- Sistema Toyota de Produção é um sistema de produção
- O método *Kanban* é uma técnica para sua implementação

Muitas publicações são confusas nessa questão e oferecem uma explicação do sistema, afirmando que o *Kanban* é a essência do Sistema Toyota de Produção. Uma vez mais: *O sistema Toyota de produção é um sistema de produção e o método kanban é meramente um meio de controlar o sistema.* Análises superficiais do Sistema Toyota de Produção dão especial atenção ao método *Kanban* devido às suas características únicas. Conseqüentemente, muitas pessoas concluem que o Sistema Toyota de Produção é equivalente ao método *Kanban*. No cerne desse método tem-se que:

- Ele é aplicado somente à produção de natureza repetitiva
- Os níveis totais de estoque são controlados por um número de cartões *Kanban*
- É um sistema administrativo simplificado

Um método *Kanban* deve ser adotado somente depois que o sistema de produção em si tenha sido racionalizado. Esse é o motivo pelo qual este livro insiste repetidamente no fato de que o Sistema Toyota de Produção e o método Toyota são entidades separadas.

Meu livro *Fundamental Approaches to Plant Improvement (Nikkan Kogyo Shimbun*, 1976) enfoca abordagens básicas à melhoria da planta e ao controle de produção. Acredito que ele tem sido muito útil na promoção de um melhor entendimento a partir de estudos comparativos entre um sistema fundamental e o Sistema Toyota de Produção.

A partir de meus estudos tenho enfatizado os seguintes pontos:

- A Toyota Motors levou 20 anos para desenvolver totalmente seu sistema de produção; outras companhias necessitarão de, no mínimo, 10 anos para obter resultados satisfatórios ao copiá-lo.
- É possível aplicar métodos *Kanban,* com sucesso, em um prazo de seis meses.

Devo acrescentar que 90% do excelente desempenho gerencial da Toyota foi atribuído ao Sistema Toyota de Produção em si, e apenas 10% ao método *Kanban* — uma clara demonstração da maior importância do Sistema Toyota de Produção.

Escrevendo este livro, citei e referi-me ao livro do Sr. Ohno, *O Sistema Toyota de Produção*. Gostaria de manifestar meu respeito e apreço ao Sr. Ohno; ao mesmo tempo, quero pedir-lhe compreensão e aprovação a meus comentários e opiniões críticas expressadas após meu estudo detalhado do assunto.

Dispus o conteúdo deste livro sobre o Sistema Toyota de Produção como um sistema integrado. Entretanto, repeti algumas explicações em vários capítulos de forma que cada um possa ser lido como um capítulo completo.

Para concluir, gostaria de agradecer as contribuições, assistência e cooperação prestadas por muitas pessoas, em especial ao Sr. Morita, editor de *Plant Management,* e ao Sr. Hashimoto, encarregado da publicação deste livro.

Prefácio à Edição em Inglês

A economia japonesa resistiu com sucesso à crise do petróleo dos anos 1970 sem sofrer danos sérios, para surpresa dos outros países. Esse sucesso tem sido atribuído, principalmente, à alta produtividade japonesa, e isso explica por que muitos ocidentais têm visitado as fábricas japonesas e implementado seus métodos gerenciais. Pequenas atividades de grupo, tais como os círculos de Controle da Qualidade e o excepcional Sistema Toyota de Produção do Japão têm sido o centro das atenções.

A ação humana está sustentada tanto pela vontade de trabalhar quanto pelo método de trabalhar. É por esse motivo que penso ser o sucesso dos japoneses atribuído, mais apropriadamente, à singular administração da força de trabalho:

- A lealdade dos empregados japoneses às suas empresas
- O relacionamento não antagônico entre a classe trabalhadora e os empresários (baseado no emprego vitalício e apenas um sindicato em uma companhia)

A ideia e o método de controle da qualidade originou-se nos Estados Unidos de onde foram transmitidos ao Japão. Lá, eles desenvolveram-se ainda mais ao serem ligados a pequenas atividades de grupo, peculiarmente japonesas, ou a atividades de círculo, as quais contribuíram significativamente para algumas extraordinárias melhorias. Os japoneses estenderam, então, o escopo do controle da qualidade para incluir atividades globais de melhorias em relação a custo e segurança, obtendo, assim, resultados ainda melhores. As relações de trabalho peculiares ao Japão foram a base de sustentação para essas evoluções.

Os leitores não japoneses não devem esperar que a mera imitação das características das atividades dos círculos de Controle da Qualidade japoneses gerem resultados satisfatórios. Ao contrário, devem estudar minuciosamente os círculos de Controle da Qualidade existentes no Japão até que dominem seu conteúdo para, então, adaptá-lo às condições especiais de seu país.

Alguns problemas ocorrem, simplesmente, em razão das diferenças nas relações de trabalho entre os países. Considerando o exemplo das operações simultâneas de máquinas: em alguns países, um trabalhador poderia operar cinco máquinas de processamento automáticas, mas não seria capaz de assumir cinco máquinas diferentes, se os trabalhadores estivessem sindicalizados pela função no trabalho. Todavia, a capacidade de designar um trabalhador para tomar conta de várias máquinas — fixando e removendo o produto em uma máquina enquanto a outra está processando o produto automaticamente — é uma característica importante do Sistema Toyota de Produção que resulta em significativas economias de mão de obra.

Em meu prefácio da edição japonesa, expliquei por que era tão importante estabelecer a diferença entre o Sistema Toyota de Produção e o "sistema *Kanban*". Meu objetivo ao publicar este livro era esclarecer essa diferença entre os dois, de maneira a pôr um fim às precárias interpretações existentes. Espero que meus leitores estrangeiros também evitem essa confusão.

O predomínio de robôs na indústria japonesa é frequentemente citado como uma das razões para nossa alta produtividade. Eles são um fator importante, mas o aumento na produtividade não é tão significativo quanto se poderia esperar com tão grande investimento. Ao contrário, a função mais importante dos nossos robôs é liberar os trabalhadores de condições de trabalho desagradáveis. Em sua maior parte, a produtividade japonesa é alta devido aos eficientes sistemas de produção e força de trabalho altamente qualificada. Esse é um ponto importante a entender.

Quero recomendar *O Sistema Toyota de Produção: Além da Produção de Larga Escala*, de Taiichi Ohno, ex-vice-presidente da Toyota Motors, aos administradores americanos que queiram compreender a ideologia do sistema Toyota de produção. Esse livro, no entanto, não é muito adequado a superintendentes de planta, engenheiros de produção ou consultores de administração que terão de aplicar os princípios do sistema em um ambiente industrial. É principalmente para o segundo grupo que escrevi este volume, para complementar o livro do Sr. Ohno.

Como este livro foi escrito para o público japonês, haverá trechos de difícil compreensão para ocidentais e que podem, também, ser de difícil aplicação em um ambiente não japonês. Na minha opinião, entretanto, os conceitos subjacentes ao sistema são claros, independentemente de onde sejam estudados, e podem ser aplicados, se as necessidades da situação específica são avaliadas com cuidado.

Desejo pedir a tolerância do leitor em relação a certos termos por mim empregados de uma forma diferente da usual devido às funções específicas que têm dentro do Sistema Toyota de Produção. Por exemplo:

Processo e Operação

1. *Processo* — o caminho pelo qual a matéria-prima é transformada em produto. Ele consiste em quatro fenômenos: processamento, inspeção, transporte e estocagem.
2. *Operação* — as ações efetuadas sobre o material pelos trabalhadores e máquinas.

Na Europa e na América, o termo "operação" pode ser usado para processamento sendo realizado, mas neste livro ele será confinado ao significado na definição 2, feita acima.

Dois Fenômenos de Estocagem

Como explicado abaixo, existem dois tipos de estocagem:

1. Seria possível referir-se à estocagem que ocorre entre dois processos como "adiante da operação." Neste livro, porém, o termo "espera de processo" será sempre empregado para a estocagem que ocorre devido a processos não sincronizados ou por mau ajuste de tempos.
2. Algumas vezes, refere-se à estocagem que permanece pouco tempo entre processos como estocagem temporária. No entanto, se tal estocagem for necessária porque os processos não estão sincronizados, ou porque os tempos estão mal-ajustados, eu a chamarei de "espera de processo", seja qual for a duração da estocagem. Em nosso sistema, estocagem é definida nos termos das suas características e não da sua duração.

No caso da produção em lotes, a estocagem ocorre entre processos e prolonga o ciclo de produção. A única forma de eliminá-la é utilizar lotes de transferência unitários. Tal estocagem é chamada de "esperas de lote."

Em outros livros, processo e operação parecem ser usados, com freqüência, de forma intercambiável. Como indicado na Figura 1, no entanto, todos os fenômenos de produção são explicados pela noção de que o mecanismo de produção é uma rede de processos e operações. Os processos representam o fluxo, desde a matéria-prima até os bens acabados, situando-se ao longo do eixo y, e as operações representam o fluxo no qual uma sucessão de trabalhadores desenvolvem os itens, situando-se ao longo do eixo x.

O Sistema Toyota de Produção é explicado sobre essa noção. Em consequência, processos e operações não têm uma relação paralela, como considerado anteriormente, mas uma relação perpendicular. A operação, portanto, corresponde aos quatro fenômenos do processo. Existem os seguintes tipos de operação:

- Processamento
- Inspeção
- Transporte
- Estocagem

Por 26 anos, desde 1955, fui responsável pelo curso de treinamento de tecnologia de Engenharia de Produção na Toyota Motors, treinando cerca de 3 mil pessoas durante esse período. Pode-se dizer que o sistema de controle da produção que enfatizei no curso era similar, em muitos aspectos, ao Sistema Toyota de Produção.

Visto como um sistema fundamental de controle da produção, o Sistema Toyota de Produção deve ser aplicável a fábricas de qualquer país, tendo somente que ser adaptado às características de cada situação. Acredito que a implementação cuidadosa resultará em grandes melhorias.

Espero sinceramente que as empresas de todo o mundo entendam a essência do Sistema Toyota de Produção e apliquem-no de maneira efetiva.

Prefácio à Edição Revisada em Inglês

Quando meus amigos ouviram falar que eu tinha recebido um doutorado honorário em gerenciamento da Utah State University, eles disseram "Isto é terrível!". Tal atitude significa que o povo americano começou a compreender e disseminar suas ideias. Em breve, estarão produzindo mercadorias de melhor qualidade e menor custo, e nós começaremos a sofrer pela reversão do comércio.

Realmente, os Estados Unidos têm liderado o mundo em gerenciamento de produção durante os últimos 200 anos. E olhando em direção ao futuro, todos nós, inclusive o Japão, estaremos com problemas se os Estados Unidos não continuarem no seu papel de líder. Todos devemos participar em prol da melhoria contínua. Os países devem compartilhar suas habilidades e tecnologias para manter nossa "aldeia global" funcionando suavemente.

Quando o Sistema Toyota de Produção começou a receber atenção internacional nos anos 1970 e os líderes de negócios em partes diferentes do mundo começaram a implementar esse sistema em suas empresas, ficou claro que muitos compreenderam erroneamente que esse era o "método *kanban*". Para corrigir tal erro, decidi publicar, em inglês e por minha conta, o livro aqui apresentado em forma revisada. Com o intuito de manter as despesas de publicação ao mínimo, utilizei-me de tradutores japoneses locais que não tinham a capacidade necessária para que fosse obtida uma tradução satisfatória para o inglês. A escrita foi criticada como sendo "janglês", como de fato o era, no lugar de um inglês adequadamente legível.

Graças aos esforços do Sr. Norman Bodek, presidente da Productivity, Inc., o livro recebeu comentários favoráveis, apesar da crítica já citada. Um comentarista escreveu: "Este livro é a Bíblia da Produção". Uma quantidade importante de cópias foi vendida, mais de 30 mil, o que é um verdadeiro tributo à dedicação e determinação de todos os funcionários americanos envolvidos com fabricação.

Para que o livro ficasse mais acessível e útil aos leitores americanos, decidimos retraduzi-lo. Felizmente, o Dr. Andrew Dillon, um homem de muita capacidade, estava disposto a desempenhar essa tarefa.

Creio que esta nova tradução ajudará muitas pessoas a chegarem a um correto entendimento do Sistema Toyota de Produção. Explicações superficiais e perspectivas sobre o sistema já foram publicadas por demais. O que falta é uma explicação sistemática sobre:

- os princípios do Sistema Toyota de Produção;
- como colocar em prática esses princípios;
- a aplicação prática dos métodos que seguem a esses princípios.

Meu livro mais recente, *Produção com estoque zero: o sistema Shingo para melhorias contínuas*, descreve os princípios do Sistema Toyota de Produção e foi baseado nos pontos originais de meu trabalho. Foi altamente avaliado como um livro para orientar a evolução dos sistemas de produção nos anos 1990 e no ano 2000 em diante. Recomendo enfaticamente que sejam lidos os dois livros e espero que ajudem a melhorar tanto sua empresa quanto a prosperidade de sua nação.

Sumário

Lista de Figuras 31
Lista de Tabelas 33

PARTE I - UMA ABORDAGEM FUNDAMENTAL PARA A MELHORIA DA PRODUÇÃO

1

INTRODUÇÃO 37
O Mecanismo da Produção 37
Resumo 38

2

MELHORIA DO PROCESSO 39
Elementos do Processo 39
Análise Básica do Processo 40
Melhoria do Processo 41
Melhoria da Inspeção 44
Inspeção por *Julgamento* e Inspeção *Informativa* 44
Amostragem *versus* Inspeção 100% 50
Controle da Qualidade e Cartas de Controle da Qualidade 51
Tipos de Inspeção Informativa 52
Métodos de Inspeção *Poka-yoke* 55
Melhoria do Transporte 59
Eliminação da Estocagem 60
Eliminação das Esperas de Processo 60
Eliminação das Esperas de Lote 69
A Relação entre o Prazo de Entrega e a Redução do Ciclo de Produção ... 71
Resumo 74

3

MELHORIA DAS OPERAÇÕES 75
Fatores Comuns nas Operações 75
Melhoria do *Setup* (Troca de Ferramentas e Matrizes) 77

Técnicas TRF 82
Quatro Estágios Conceituais da TRF 89
Melhoria das Operações Principais 91
Separação de Trabalhador de Máquina 91
Desenvolvimento da Pré-automação ou Autonomação 92
Melhoria das Folgas Marginais 94
Resumo 95

4

CONCLUSÕES SOBRE O DESENVOLVIMENTO DA PRODUÇÃO
COM ESTOQUE ZERO 97
Estoque Natural 97
Estoque "Necessário" 98

PARTE II - UM ESTUDO DO SISTEMA TOYOTA DE PRODUÇÃO DO PONTO DE VISTA DA ENGENHARIA DE PRODUÇÃO

5

OS PRINCÍPIOS DO SISTEMA TOYOTA DE PRODUÇÃO 101
O que é o Sistema Toyota de Produção? 101
Princípios Básicos 102
Perdas por Superprodução 103
Just-in-time 103
Separação do Trabalhador da Máquina 103
Baixas Taxas de Utilização das Máquinas 106
Realizar uma Apendicectomia 108
Fundamentos de Controle da Produção 109
Adoção do Princípio do não custo 109
Eliminação das Perdas 110
Produção em Massa e Produção em Grandes Lotes 117
Comparação entre os Sistemas Ford e Toyota 126
Resumo 129

6

A MECÂNICA DO SISTEMA TOYOTA DE PRODUÇÃO: MELHORIA
DO PROCESSO, CONTROLE DA PROGRAMAÇÃO
E *JUST-IN-TIME* 131
Controle da Programação e *Just-in-Time* 132
Planejamento da Produção 132
Controle da Programação e Produção com Estoque Zero 132
Adoção da TRF 141
Flexibilidade da Capacidade 148

Eliminação dos Defeitos 151
Eliminação das Quebras de Máquinas 154

7

A MECÂNICA DO SISTEMA TOYOTA DE PRODUÇÃO:
MELHORIA DO PROCESSO, BALANCEAMENTO E SISTEMA
NAGARA 157
O que é Balanceamento? 157
Balanceamento da Carga e Capacidade 158
Produção Segmentada e Mista 161
Sistemas de Produção Segmentada e Sistemas de Produção
em Pequenos Lotes 164
O Complexo Sistema de Produção Mista da Toyota 165
Balanceamento e Estoque Zero 169
O Sistema *Nagara* 170
Resumo dos Capítulos 6 e 7 172

8

A MECÂNICA DO SISTEMA TOYOTA DE PRODUÇÃO:
MELHORIA DAS OPERAÇÕES 175
Componentes das Operações 175
Preparação e Pós-ajuste 175
Operações Principais 176
Folgas Marginais 177
Operações-padrão 177
Operações-padrão e o Sistema Toyota de Produção 177
Três Aspectos Temporais das Operações-padrão 179
Do Trabalhador à Máquina 182
Redução do Custo da Mão de Obra 183
Melhoria dos Métodos de Operação 183
Economia de Mão de Obra, Cortes no Número de
Trabalhadores e Uso Mínimo de Operações Manuais 185
Integração da Espera e das Folgas Marginais 188
Layout de Máquina e Eficiência do Trabalhador 189
Uso de Operações Multimáquinas 190
Tempo de Mão de Obra, Tempo de Máquina 194
Autonomação: Automação com Toque Humano 195
Rumo à Pré-automação 197
A Utilização do Sistema TRF 198
A Estrutura de Produção e o Sistema Toyota de Produção 198
Características Básicas do Sistema Toyota de Produção 198
Características do Processo 199
Características da Operação 199

9

A EVOLUÇÃO DO SISTEMA *KANBAN*	201
Meu Primeiro Encontro com o Sistema *Kanban*	201
Desenvolvimento do Método do Ponto de Pedido	202
A Relação entre Ponto de Pedido e Estoque	202
O Impacto de Mudanças no Consumo	210
Supermercados e o Sistema *Kanban*	212
O *Kanban* e o Sistema *Kanban*	213
Funções Gerais do *Kanban*	213
Quantos *Kanban*?	215
Como Circulam os *Kanban*	216
Circulação do *Kanban* e o Ponto de Pedido	218
Funções Reguladoras do Sistema *Kanban*	221
Funções de Melhoria do Sistema *Kanban*	222
Resumo	223

10

ALGUMAS QUESTÕES PERIFÉRICAS PORÉM IMPORTANTES	225
O Sistema Toyota de Produção: uma Explanação	225
Eliminação dos Sete Tipos de Perda	225
Integração dos Sistemas Toyota de Produção e *Kanban*	229
A Extensão do Sistema aos Fornecedores	231
O Sistema Toyota de Produção e o MRP	232

11

O RUMO DO SISTEMA TOYOTA DE PRODUÇÃO	235
Em direção ao *Just-in-Time*	235
Da TRF aos *Setups* em um Único Toque	236
Setups Automáticos	236
Métodos sem Toque	237
O Desenvolvimento de um Amplo Sistema de Fluxo	239
Expansão e Extensão da Produção Mista	240
As Evoluções do Sistema *Kanban*	241
Redução nos Custos de Mão de Obra	241
Desenvolvimento das Operações Multimáquinas	242
Eliminação de Quebras e Defeitos	243
Aumento da Flexibilidade da Capacidade de Produção	243
Expansão às Plantas de Fornecedores	244

12

IMPLEMENTAÇÃO DO SISTEMA TOYOTA DE PRODUÇÃO	245
Preparação do Terreno	246
Melhoria do Sistema de Produção	247

Um Sistema de Estoque de Amortecimento..	248
Rumo aos *Setups* TRF	249
Redução do Ciclo de Produção	250
Rumo à Produção com Fluxo amplamente Integrado	252
Rumo a um Sistema de Produção Segmentado	252
Balanceamento e Sistema de Produção Mista...	252
Rumo às Operações Multimáquinas	253
Rumo à Pré-automação	255
O Desafio dos Zero Defeitos	255
Rumo a um Sistema *Kanban*...	256
Um Cronograma para Introduzir o Sistema Toyota de Produção e o Sistema *Kanban*	257

13

O SISTEMA TOYOTA DE PRODUÇÃO EM RESUMO	259
1. O Princípio do não custo..	259
2. Estoque Zero: a Pedra Fundamental da Eliminação da Perda	260
3. Rumo às Operações de Fluxo	260
4. Redução dos Tempos de Trocas de Ferramentas e Matrizes................	260
5. A Eliminação das Quebras e Defeitos	261
6. Fusão do Balanceamento com a Produção com Estoque Zero	261
7. Rumo às Operações de Fluxo totalmente Integradas	261
8. Redução do Custo da Mão de Obra: a Segunda Pedra Fundamental da Eliminação da Perda	261
9. Da Mecanização à Autonomação..	262
10. Mantendo e Desenvolvendo Operações-padrão	262
11. Rumo a um Sistema *Kanban*..	262
Conclusões...	263

14

POSFÁCIO..	269
O autor	273
ÍNDICE	275

Lista de Figuras

Figura 1	A Estrutura da Produção	38
Figura 2	Roteiro de Produção (carta analítica de processo)	42-43
Figura 3	Equipamento de Moldagem a Vácuo	44
Figura 4	Matriz para Moldagem a Vácuo	44
Figura 5	Melhoria da Qualidade e Produtividade através de Moldagem a Vácuo	45-47
Figura 6	*Poka-yoke* para Manual de Instruções	49
Figura 7	Lâmpada Indicando Inserção do Manual de Instruções	49
Figura 8	*Poka-yoke* com Utilização de Chapa-Mola	49
Figura 9	Bloqueador na Correia Transportadora	49
Figura 10	Verificações Sucessivas	53
Figura 11	*Poka-yoke* para Fletir as Bordas da Tampa	54
Figura 12	*Poka-yoke* para Fixadores	58
Figura 13	*Poka-yoke* para Fixação de Acessórios Metálicos	59
Figura 14	Melhorias das Esperas de Lote	70
Figura 15	Relação E:P	72
Figura 16	Estrutura das Operações	76
Figura 17	Análise de Produção de uma Prensa de Grande Porte	79
Figura 18	Fixação de Batente	84
Figura 19	Troca de Limitadores de Fim de Curso	87
Figura 20	Um Limitador Rotativo	87
Figura 21	Fluxograma para Aplicação das Oito Técnicas TRF	88
Figura 22	A Troca Rápida de Ferramentas (TRF): Estágios Conceituais e Técnicas de Operacionalização	90
Figura 23	Fluxo de Planejamento, Controle e Funções de Inspeção	102
Figura 24	Controle Remoto de Prensa	115

Figura 25	Características da Produção em Massa	119
Figura 26	Plano de Produção do Sistema Toyota de Produção	123
Figura 27	Caráter Comum e Caráter Especializado da Produção	124
Figura 28	Diferenças entre os Sistemas Ford e Toyota	128
Figura 29	Período de Produção de Operação de Lote e Operação de Fluxo de Peças Unitárias	134
Figura 30	Dispositivos Funcionais de Fixação	145
Figura 31	Ajuste e Balanceamento da Carga	160
Figura 32	Melhorias de Produtividade a partir de Operações Multiprocessos	192
Figura 33	Ponto de Pedido e Estoque Máximo (número de *Kanban*)	205
Figura 34	*Kanban* (para fornecedor de componentes)	214
Figura 35	Como Circulam os *Kanban*	217
Figura 36	Casos onde o *Kanban* Acumula nos Processos a Montante ...	219
Figura 37	A Função de Melhoria (Kaizen) do *Kanban*	223
Figura 38	O Sistema Toyota de Produção e os Sete Tipos de Perdas	227
Figura 39	Troca de *Setup* sem Toque para a Produção de um Botão de Televisão	238
Figura 40	Plano para Introdução do Sistema Toyota de Produção	258
Figura 41	Observações sobre o Método Toyota de Produção com Base na Engenharia de Produção	264-265
Figura 42	História do Sistema Toyota de Produção	266-267

Lista de Tabelas

Tabela 1	Relação entre Tempo de *Setup* e Tamanho de Lote - I	69
Tabela 2	Relação entre Tempo de *Setup* e Tamanho de Lote - II	70
Tabela 3	Separação de Trabalhador e Máquina	105
Tabela 4	Número de Melhorias Sugeridas na Toyota Motors	111
Tabela 5	Tempo de Montagem por Veículo por País	111
Tabela 6	Rotatividade de Estoque de Fabricantes de Automóveis por País	141
Tabela 7	Comparação de Tempos de Preparação em Máquinas de Estampar por País (capota e paralama)	142
Tabela 8	Prós e Contras das Operações Multimáquinas e Multiprocessos	196
Tabela 9	Evolução de um Sistema de Ponto de Pedido	206-207

PARTE I

Uma Abordagem Fundamental para a Melhoria da Produção

1

Introdução

O MECANISMO DA PRODUÇÃO

Antes de se estudar o Sistema Toyota de Produção, é necessário entender a função da produção como um todo.

Produção é uma rede de processos e operações. A Figura 1 ilustra como um *processo* – transformação de matéria-prima em produto acabado – é efetivado a partir de uma série de *operações*.

Um *processo* é visualizado como o fluxo de materiais no tempo e no espaço; é a transformação da matéria-prima em componente semiacabado e daí a produto acabado. Por sua vez, as *operações* podem ser visualizadas como o trabalho realizado para efetivar essa transformação – a interação do fluxo de equipamento e operadores no tempo e no espaço.

A análise do processo examina o fluxo de material ou produto; a análise das operações examina o trabalho realizado sobre os produtos pelo trabalhador e pela máquina. Um exemplo típico é o corte de eixo em um torno: o eixo é furado, desbastado e recebe o acabamento final. Essa série de transformações é processo. O torno fura, desbasta e dá acabamento à superfície externa. Essa série de ações é a operação.

Para realizar melhorias significativas no processo de produção, devemos distinguir o fluxo de produto (processo) do fluxo de trabalho (operação) e analisá-los separadamente. Embora o processo seja realizado a partir de uma série de operações, é um equívoco colocá-los num mesmo eixo de análise (Figura 2) porque isso reforça a hipótese errada de que a melhoria das operações individuais aumentará a eficiência global do fluxo de processo do qual elas são uma parte. Como será discutido adiante, as melho-

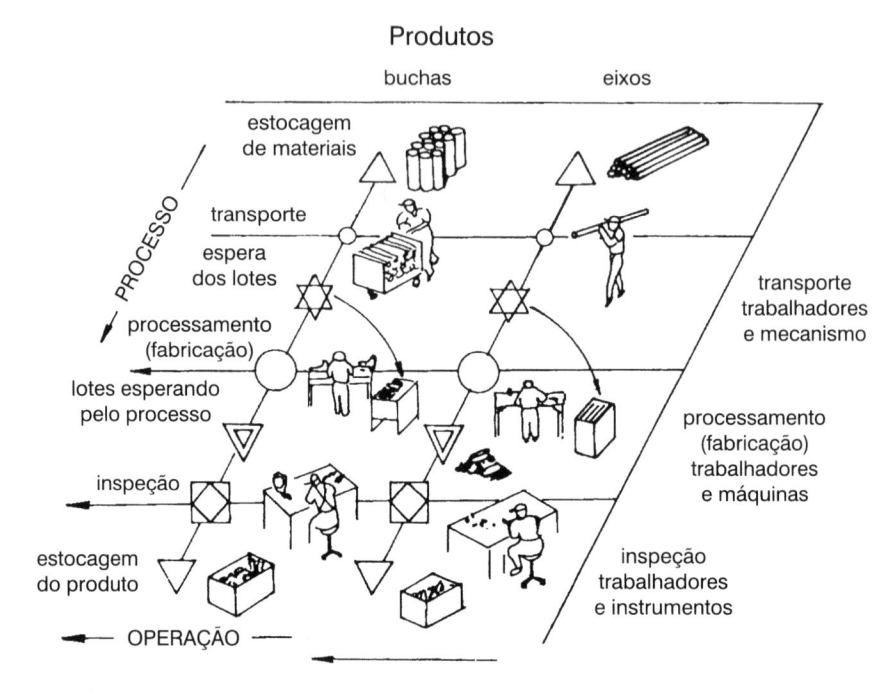

Figura 1. A estrutura da produção.

rias feitas na operação, sem que seja considerado seu impacto no processo podem, na realidade, reduzir a eficiência global. Os Capítulos 2 e 3 descrevem as diversas medidas que devem ser tomadas para melhorar o processo e, por consequência, as operações.

Resumo

Toda produção, executada tanto na fábrica como no escritório, deve ser entendida como uma rede funcional de processos e operações. Processos transformam matérias-primas em produtos. Operações são as ações que executam essas transformações. Esses conceitos fundamentais e sua relação devem ser entendidos para alcançar melhorias efetivas na produção.

Para maximizar a eficiência da produção, analise profundamente e melhore o processo antes de tentar melhorar as operações.

2

Melhoria do Processo

ELEMENTOS DO PROCESSO

Cinco elementos distintos de processo podem ser identificados no fluxo da transformação de matérias-primas em produtos:

- *Processamento* - (○) - Uma mudança física no material ou na sua qualidade (montagem ou desmontagem)
- *Inspeção* - (◇) - Comparação com um padrão estabelecido
- *Transporte* - (○) - Movimento de materiais ou produtos; mudanças nas suas posições
- *Espera* - Período de tempo durante o qual não ocorre qualquer processamento, inspeção ou transporte

Há dois tipos de espera:

- Espera do processo - (▽) - Um lote inteiro permanece esperando enquanto o lote precedente é processado, inspecionado ou transportado
- Espera do lote - (⊗) - Durante as operações de um lote, enquanto uma peça é processada, outras se encontram esperando. As peças esperam para serem processadas ou pelo restante do lote ser fabricado. Esse fenômeno também ocorre na inspeção e no transporte

Análise Básica do Processo

Todas as atividades de produção, independentemente de diferenças na forma, número ou combinação podem ser analisadas com a utilização desses cinco símbolos. Considere essa sequência:

1. Barras de aço são entregues pela Usina de Aço A e estocadas (▽) para que seja feita a inspeção de recebimento.
2. O inspetor de recebimento inspeciona (◇) as barras e elas são então novamente estocadas (▽). Aqui, (◇) é melhor simbolizado como (⊗) - (▽) - (⊗).
3. Um lote inteiro é transportado (o) por meio de uma empilhadeira para uma serra, e, então, estocado (▽).
4. As barras são processadas (⊗) e cortadas em comprimentos de 150 mm. Isto é mais precisamente simbolizado como (⊗) - (○) - (⊗).
5. Cinco caixas nas paletes são estocadas entre processos (▽).
6. Uma caixa de cada vez é transportada (o) pela empilhadeira ao pátio de materiais para forjamento. Cada repetição deve ser simbolizada como (⊗) - (o) - (⊗).
7. Uma caixa de material cortado é transportada (o) à prensa de forjar e estocada (37).
8. Peças de material cortado são sucessivamente aquecidas (○) no forno de tratamento técnico, transportadas (o) através de uma calha para a prensa de forjar (○) e então enviadas (o) à máquina de rebarbar (○). Finalmente, são carregadas nas paletes. Esse fluxo pode ser simbolizado como (⊗) - (○) (aquecimento) - (o) - (○) (forjamento) - (o) - (○) (rebarbagem) - (⊗) - (▽). Como há um fluxo de peça unitária entre o aquecimento, o forjamento e a rebarbagem, não há (▽) adicional.

O tratamento térmico subsequente, a usinagem e a montagem podem ser simbolizados como (○) - (◇) - (o) - (▽) - (⊗).

Esse exemplo demonstra a necessidade de focalizar esses cinco elementos ao serem propostas melhorias no processo:

- Processo
- Inspeção
- Transporte
- Esperas do processo
- Esperas dos lotes

A Figura 2 (pp. 42-43) ilustra outro exemplo de uma análise prática de processo com a utilização dessa metodologia.

MELHORIA DO PROCESSO

Os processos podem ser melhorados de duas maneiras. A primeira consiste em melhorar o produto a partir da Engenharia de Valor. A segunda consiste em melhorar os métodos de fabricação do ponto de vista da engenharia de produção ou da tecnologia de fabricação.

A Engenharia de Valor é o primeiro estágio na melhoria do processo. Ela questiona: "Como esse produto pode ser redesenhado para manter a qualidade e, ao mesmo tempo, reduzir os custos de fabricação?". Por exemplo, depois da Análise de Valor, dois componentes que eram anteriormente montados com parafusos podem agora ser processados por uma prensa em uma peça única; um produto que costumava ser montado com oito parafusos pode agora exigir apenas quatro, e um gancho ou lingueta de um produto que costumava ser fundido e usinado pode ser produzido, em vez disso, através da soldagem de placas de aço.

No segundo estágio de melhoria do processo, a questão é: "Como a fabricação deste produto pode ser melhorada?". Melhorias relativas a tecnologia de produção envolvem fatores tais como temperaturas adequadas de fusão ou de forjamento, velocidades de corte, escolha das ferramentas apropriadas, etc. Melhorias baseadas na Engenharia de Produção podem incluir a adoção de moldagem a vácuo, operação de recobrimento de alta velocidade, secagem instantânea, etc.

Exemplo 2.1 – Eliminação de rebarbas. A rebarbagem ocorre nos processos normais de fundição em molde permanente, porque são necessárias aberturas no molde para permitir a saída do ar na medida em que o metal líquido é nela vazado. É quase impossível terminar o vazamento a tempo de impedir que pequenas quantidades do metal líquido penetrem nessas aberturas.

No passado, a rebarbagem era um inevitável efeito colateral na fundição em molde permanente, e um objetivo comum de melhoria era sua eliminação. Por exemplo, a remoção das rebarbas radiais em uma operação de prensa era considerada uma melhoria em relação à remoção dessas rebarbas por limagem manual.

Obviamente, sempre que houver presença de ar no molde, é provável a ocorrência da rebarbagem. Entretanto, a Daimler Benz, na ex-Alemanha Ocidental, desenvolveu um método de vazamento de baixa pressão que remova o ar do molde com uma bomba de vácuo antes de introduzir o metal líquido, um método que elimina totalmente a rebarbagem.

Aplicamos o método de moldagem a vácuo, com sucesso, em nossos processos de produção na Toyota. Mais tarde, com a ajuda do Presidente Tsukamoto da Dia Plastic Co., ele foi aplicado na moldagem de plástico com o objetivo de aumentar a qualidade do produto e reduzir, por exemplo, defeitos e ciclos de injeção (Figuras 3 a 5C).

Desenho da carcaça					Processo nº	451	Peças manufaturas	600
					Nome da peça	Caixa de transmissão	Peça nº	G60-IE
					Material	AC-2	Peças por conjunto	1
					Inspetor	Furuyama	Data de inspeção	24/3/24
					Máquina	**Ferramenta, dispositivos etc.**	**Estocagem**	**Condições de operação desenvolvimento**
					Balança		Empilhar no chão	
Peças	**Distância**	**Tempo**	**Símbolo**	**Processo (local)**	**Operador**			
200-300kg			▽	Almoxarifado				
50kg	70m	1h	C	Oficina de fundição	Fundidor (forneiro)			
50kg	$\frac{3m \times 3}{9m}$		□	Pesagem	Fundidor			
50kg		2h	m	Fusão	Fundidor			
50kg	(75)m × 4		2		Fundidor			
			m	Seção de moldagem	Operador de fundição			

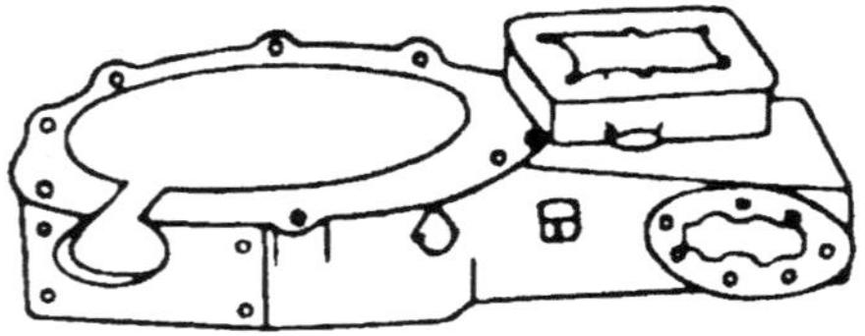

FIGURA 2. Roteiro de Produção (carta analítica de processo).

				Canais de vazamento / Rebarbas	Inspetor por amostragem com calibre
			Empilhar em um canto, no chão.		
Operador de fundição	Vazamento	◯ 3	3h		6 pçs.
Responsável pelo transporte	Área de remoção de rebarbas	▷▷	4h	40m	6 pçs.
	idem	C ▷▷	72h	$\dfrac{10m \times 28}{280m}$	
Operador	Corte dos canais de vazamento	ⓜ ◯ 4	2h		55 pçs.
Executar:	Remoção de rebarbas	◯ 5	56h	$\dfrac{3m \times 28}{84m}$	55 pçs.
Executar:		ⓜ			
Executar:		◇ 6	5h		55 pçs.
Inspetor					
Executar:		ⓜ		$\dfrac{2m \times 28}{56m}$	

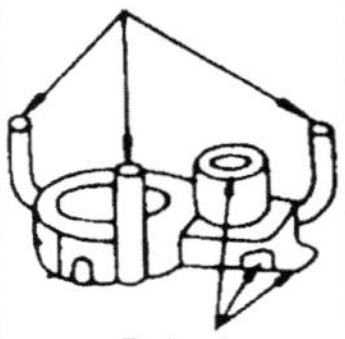

FIGURA 2. Roteiro de Produção (carta analítica de processo). *Continuação*

FIGURA 3. Equipamento de moldagem a vácuo.

FIGURA 4. Matriz para moldagem a vácuo.

Exemplo 2.2 — Remoção de espuma. Este caso envolve uma inovação na operação de recobrimento de alta velocidade. A operação de aspersão ou uso de spray sobre a superfície a ser revestida resultou em uma redução de 75% no tempo de revestimento, ao expelir bolhas de ar indesejáveis que apareciam no sistema. Além de aumentar a velocidade da operação de recobrimento, esse novo método reduziu consideravelmente o consumo de energia.

Exemplo 2.3 — Secagem de resina plástica. Em outro caso, foi obtida uma redução de 75% no consumo de energia elétrica — um valor considerável — ao se fazer com que a secagem da resina plástica injetada durante o ciclo de moldagem fosse feita por etapas, um pouco de cada vez, permitindo que essa flutuasse até a superfície, em lugar de realizar a secagem de uma só vez.

Fica claro que, no momento em que os métodos tradicionais são questionados e estudados, métodos novos e mais efetivos podem ser criados. É possível obter melhorias substanciais sempre que procurarmos maneiras de impedir que os problemas ocorram, ao invés de corrigi-los após seu aparecimento. A Figura 5, o estudo de caso descrito das páginas 45-47, finaliza a seção sobre melhoria do processo.

MELHORIA DA INSPEÇÃO

Inspeção por *Julgamento* e Inspeção *Informativa*

Na maioria das empresas, um relatório de qualidade do produto, geralmente, inclui o percentual total de defeitos, assim como uma classificação

PONTOS

- Impossível limitar a variação da qualidade do produto durante a conformação. Tentou-se controlar as temperaturas da matriz de moldagem, da velocidade de injeção, etc., e outros problemas sérios
- Ranhuras de escape de ar e gás, diâmetros de mangueiras e potência da bomba padronizados

PROBLEMAS

- Flutuação da qualidade funcional da peça
- Defeitos visíveis no produto conformado causado por chamuscamento por aquecimento, aquecimentos localizados e pontos frios
- Necessidade de conduzir uma inspeção 100% para garantir a qualidade
- A pasta do monômero proveniente do gás, gerada na fusão dos plásticos, era depositada nas aberturas de escape do gás, aumentando o tempo de manutenção da matriz de moldagem

MELHORIAS

- Melhoria na matriz com o aumento do tamanho das ranhuras de escape de ar e gás — de 0,03 para o tamanho ótimo de 0,07mm
- Modificação no diâmetro da mangueira — de 3mm para 25mm
- Substituída a bomba de vácuo com selo hidráulico de 3 HP por uma bomba de vácuo com selo a óleo de 7,5 HP — aumentando a capacidade de 720mmHg para 760mmHg
- Com a qualidade estabilizada, o tempo de inspeção foi reduzido; a qualidade pôde ser garantida pela inspeção da primeira peça
- Desapareceu a variação na força retentora

RESULTADOS

Item	Antes da melhoria*	Depois da Melhoria*
Custo do material	$ 928	$ 154
Custo de mão de obra	$ 825	$ 275
Valor agregado	$ 377	$ 471
Taxa de defeitos	0,021%	0,009%
Efeitos indiretos		17% (equivalente a $ 1,503)**
Resultados de toda a empresa		$ 5,624 / **mês**
Resultados da divisão		$ 1,965 / **mês**
Lucro total		$ 7,589 / **mês**

*Valor do dólar relativo às taxas de conversão iene/dólar de 1980.
**Na tradução americana: *"Spreading effects — 17% up %1,503°"*

FIGURA 5. Melhoria da qualidade e produtividade através de moldagem a vácuo.

46 SHIGEO SHINGO

Antes da melhoria

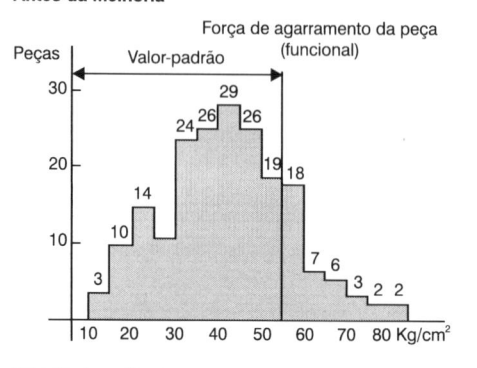

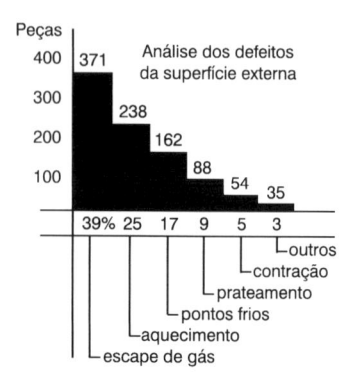

[Histograma: Força de agarramento da peça (funcional), Valor-padrão. Peças vs Kg/cm². Valores: 3, 10, 14, 24, 26, 29, 26, 19, 18, 7, 6, 3, 2, 2 em intervalos de 10 a 80 Kg/cm²]

[Análise dos defeitos da superfície externa — Peças: 371, 238, 162, 88, 54, 35; percentuais: 39%, 25, 17, 9, 5, 3 — outros, contração, prateamento, pontos frios, aquecimento, escape de gás]

Depois da melhoria

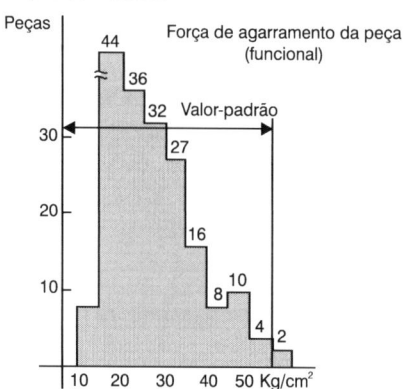

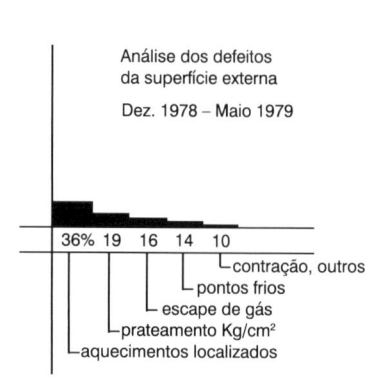

[Histograma: Força de agarramento da peça (funcional), Valor-padrão. Valores: 44, 36, 32, 27, 16, 8, 10, 4, 2 em intervalos de 10 a 50 Kg/cm²]

[Análise dos defeitos da superfície externa — Dez. 1978 – Maio 1979. Valores: 36%, 19, 16, 14, 10 — contração, outros; pontos frios; escape de gás; prateamento Kg/cm²; aquecimentos localizados]

A. Melhoria da qualidade através da moldagem a vácuo

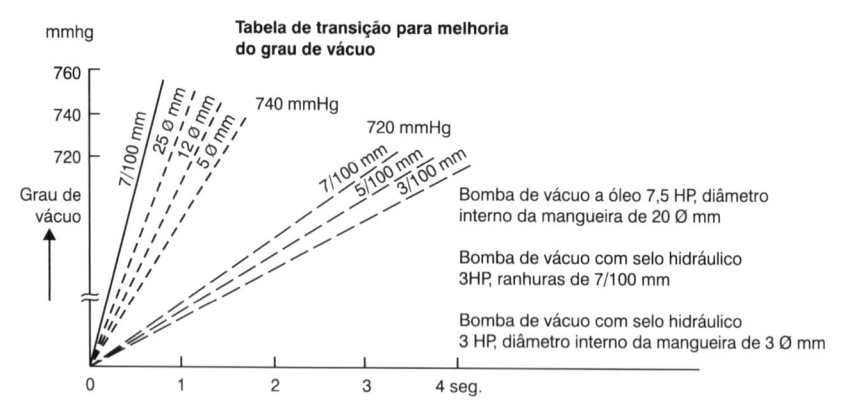

Tabela de transição para melhoria do grau de vácuo

[Gráfico: mmhg (Grau de vácuo) × tempo (seg). Linhas tracejadas: 7/100 mm, 25 ø mm, 12 ø mm, 5 ø mm atingindo 740 mmHg; 7/100 mm, 5/100 mm, 3/100 mm atingindo 720 mmHg]

Bomba de vácuo a óleo 7,5 HP, diâmetro interno da mangueira de 20 Ø mm

Bomba de vácuo com selo hidráulico 3HP, ranhuras de 7/100 mm

Bomba de vácuo com selo hidráulico 3 HP, diâmetro interno da mangueira de 3 Ø mm

B. Potência da bomba e grau de vácuo

FIGURA 5. *(Continuação).*

FIGURA 5. *(Continuação).*

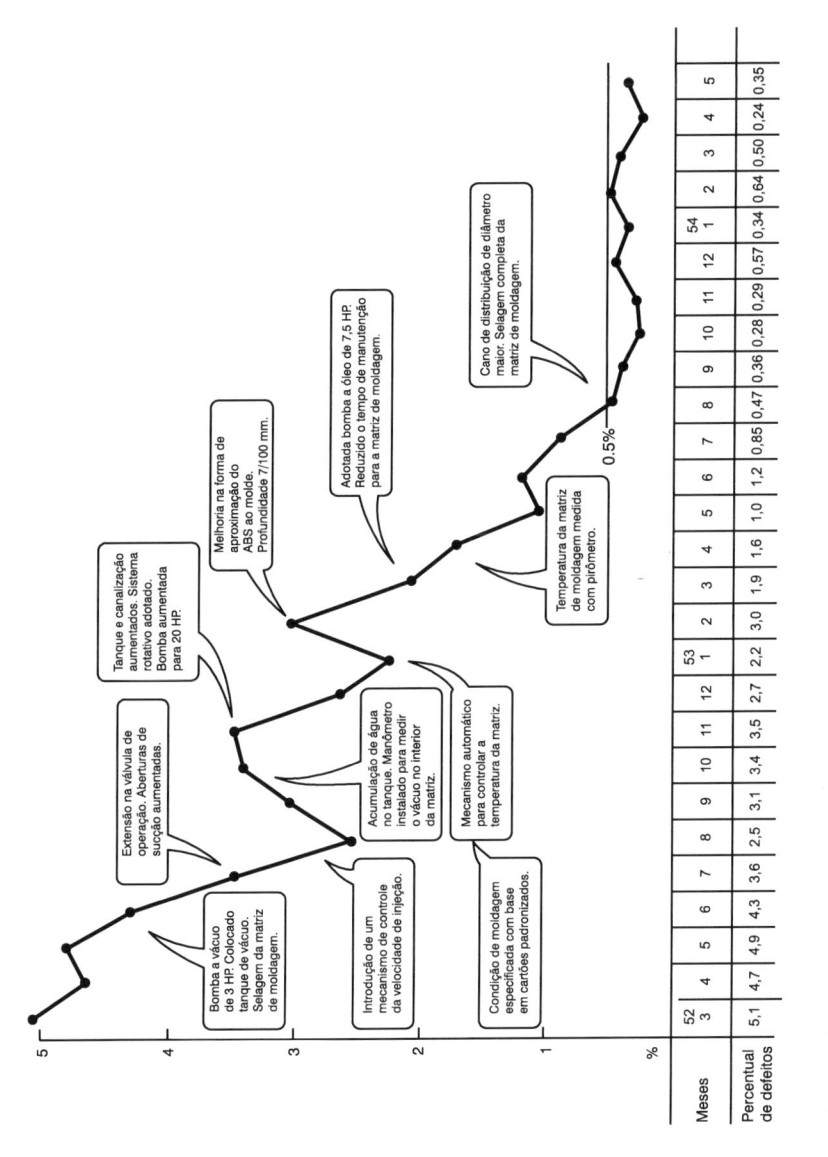

C. Redução na taxa de defeitos através da moldagem a vácuo

Meses	52										53												54				
	3	4	5	6	7	8	9	10	11	12	1	2	3	4	5	6	7	8	9	10	11	12	1	2	3	4	5
Percentual de defeitos	5,1	4,7	4,9	4,3	3,6	2,5	3,1	3,4	3,5	2,7	2,2	3,0	1,9	1,6	1,0	1,2	0,85	0,47	0,36	0,28	0,29	0,57	0,34	0,64	0,50	0,24	0,35

Anotações no gráfico:
- Bomba a vácuo de 3 HP. Colocado tanque de vácuo. Selagem da matriz de moldagem.
- Introdução de um mecanismo de controle da velocidade de injeção.
- Condição de moldagem especificada com base em cartões padronizados.
- Extensão na válvula de operação. Aberturas de sucção aumentadas.
- Acumulação de água no tanque. Manômetro instalado para medir o vácuo no interior da matriz.
- Mecanismo automático para controlar a temperatura da matriz.
- Tanque e canalização aumentados. Sistema rotativo adotado. Bomba aumentada para 20 HP.
- Melhoria na forma de aproximação do ABS ao molde. Profundidade 7/100 mm.
- Adotada bomba a óleo de 7,5 HP. Reduzido o tempo de manutenção para a matriz de moldagem.
- Temperatura da matriz de moldagem medida com pirômetro.
- Cano de distribuição de diâmetro maior. Selagem completa da matriz de moldagem.
- 0,5%

estatística estratificada pelo tipo de defeito. Um relatório típico tem esta forma:

Percentual total de defeitos	6.5%
Falhas	2,8%
Defeitos dimensionais	1,8%
Excentricidades	0,8%
etc...	

Esses dados estão baseados em uma análise de defeitos de qualidade descobertos na inspeção final, ou seja, *postmortem*. Esse tipo de inspeção é chamado de *inspeção por julgamento* porque simplesmente distingue produtos defeituosos de não defeituosos e emite um "certificado *postmortem*". Melhorar a inspeção por julgamento (aumentando o número de inspeções, por exemplo), pode aumentar a confiabilidade do processo de inspeção, mas não terá qualquer efeito na redução dos defeitos. O número de defeitos encontrado pode variar, mas as fontes dos defeitos permanecem inalteradas. Essa forma de inspeção irá reduzir erros de *inspeção*, ou seja, identificará tanto os defeitos não percebidos como os produtos sem defeito que eram erroneamente rejeitados. Porém, a inspeção por julgamento não pode impedir a ocorrência de defeitos durante o processamento.

Para reduzir efetivamente a taxa de defeitos, o processamento deve ser informado sempre que um defeito é encontrado, de forma que medidas sejam tomadas para corrigir o método ou a condição de processamento, impedindo, assim, a repetição do defeito. A inspeção que realiza essa função é chamada de *inspeção informativa*, porque realimenta o processamento com informação; é como realizar um exame médico ao invés de um *postmortem*. Quanto mais rápido um sintoma (defeito) for identificado, mais rápida e efetivamente poderá ser tratado o problema, e maior será a redução nos defeitos. Em suma, a inspeção por julgamento descobre os defeitos, enquanto as inspeções informativas fazem a ocorrência dos defeitos ser reduzida.

Exemplo 2.4 – Verificação do número de componentes. No processo de empacotamento de aspiradores de pó da Matsushita Electric, o aspirador, os acessórios e os folhetos de instrução eram colocados em uma caixa que era então pesada para verificação da eventual falta de alguma das peças. Apesar dessa checagem, continuavam as reclamações de faltas de peças e folhetos, embora não com frequência suficiente a ponto de justificar a despesa com uma balança mais sensível. A observação do processo demonstrou que a inspeção era executada após a ocorrência dos defeitos. O gerente de produção começou a introduzir melhorias para impedir o surgimento dos defeitos. Em menos de dois meses, o número de reclamações caiu a zero. As providências tomadas foram:

- Uma mola foi instalada sob uma chapa que prendia os folhetos de instruções. Pressionando-se essa chapa para retirar um folheto, é ativado um interruptor de fim de curso que acende um sinal onde se lê "folheto de instrução inserido" (Figuras 6 e 7).
- Uma chapa-mola foi instalada na caixa das peças. Ao serem retiradas peças da caixa, uma mola é comprimida, ativando um interruptor de fim de curso que acende um sinal onde se lê "todas as peças inseridas".
- Depois de aceso o sinal "todas as peças inseridas", um bloqueador na correia transportadora retrai-se e a caixa pode passar ao próximo processo (Figura 9).
- Se houver falta de algum item, um alarme toca, quando a caixa chega ao bloqueador e a correia para. Quando isso acontece, a caixa é checada novamente e o problema corrigido.

Essas melhorias tornaram impossível o envio de caixas incompletas ao próximo processo. Antes delas, um erro poderia ser detectado somente quando já tivesse ocorrido. Agora, erros podem ser detectados e corrigidos na fonte, dentro do processo de produção.

FIGURA 6. *Poka-yoke* para manual de instruções.

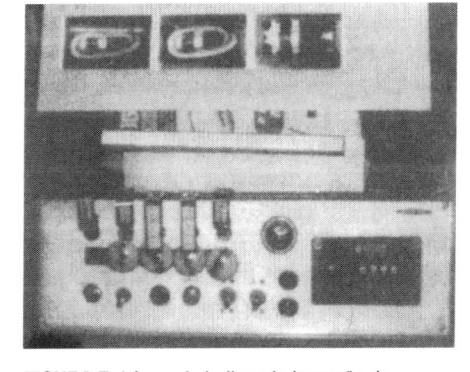

FIGURA 7. Lâmpada indicando inserção do manual de instruções.

FIGURA 8. *Poka-yoke* com utilização de chapa-mola.

FIGURA 9. Bloqueador na correia transportadora.

Esse exemplo ilustra um princípio importante: o objetivo da inspeção deve ser a prevenção. No entanto, para que a inspeção tenha essa função, devemos mudar nossa maneira de pensar.

Muitas empresas empregam aparelhos de detecção de defeitos magníficos, mas deixam de fazer a pergunta mais importante: "Que tipo de inspeção está sendo feita?". Se a prevenção não for o objetivo principal, não importa quão bons sejam os métodos e equipamentos: é pouco provável que os resultados sejam satisfatórios.

Amostragem *versus* Inspeção 100%

Por volta de 1951, métodos de controle de qualidade baseados em amostragens aleatórias foram introduzidos no Japão. Novos métodos, incluindo diagrama de causa e efeito, diagrama de distribuição de frequência, carta de controle, inspeção por amostragem, métodos de planejamento de experimentos, entre outros, foram adotados. Esses métodos estatísticos, mais tarde, tiveram um grande impacto no controle de qualidade em nosso país.

As técnicas foram bem-vindas porque proporcionavam garantia de qualidade que tinham custo mais baixo e dispendiam menos tempo que a inspeção 100%. A inspeção por amostragem deu a impressão de garantir qualidade com maior eficiência que a inspeção 100%.

Entretanto, em 1965, o Sr. Tokizane, Diretor Administrativo da Matsushita Electric, fez uma colocação bastante importante. Ele observou que cada consumidor adquire apenas um aparelho de televisão de um total de um milhão produzido pela companhia. Se apenas aquele aparelho estiver defeituoso, o consumidor perde completamente a fé na empresa. Na Matsushita, com a utilização da inspeção por amostragem, seria provavelmente impossível evitar um defeito em um milhão de aparelhos produzidos, o que, na realidade, teria sido considerado um excelente resultado.

Mas como poderia o ideal de qualidade 100% do Sr. Tokizane, ou "zero defeitos", ser atingido por meio da inspeção por amostragem? Tornou-se claro que, embora a inspeção por amostragem seja provavelmente o método mais racional de inspeção, ele não garante necessariamente qualidade. Empregando estatística, um nível de qualidade aceitável (NQA) pode ser estabelecido. No entanto, isso é útil somente no contexto da inspeção por amostragem. Quando o objetivo consiste em atingir zero defeitos, este conceito (NQA) impõe limites desnecessários e irreais sobre o nível de melhoria que pode ser alcançado.

São necessários métodos que possam garantir qualidade com a mesma perfeição de uma inspeção 100%, mas com a mesma facilidade e eficiência das técnicas de amostragem. Elas são os primeiros passos no controle estatístico de qualidade.

Controle da Qualidade e Cartas de Controle da Qualidade

Cartas de controle constituem-se em uma importante ferramenta no controle de processo estatístico. Elas determinam dois tipos de limites:

- Limites-padrão, os quais especificam o intervalo de erro aceitável permitido para os produtos
- Limites de controle, os quais especificam a amplitude das variações na qualidade que surgem no estágio de processamento

Uma vez estabelecidos os limites de controle baseados nos dados reais, as amostras são coletadas regularmente. Qualquer amostra que esteja fora dos limites é considerada um valor anormal, e decisões são tomadas visando à identificação e correção da causa dos problemas.

No entanto, basear-se na carta de controle para garantia da qualidade, tem vários inconvenientes. Em primeiro lugar, ela é mais usada como parte de um sistema de inspeção por julgamento que visa encontrar em vez de prevenir defeitos. Quando dados coletados a partir do método da carta de controle provocam ações com o objetivo de eliminar as causas destes defeitos, o sistema transforma-se em um tipo de inspeção informativa. O *feedback* gerado pelo método da carta de controle, no entanto, é geralmente revisado na reunião mensal da qualidade. Normalmente, já é tarde para que ele seja efetivo. De qualquer maneira, as medidas sempre são tomadas *após* o fato; é necessário que a ação preventiva seja realizada *antes* que ocorra o defeito.

Um segundo inconveniente da carta de controle é o fato dela poder ser utilizada somente em casos onde um desvio-padrão é admissível, como no caso de uma dimensão de eixo usinado de 120mm ± 0,05mm. Ela não é útil, porém, quando a quebra de uma prensa de estampar produz uma série de peças sem furos. Normalmente, defeitos contínuos são descobertos a partir da inspeção por amostragem. Quando um defeito é encontrado, o funcionamento da máquina é interrompido e o problema corrigido. A inspeção 100% é realizada nas partes previamente processadas visando a eliminar os itens defeituosos.

Utilizando métodos de controle de qualidade, esse problema seria tratado a partir do incremento da frequência da inspeção por amostragem e, talvez, introduzindo procedimentos de *feedback* e tempo de resposta mais eficientes. Essas medidas podem reduzir os defeitos, mas não irão eliminá-los.

No caso de defeitos eventuais, o método da carta de controle pode ser ainda menos eficaz. Por exemplo, a Metalúrgica M, fornecedora da Companhia de Produtos Óticos N, tem um problema de defeitos de fluxo em suas câmeras fotográficas. De acordo com as suas exigências de Controle de Qualidade, uma amostra é tirada de cada 100 peças; se um defeito de fluxo for encontrado, a inspeção 100% é executada para eliminar algum outro defeito. No entanto, se a amostra for perfeita, todo o lote é considerado aceitável e os produtos entregues à Produtos Óticos N. Essa empresa, por sua vez, pode aceitar inadvertidamente os defeitos no lote da Metalúrgica M, se os produtos passarem na sua própria inspeção por amostragem. Como consequência desse procedimento, há uma possibilidade significativa de que defeitos cheguem ao consumidor.

Por que a Metalúrgica M não toma medidas para prevenir os defeitos na fonte? Essa é uma parte do problema. O controle de qualidade advoga conceitos racionais, progressivos, tais como a incorporação de qualidade no processo e a realização de inspeções informativas visando ao estabelecimento de *feedback* às operações de processamento. Não obstante, as inspeções por amostragem baseadas em estatística recebem a maior parte da atenção, apesar da inspeção por amostragem não ser nada mais do que um *meio* lógico, uma ferramenta prática de controle da qualidade. Em algum momento se tornou confuso o que seria meio e o que seria fim; a noção de que não se pode ter controle de qualidade sem utilizar estatística suplantou os conceitos originais e legítimos.

Moral: a qualidade pode ser garantida de uma maneira aceitável apenas quando estiver incorporada ao processo e quando a inspeção proporcionar *feedback* imediato e preciso da fonte dos defeitos.

Tipos de Inspeção Informativa

Se você está empenhado em atingir zero defeitos, a inspeção por julgamento não é apropriada, já que ela descobre defeitos apenas depois que eles ocorrem. A inspeção informativa é melhor, porque ela ajuda a reduzir defeitos checando próximo à fonte e, imediatamente, retornando à informação, a qual pode ser usada para prevenir a reincidência do defeito. Um simples formulário de inspeção 100% que seja fácil de administrar deve, também, ser adotado. Há vários tipos de inspeção preventiva.

Autoinspeção e Inspeção Sucessiva

A inspeção que proporciona o *feedback* mais imediato é a autoinspeção, onde o trabalhador inspeciona os produtos que ele próprio processa. Esse método tem dois inconvenientes; o trabalhador pode:

- Ser condescendente na sua avaliação e aceitar itens que deveriam ser rejeitados.
- Cometer erros de inspeção involuntariamente

Esse tipo de inspeção autônoma é frequentemente incentivado, mas não é tão eficiente, pela falta de objetividade inerente a essa atividade. Um sistema de *inspeção sucessiva*, por outro lado, proporciona tanto objetividade como *feedback* imediato.

Na inspeção sucessiva, os trabalhadores inspecionam os produtos que passaram pela operação anterior, antes de eles mesmos processarem esses produtos. Produtos processados pelo trabalhador A passam ao trabalhador B que, após inspecionar o trabalho de A, processa o produto. O trabalho de B é inspecionado pelo trabalhador C que, então, realiza sua operação e assim por diante (Figura 10).

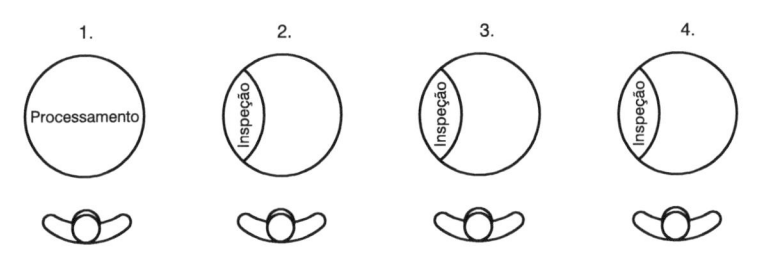

FIGURA 10. Verificações sucessivas.

Exemplo 2.5 – Inspeção sucessiva. A divisão de televisão da *Moriguchi Electric Company* adotou a inspeção sucessiva com os seguintes resultados: utilizando cartas de controle e atividades do Círculo de Controle de Qualidade, havia reduzido sua taxa de defeitos de processo de 15 para 6,5, mas não havia conseguido melhorias adicionais como resultado dessas atividades. Então, foi adotada a inspeção sucessiva. Um mês depois, os defeitos do processo haviam caído para 1,5; depois de três meses, para 0,065 e daí para 0,016.

Essas são conquistas excelentes, e compatíveis com os resultados obtidos por outras empresas. Com a adoção do sistema de inspeção sucessiva pode-se obter, em média, uma redução de 80 a 90% no número de defeitos em um mês.

O sistema, além disso, tem sido bem-sucedido na redução dos defeitos de processo durante os primeiros estágios de mudanças de modelos. Como é fácil implementá-lo rapidamente, seu uso nessas circunstâncias deve ser estimulado.

Autoinspeção Reforçada

Apesar da possibilidade de ocorrência de erros por mau julgamento ou desatenção, com a autoinspeção obtém-se o mais rápido *feedback*. Um sistema de autoinspeção que eliminasse todos esses problemas seria ainda mais eficiente do que a inspeção sucessiva. A autoinspeção pode ser reforçada com o uso de dispositivos que automaticamente detectam defeitos ou erros. Tais sistemas dão a cada trabalhador *feedback* imediato, atinge a inspeção 100% e impede a ocorrência de defeitos.

Como exemplo, vejamos o caso de um componente de automóvel a ser montado tanto pelo lado direito como pelo lado esquerdo do carro. Apesar dos contornos idênticos, a posição de um furo determina se o componente é direito ou esquerdo (Figura 11). A peça foi projetada para ser fletida no lado direito, mas, ocasionalmente, as peças direita e esquerda eram acidentalmente trocadas. Para evitar que isso acontecesse, um interruptor de fim de curso foi instalado na prensa, no ponto onde o furo deveria estar localizado. Se o furo não estiver na posição correta, o interruptor de fim de curso é ativado, a prensa para e um alarme toca, alertando o trabalhador. A energia não voltará, se a peça não for colocada na prensa corretamente.

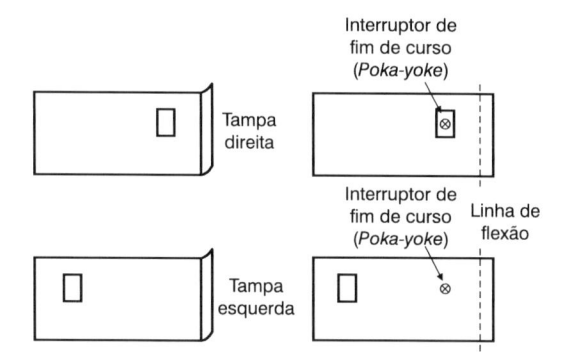

FIGURA 11. *Poka-yoke* para fletir as bordas da tampa.

Neste caso, o interruptor de fim de curso não somente executa uma inspeção 100% como também evita que o defeito ocorra. Dispositivos de detecção física como esse são chamados de *Poka-yoke*, ou dispositivos "à prova de erros". (Mesmo os melhores trabalhadores cometem erros inadvertidamente.) Ao instalar dispositivos de inspeção "no processo", a produção com defeito zero pode ser alcançada.

Inspeção na Fonte

Inspeção na fonte previne a ocorrência de defeitos, controlando as condições que influenciam a qualidade na sua origem. *Inspeção vertical na fonte* rastreia o problema ao longo do fluxo do processo para identificar e controlar condições externas que afetam a qualidade. *Inspeção horizontal na fonte* identifica e controla condições dentro de uma operação que afeta a qualidade.

Algumas inspeções de qualidade exigem julgamentos sensoriais subjetivos - matizes de tintas, por exemplo. Em tais inspeções, no entanto, procuramos defeitos depois que eles ocorrem, o que torna o objetivo da inspeção 100% difícil de atingir. Além disso, temos a tendência a realizar julgamentos subjetivos, porque voltamos a atenção para as consequências ou resultados defeituosos, ao invés das causas ou condições defeituosas. Quando o matiz da cor não é aceitável, tem-se um defeito, mas esse é apenas um sintoma das condições que o produziram. Utilizamos inspeção sensorial para identificar tais defeitos, mas suas causas serão melhor controladas por métodos físicos.

Inspeção horizontal na fonte atinge a inspeção 100% por meio do controle dos fatores que provocam uma condição que possibilita defeitos. Por exemplo, o tom da cor pode ser controlado pelo ajuste dos fatores que afetam a qualidade - como, por exemplo, controlando a quantidade e densidade de tinta e a quantidade de pressão de ar de descarga.

Métodos de Inspeção *Poka-yoke*

Inspeção sucessiva, autoinspeção e inspeção na fonte podem ser todas alcançadas a partir do uso de métodos *Poka-yoke*. O *Poka-yoke* possibilita a inspeção 100% a partir do controle físico ou mecânico.

As Funções de Regulagem do Poka-yoke

Há duas maneiras nas quais *Poka-yoke* pode ser usado para corrigir erros:

- Método de Controle - quando o *Poka-yoke* é ativado, a máquina ou a linha de processamento para, de forma que o problema pode ser corrigido
- Método de Advertência - quando o *Poka-yoke* é ativado, um alarme soa, ou uma luz sinaliza, visando alertar o trabalhador

O *Poka-yoke* de controle é o dispositivo corretivo mais poderoso, porque paralisa o processo até que a condição causadora de defeito tenha sido corrigida.

O *Poka-yoke* de advertência permite a continuação do processo que está gerando o defeito, caso os trabalhadores não atendam ao aviso. A frequência com que ocorrem os defeitos e o fato de eles poderem ou não ser corrigidos, uma vez que tenham ocorrido, irá influenciar na escolha entre esses dois métodos.

Em geral, defeitos ocasionais são corrigidos automaticamente. Por exemplo, uma falha em parte da matéria-prima causa defeitos nas peças produzidas com essa porção defeituosa; porém, as peças subsequentes serão boas. Defeitos mais frequentes, geralmente, exigem um *Poka-yoke* de controle. Se a frequência do defeito é baixa e o defeito puder ser corrigido, é aconselhado um *Poka-yoke* de advertência. Entretanto, quando o defeito é impossível de ser corrigido, é preferível um *Poka-yoke* de controle, seja qual for a frequência com que ocorre esse defeito.

Quando os defeitos continuarem a ser produzidos até que uma intervenção humana ou mecânica ocorra (por exemplo, uma puncionadeira quebrada que cause refugos continuamente) o *Poka-yoke* de controle é sempre o mais eficaz.

Em cada caso, a decisão de implementar um *Poka-yoke* deve ser feita com base em uma análise custo-benefício. O *Poka-yoke* de controle é o mais eficiente na maioria dos casos.

Funções Determinantes do Poka-yoke

Há três tipos de *Poka-yoke* de controle:

- O *método de contato* identifica os defeitos em virtude da existência ou não de contato entre o dispositivo e alguma característica ligada à forma ou dimensão do produto. (Algumas vezes são introduzidas deliberadamente pequenas mudanças na dimensão ou forma do produto, de forma que os defeitos sejam mais facilmente identificáveis.) São também utilizadas diferenças de cor, e técnicas nelas baseadas são consideradas extensões do método de contato
- O *método de conjunto* determina se um dado número de atividades previstas são executadas
- O *método das etapas* determina se são seguidos os estágios ou operações estabelecidos por um dado procedimento

Escolha de um Método Poka-yoke

O dispositivo *Poka-yoke* em si não é um sistema de inspeção, mas um método de detectar defeitos ou erros que pode ser usado para satisfazer uma determinada função de inspeção. A inspeção é o objetivo, o *Poka-yoke* é simplesmente o método. Por exemplo, um gabarito que rejeita uma peça processada incorretamente é um *Poka-yoke* que desempenha a função de inspeção sucessiva. Se a inspeção sucessiva (a qual detecta defeitos depois que eles ocorrem) não é a maneira mais eficaz de eliminar os defeitos naquele processo específico, um outro sistema deve ser usado. E, é claro, os métodos *Poka-yoke* que satisfazem outras funções do sistema de inspeção podem ser bastante diferentes.

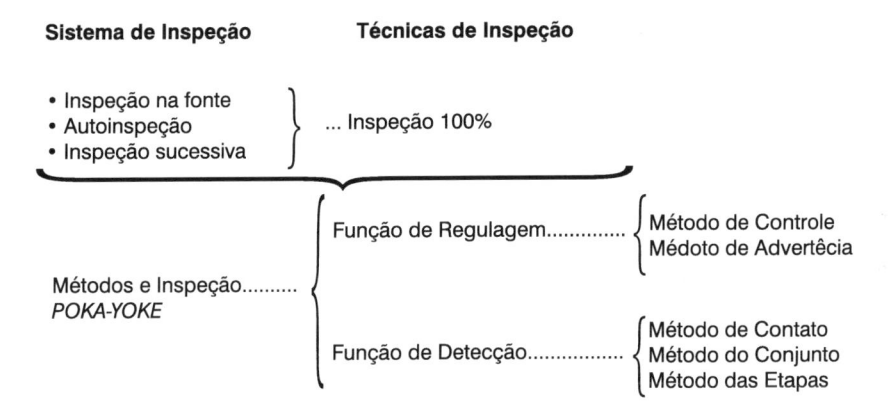

Sistema de Inspeção
- Inspeção na fonte
- Autoinspeção
- Inspeção sucessiva

Técnicas de Inspeção
... Inspeção 100%

Métodos e Inspeção POKA-YOKE
- Função de Regulagem
  - Método de Controle
  - Médoto de Advertêcia
- Função de Detecção
  - Método de Contato
  - Método do Conjunto
  - Método das Etapas

Portanto, o primeiro passo na escolha e adoção de métodos de controle de qualidade efetivos é identificar o sistema de inspeção que melhor satisfaz as necessidades de um determinado processo.

O passo seguinte é identificar um método *Poka-yoke*, de controle ou advertência, que seja capaz de satisfazer a função de inspeção desejada. Somente depois de definido o método apropriado, deve-se considerar qual o tipo ou *design* do dispositivo *poka-yoke*, seja ele um *Poka-yoke* de contato, de conjunto ou de etapas.

Exemplo 2.6 – Aplicações do Poka-yoke *em um fornecedor da Toyota.* Na Arakawa Shatai, fabricantes de carrocerias de automóveis, a chapa de revestimento interno das portas de determinado modelo consiste em uma prancha revestida em couro, presa por 20 fixadores. Várias vezes por mês, ocorriam defeitos, quando era esquecida a colocação de um ou dois desses fixadores. Os trabalhadores eram avisados para que fossem mais cuidadosos, o que fazia cair a taxa de defeitos por algum tempo, mas essa taxa logo retornava ao nível anterior.

Como isso parecia ser um defeito crônico, um *Poka-yoke* de advertência foi instalado para alertar os trabalhadores no caso de um dos fixadores não ser colocado. Foram instalados 20 sensores de aproximação no dispositivo da prensa no processo subsequente. Se um fixador estivesse faltando, uma campainha soava e os trabalhadores paralisavam a operação da prensa. A placa de revestimento defeituosa seria imediatamente devolvida ao processo anterior e o fixador faltante, colocado.

A taxa de rejeição caiu a zero. Nesse caso, um *Poka-yoke* executa inspeção 100% sucessiva.

Em outro processo nesta fábrica, certos acessórios de metal eram fixados em assentos de automóvel. O sistema de produção requeria produção mista, ou seja, oito tipos de assentos para o Corona, Mark II, Celica, etc., eram fabricados no mesmo fluxo de linha. Os trabalhadores seguiam as instruções no *Kanban*[*] que acompanhava os acessórios e fixavam-nos aos assentos dos modelos aos quais eram destinados. Várias vezes por mês, no entanto, havia acessórios de determinado automóvel colocados em outro. Um *Poka-yoke* foi introduzido para resolver o problema.

FIGURA 12. *Poka-yoke* para fixadores.

Pequenos discos flexíveis são agora anexados à parte inferior do *Kanban*. Quando esse chega juntamente com o assento do carro, o trabalhador coloca-o em uma caixa especialmente projetada que está equipada com uma chave refletora fotoelétrica para cada modelo. Os discos acionam a chave. Essa acende uma lâmpada e abre a tampa da caixa de peças que contém os acessórios para aquele modelo. O trabalhador retira as peças necessárias da caixa e instala-as no assento. Como as caixas se mantêm fechadas, a menos que sejam ativadas pelo *Kanban*, é impossível retirar acessórios da caixa errada por engano.

Esse método eliminou completamente os defeitos. Quando foi perguntado a um dos trabalhadores o que achava do novo procedimento, ele respondeu na gíria local: "*Poka-yoke*? Ah, é '*anki*'" – ou seja, "é sopa". Nesse caso, um dispositivo *Poka-yoke* executa a função de autoinspeção e libera os trabalhadores da necessidade de prestar atenção na seleção dos acessórios metálicos. Isso permite que os trabalhadores se concentrem totalmente na fixação dos parafusos.

---

[*] N. de T.: A palavra *Kanban*, em japonês, significa letreiro de uma loja ou estabelecimento comercial, mas, na Toyota, qualquer pequeno sinal exibido à frente de um trabalhador é chamado de *Kanban*. O termo é discutido em detalhe no Capítulo 9.

É importante perceber que há dois tipos de esquecimento. Como não somos infalíveis, eventualmente, todas as pessoas podem esquecer-se ou estarem distraídas. Esse é o primeiro tipo de esquecimento. O segundo é "esquecer que podemos esquecer" – quando esquecemos de certificar-nos de não haver deixado passar alguma coisa. Para evitar isso, lançamos mão de *checklists*. Os métodos *Poka-yoke* incorporam a função de um *checklist* em uma operação, de maneira que não "esquecemos que esquecemos".

FIGURA 13. *Poka-yoke* para fixação de acessórios metálicos (somente a tampa da caixa contendo os acessórios necessários é aberta).

MELHORIA DO TRANSPORTE

O transporte, ou movimentação dos materiais, é um custo que não agrega valor ao produto. A maioria das pessoas tenta melhorar o transporte, utilizando empilhadeiras, correias transportadoras, calhas de transporte e outros, o que na verdade melhora apenas o *trabalho* de transporte. Melhorias reais de transporte *eliminam* a função de transporte tanto quanto possível. A meta consiste em aumentar a eficiência da produção, o que é conseguido com o aprimoramento do *layout* dos processos.

Exemplo 2.7 – Melhoria de layout. A Tokai Iron Works é uma pequena fábrica que produz pequenas quantidades de uma grande variedade de produtos. A empresa tinha problemas de baixa produtividade e atrasos de entrega crônicos; melhorias fundamentais faziam-se necessárias.

Embora empregadas para diversos produtos, as prensas da Tokai executavam apenas três tipos de processamento: perfuração, dobramento e gravação em relevo e, ocasionalmente, marcação. As máquinas estavam dispostas de acordo com o tipo e agrupadas de maneira a maximizar a capacidade. Como resultado, a empresa produzia em grandes lotes e investia bem mais mão de obra do que seria necessário, transportando diferentes produtos de um grupo de máquinas a outro.

Foi concebida uma solução simples para o problema da Tokai: primeiramente, as máquinas foram reorganizadas de acordo com o fluxo dos produtos. Depois, foi instalada uma correia transportadora de 60 cm de largura, sendo colocadas 10 prensas de cada lado da correia.

Com esse *layout*, obteve-se uma operação de fluxo de peças unitárias que elimina o transporte e aumenta significativamente a taxa de operação das máquinas. O estoque intermediário é reduzido, o tempo de produção encurtado e a planta fica espaçosa e arejada. A produtividade aumentou em 200 por cento, e os atrasos de entrega crônicos foram eliminados.

É fundamental reconhecer que a melhoria no transporte e a melhoria das operações de transporte são dois problemas nitidamente diferentes. O transporte apenas aumenta os custos, nunca agrega valor. Processos constituem-se normalmente em 45% processamento, 5% inspeção e 5% esperas, sendo que o transporte representa os 45% restantes de custos de mão de obra. Mesmo quando o transporte manual é mecanizado, esses custos com mão de obra são simplesmente transferidos para as máquinas – um investimento sem retorno. Considerando esse fato, a eliminação absoluta do transporte, a partir da melhoria do *layout*, não é um objetivo fora de propósito. Somente depois das possibilidades de melhoria do *layout* terem sido esgotadas é que o trabalho de transporte restante inevitável deve ser melhorado por meio da mecanização.

ELIMINAÇÃO DA ESTOCAGEM

Como observado anteriormente, há dois tipos de esperas relacionadas com a estocagem: estocagem entre processos *(esperas de processo)* e estocagem relacionada com o tamanho do lote *(esperas dos lotes)*.

Eliminação das Esperas de Processo

Espera de processo refere-se tanto a lotes de itens não processados aguardando pelo processo como à acumulação de estoque excessivo a ser processado ou entregue. (Por exemplo, um fornecedor pode reter estoque para a empresa cliente.) O estoque excessivo é criado de duas maneiras:

- Esperas de processo quantitativas resultam de taxas de defeitos superestimadas, provocando excesso de produção. O excedente tem que esperar entre processos.

- Esperas de processo relacionadas ao sequenciamento da produção ocorrem quando a produção se antecipa à programação, ou seja, quando muito é produzido muito cedo, provocando esperas adicionais entre os processos.

Há três tipos de geração de estoques intermediários

- Estocagem E. De uma perspectiva de Engenharia de Produção, certos estoques são resultado do fluxo desbalanceado entre processos.
- Estocagem C. De uma perspectiva de controle de produção, estoques de amortecimento ou *buffer* são permitidos entre processos para evitar que quebras de máquinas ou os refugos atrasem os processos subsequentes.
- Estocagem S. "Estoque de segurança" - superprodução além da necessária pelas razões usuais de controle - para permitir que os gerentes se sintam "seguros".

Eliminação da Estocagem E

Dois fatores de fluxo de processo podem afetar a geração de estoques intermediários: balanceamento de quantidades e sincronização.

Balanceamento da quantidade. Balancear as quantidades significa que quantidades iguais são produzidas em cada processo; isso envolve equilibrar as quantidades de produção e as capacidades de processamento. Em geral, a capacidade de processamento, especialmente a capacidade de processamento das máquinas, não é equilibrada entre os processos. Como consequência, estoque pode ser gerado entre um processo de alta e outro de baixa capacidade, se ambos operarem com capacidade de 100%.

Na Toyota, a quantidade a ser produzida é determinada unicamente pelo número de pedidos. Se os processos de mais baixa capacidade podem produzir a quantidade requerida, a operação de processos de maior capacidade é mantida no mesmo nível do processo de baixa capacidade, a partir da diminuição da velocidade de processamento ou via operação intermitente. Se a capacidade de processamento mais baixa (gargalo) é insuficiente para produzir a quantidade necessária, ela deve ser melhorada.

Essa abordagem desafia o critério convencional de que cada processo deve ser operado à eficiência máxima. No entanto, balancear as capacidades do processo todo para eliminar acúmulo entre estágios é a abordagem mais eficiente de todas. Embora o excesso de capacidade não agregue valor, ele pode ser estimado em termos da eliminação dos custos associados à superprodução.

Há três maneiras de balancear a quantidade:

- Padronizar (balancear) processos em uma linha de produção, a partir da capacidade de processamento mais alta.
- Padronizar processos em uma linha de produção, a partir da capacidade de processamento mais baixa.
- Equilibrar quantidades de produção no nível necessário para que satisfaçam as exigências determinadas pelos pedidos.

Obviamente, em uma planta que utiliza a estocagem do tipo C (estoque *buffer*), há menos necessidade de preocupação com o equilíbrio da capacidade entre os processos.

> *Exemplo 2.8 – Eliminação da estocagem.* Na Iida Metal Company, uma máquina de estampar, de 90 golpes por minuto, precedia uma prensa puncionadeira e dobradeira, de 60 golpes por minuto. Como consequência, acumulava-se em paletes um excesso de produtos estampados, os quais eram depositados em um canto da planta, de onde alimentavam a linha da prensa, quando necessário. Além disso, a máquina de estampar era desligada por cerca de um terço das horas de produção mensais devido à sua alta capacidade de produção.
> Para eliminar esse estoque, três medidas foram tomadas. Primeiramente, a máquina de estampar e a prensa foram conectadas próximas uma da outra. A seguir, um *container* foi colocado entre as duas máquinas para armazenar os produtos estampados. A máquina de estampar, agora, funciona cerca de dois minutos, que são os necessários para encher o *container* e, então, para automaticamente. E, por fim, a prensagem continua, enquanto a operação de estampar está parada, até que restem alguns poucos produtos no *container*. A máquina de estampar retoma automaticamente a operação depois de aproximadamente um minuto, para tornar a completar o *container*.

Observe que na realidade não houve mudança na operação da máquina de estampar – parar um em cada três minutos é o equivalente a parar por um terço das horas de produção mensais. O balanceamento da capacidade de processo entre as duas máquinas, no entanto, eliminou a superprodução e a acumulação de materiais estampados e proporcionou economias reais.

No Exemplo 2.8, a máquina de estampar tinha ainda capacidade excedente, que era utilizada com o aproveitamento da máquina, suprindo duas linhas de prensas. Para situações como essa, existem outras técnicas para balancear a produção entre processos.

- *Operação com desvio de fluxo.* Onde a linha de prensa A era usada para grande volume de produção, ela era conectada diretamente com a máquina de estampar. Produtos excedentes eram redirecionados à

palete durante o processo de fluxo e, posteriormente, alimentavam a linha de prensa, quando essa já houvesse terminado.
- *Operação de fluxo mista (com troca rápida de ferramenta).* A máquina de estampar processava 500 peças do produto A que fluía na linha A. Com a troca de ferramentas em um único toque (p. 77), ela teria a capacidade de começar imediatamente a processar 300 peças do produto B para a linha B, estabelecendo dessa forma um fluxo misto. Nesse caso, foi necessário criar uma estocagem adequada entre a máquina de estampar e a linha da prensa.
- *Alimentador de baixo custo.* Outro êxito foi obtido com a aquisição de uma prensa de segunda mão, cuja única finalidade era alimentar produtos à linha A. A adição de um alimentador transformou a prensa em uma simples e econômica máquina de estampar que foi então conectada diretamente com a linha A.

Esses exemplos demonstram que a presença de máquinas de alta capacidade não deve ser utilizada visando a justificar o processamento em grandes lotes e a estocagem de produtos não processados. O princípio envolvido é simples: a capacidade de processo deve *servir* às necessidades de produção e não *determiná-las*.

Além disso, o fluxo de processo direto é muitas vezes um elemento-chave no balanceamento da quantidade de produção. Um fluxo mais uniforme evita a estocagem e reduz o tempo de trabalho e o ciclo de produção. Além disso, melhora-se a qualidade, ao reforçar o *feedback* no caso de ocorrência de defeitos.

Sincronização. A segunda maneira de eliminar a estocagem E é por meio da sincronização do fluxo entre operações. Mesmo quando a quantidade de produção está balanceada, a estocagem pode, ainda, ocorrer entre operações, se elas não estiverem sincronizadas.

Do ponto de vista prático, no entanto, uma vez balanceadas as quantidades, a sincronização é apenas uma questão de sequenciamento eficiente de produção. No passado, a sincronização era promovida apenas como forma de impedir o estoque entre processos, sem reconhecimento da importância do balanceamento da quantidade. A primeira coisa a ser feita, contudo, é o balanceamento, porque ele ajuda a eliminar as esperas de processo que tornam a sincronização tão difícil. Esse fato também acentua a importância de sincronizar *todo* o fluxo de processo. Para isso, a quantidade de produção deve ser primeiro balanceada em cada estágio, incluindo prensagem, soldagem por pontos, pintura, etc.

Eliminação da Estocagem C

As acumulações do tipo C (estoques *buffer**) compensam problemas crônicos, tais como quebras de máquinas, defeitos, máquinas paradas, espera pela troca de ferramentas ou matrizes, mudanças repentinas na programação da produção, etc. No momento em que esses problemas não são entendidos propriamente como causas da superprodução, os estoques amortecedores serão encarados como um mal necessário e mantidos de forma consciente pelo controle da produção. Isso é um equívoco; na verdade, a estocagem C pode ser evitada com a eliminação dos seguintes pontos:

Quebras de máquina. Quando uma máquina quebra, o próximo processo é alimentado por estoques amortecedores, de forma que o fluxo de produção não seja interrompido. Essa medida temporária, entretanto, aumenta os custos de produção sem reduzir o número de quebras. Para reduzir com êxito esse tipo de estocagem, a causa da quebra deve ser minuciosamente investigada, mesmo que haja necessidade de paralisar a linha e implementar cuidadosas medidas para prevenir panes similares. Com essas medidas, a necessidade de estoque amortecedor é eliminada. (Uma outra forma de prevenir quebras, discutida no Capítulo 3, consiste na utilização de dispositivos de pré-automação para antever as situações de quebra nos equipamentos.)

Produtos defeituosos. Quando são encontrados produtos com defeito, o fluxo de produção é interrompido. Por esse motivo, produtos semiprocessados são frequentemente estocados entre processos e substituem as unidades que apresentam defeitos. Esse método está baseado na hipótese de que a ocorrência de um certo número de defeitos é inevitável. No entanto, os defeitos podem ser reduzidos a zero, a partir da inspeção preventiva e de técnicas simples de inspeção 100% que tornam a estocagem C desnecessária.

Estocagem de grandes lotes de produção em função de setups elevados. Quando as trocas de ferramentas e matrizes provocam grandes demoras, aumentar o tamanho do lote para reduzir o tempo aparente de processamento por unidade é uma solução razoável. Isso aumenta, contudo, os custos de estocagem e manuseio. O sistema de lote econômico de fabricação (LEF) foi desenvolvido para ajudar a determinar o tamanho de lote que equilibraria esses fatores, mas esse método é útil apenas quando as tentativas de reduzir os tempos de troca não têm êxito.

---

* N. de T.: Outra tradução possível é estoques amortecedores.

Na maioria dos casos, no entanto, os tempos de preparação podem ser significativamente reduzidos através de técnicas como a TRF. (A TRF é discutida nas pp. 77-82. Para maior aprofundamento no assunto, ver Shigeo Shingo, *A Revolution in Manufacturing: The SMED System* [Cambridge, MA: Productivity Press, 1985.])

Na Mitsubishi Heavy Industries, a aplicação da TRF proporcionou consideráveis melhorias: o tempo de preparação para uma mandriladora de 8 eixos foi reduzido de 24 horas para 2 minutos e 40 segundos, no período de um ano. E, na Toyota, o tempo de preparação para um conformador de parafusos foi reduzido de 8 horas para 58 segundos. Eu poderia citar mais de 400 casos, nos quais os tempos de preparação foram reduzidos para aproximadamente 5% do tempo original. Não é de surpreender, pois, que o LEF esteja desaparecendo como tema de estudo da engenharia econômica.

Mudança no plano de produção. Estoques *buffer* são úteis nos casos de aumentos inesperados nas demandas de produção ou entregas antecipadas. Entretanto, esses estoques de proteção não são necessários quando:

- Mudanças na produção tornam-se mais fáceis com um *setup* de menos de 10 minutos.
- Ciclos curtos de produção permitem a entrega antecipada apesar do *lead time** curto.
- Capacidade de produção flexível, resultante da pré-automação (Capítulo 3), ajuda a atender aumentos inesperados da produção.

Exemplo 2.9 – Entregas antecipadas. A Togo Industries fabrica molas de automóveis. Ocasionalmente, um cliente pode telefonar solicitando que uma encomenda programada para alguma data futura seja entregue na manhã seguinte. Em tais emergências, a matriz pode ser trocada em 3 minutos e as molas conformadas depois das horas normais de trabalho em máquinas equipadas com mecanismos de partida e parada automáticos. As molas recebem tratamento térmico na manhã seguinte e são entregues antes das 10 da manhã. Embora esses pedidos não sejam frequentes, a Togo está preparada para atender esse tipo de demanda, sem depender de estoques de reserva.

Geração de estoques entre máquinas de diferente capacidade. Quando uma máquina de alta capacidade alimenta várias máquinas de capacidade menor (ou é alimentada por elas), a acumulação entre os processos é inevitável. Duas medidas podem ser tomadas:

---

* N. de T.: *Lead time:* tempo de passagem ou de atravessamento.

- Várias máquinas de baixo valor de aquisição e de baixa capacidade podem ser conectadas diretamente às máquinas subsequentes para evitar acumulação.
- Troca rápida de matrizes e a produção em lotes pequenos podem ser implementados para garantir um estoque mínimo entre processos.

A conclusão que se chega, a partir da análise feita, é que a melhor solução nem sempre consiste em investir em máquinas caras e de alta *performance* para satisfazer as necessidades de produção de uma fábrica.

Geração de estoque intermediário como resultado de diferentes tempos de operação. O estoque é gerado, quando, por exemplo, toda a usinagem é feita em um turno, mas o tratamento térmico e o recobrimento são feitos em três. Para eliminar estocagem entre processos:

- Adotar a pré-automação para o processo de usinagem e conduzir a operação de três turnos sem trabalhadores.
- Aumentar a eficiência do tratamento térmico ou do processo de recobrimento para produzir a quantidade necessária em um turno, ou aumentar o tempo de horas extras para equilibrar as duas operações.

Eliminação da Estocagem S

A estocagem do tipo S não é criada para resolver algum desequilíbrio ou problema previsível; pelo contrário, pretende apenas aumentar a segurança. É por isso que tais estoques são, às vezes, chamados de "estoque de segurança" ou "válvulas de segurança". Além deste motivo geral, elas têm quatro causas:

- Eliminação de possíveis atrasos na entrega.
- Erros na programação da produção.
- Superestimativas da necessidade de *buffers* contra quebras e defeitos.
- Programação da produção indefinida.

Exemplo 2.10 – Eliminação da estocagem de segurança. Na Asahi National Electric, os componentes oriundos de outras fábricas e fornecedores eram inicialmente estocados em um almoxarifado e daí redistribuídos para montagem. Falei ao diretor industrial que aquilo se parecia muito com o depósito de um cheque de pagamento em uma conta de poupança, apenas para retirá-lo no dia seguinte e pagar despesas do dia a dia. "Por que o senhor não usa o salário de hoje, diretamente, para os gastos de amanhã?", perguntei. "Depositamos uma soma em dinheiro em uma conta de poupança para situações como comprar um carro ou cobrir despesas médicas inesperadas. Quando esses tipos de despesas surgem, devemos pagá-las. Por que o senhor não reserva suas economias apenas para despesas especiais como segurança? Da mesma forma, por que o senhor não faz os itens provenientes dos seus fornecedores serem entregues diretamente na montagem em vez de estocá-los no almoxarifado?".

O diretor industrial pediu aos fornecedores que entregassem apenas o número de itens necessários para um dia de produção e que os colocassem diretamente na planta de montagem. O estoque no almoxarifado é agora projetado apenas como estoque de segurança e colocado à parte. Somente quando são encontrados defeitos é que as peças boas são "tomadas por empréstimo" do almoxarifado para substituição. Da mesma forma, quando quebras provocam falta de alguma peça ou produto, essas são supridas pelo estoque de segurança. No dia seguinte, peças no mesmo número daquelas que foram emprestadas são produzidas e o estoque de segurança reabastecido. Dessa maneira, necessidades cotidianas são satisfeitas diretamente, enquanto que as necessidades imprevistas são tratadas como "retiradas da poupança", as quais são repostas mais tarde.

Depois de utilizar esse método por dois meses na montagem de lavatórios, 24 unidades de cada 60 não exigiram peças do almoxarifado. As 36 restantes utilizaram uma média de um terço do estoque do almoxarifado na medida em que as peças defeituosas eram levadas ali para serem trocadas por peças boas. Devido a esse fator de controle adicional, o trabalho foi conduzido com mais cuidado e os defeitos de processo caíram em 50%.

Durante o experimento, um problema crônico foi identificado. Espelhos quebravam com frequência na operação de encaixe, no momento em que estavam sendo fixados na moldura. Isso interrompeu a linha por duas vezes. Foi determinado que o trabalhador executando essa operação pressionaria a borda inferior do espelho para baixo contra a embalagem de borracha, para aumentar o vão livre, de modo que o espelho pudesse ser encaixado no lugar. Para que isso acontecesse, o trabalhador teria que pressionar novamente a face do espelho com a mão no momento oportuno. Se ele levasse mais tempo que o necessário, o espelho quebraria. Além disso, o problema de quebra tornava-se mais sério quando um trabalhador experiente responsável pela operação estava ausente e tinha que ser substituído por outro.

Como espelhos quebrados até então eram fáceis de serem repostos, ninguém pensava em aperfeiçoar a operação para eliminar o problema. Mas o novo controle, mais rígido, sobre a substituição de partes defeituosas exigiu que melhorias fossem realizadas. Depois de analisar a operação, mudanças foram introduzidas de forma que mesmo trabalhadores novos poderiam encaixar os espelhos sem quebrá-los. Um dispositivo com uma saliência especial foi instalado. Inclinando esse dispositivo, o espelho é empurrado para baixo e para dentro da moldura com força moderada, porém consistente.

Esse uso controlado da estocagem de segurança levou a três melhorias importantes:

- Os estoques foram reduzidos em até 80% no novo nível de controle.
- O trabalho mais cuidadoso na linha de montagem reduziu os defeitos de processo em até 50%.
- O controle da substituição das unidades com defeito ajudou a revelar problemas ocultos e fez voltar a atenção às causas desses problemas. Isso

resultou em reduções adicionais de defeitos esporádicos e dos estoques de segurança através do uso de ferramentas mais adequadas.

Chamo isto de abordagem de duas etapas à melhoria da qualidade do sistema de estoque de segurança: níveis correntes de estoque são congelados e usados apenas como estoque de segurança; os requisitos diários são supridos diretamente de acordo com a necessidade. Esse método revela as necessidades reais do nível de controle do estoque de segurança, assim como revela problemas normalmente ocultos pelo estoque excessivo. Ambos podem ser tratados a partir de melhorias que irão reduzir ainda mais o nível de estoque de segurança.

Para utilizar esse método com sucesso, o controle de produção deve primeiro responder a estas questões:

- Quanto de estoque de segurança é necessário do ponto de vista do nível de controle atual?
- Quais estoques, atualmente, ultrapassam as necessidades de determinadas funções de segurança, como defeitos, quebras, etc.; quais estoques de segurança são realmente desnecessários, resultantes de produção antecipada ou excessiva?
- Quais são as causas das necessidades reais da estocagem de segurança?

Esse método de reduzir o estoque de segurança também pode facilitar a transição para a produção sem estoque. O estoque intermediário é congelado nos níveis existentes; a redução ocorre gradualmente na medida em que as melhorias são feitas e as necessidades reais tornam-se mais claras.

Conclusão

Esperas de processo ocorrem como resultado de desequilíbrios e instabilidades entre processamento, inspeção, transporte e outros elementos em processos associados com aquele em estudo. Há geração de estoque à medida que tentamos compensar os pontos fracos. Infelizmente, quanto mais aumenta o estoque, mais se mascaram os problemas que não estão visíveis e torna-se mais difícil atacá-los diretamente. A simples eliminação do estoque, no entanto, não resolve esses problemas básicos. O que deve ser eliminado, em primeiro lugar, são as causas da instabilidade. Na medida em que um fluxo irregular de produção, defeitos, quebras de máquina, tempos excessivos de preparação, etc., são corrigidos, os estoques vão aos poucos diminuindo e, como consequência, vão sendo eliminados.

Eliminação das Esperas de Lote

Sempre que peças são processadas em lotes, o lote inteiro, com exceção da parte sendo processada, encontra-se "em estoque", tanto num estado processado como num estado não processado, até que todas as peças do lote tenham sido processadas. Todas as peças são retidas; todas estão esperando.

Melhorias na Produção em Grandes Lotes

Pouca atenção tem sido dada a tais esperas por serem, em geral, parte dos tempos de processamento. Não são percebidas, igualmente, quando as eficiências da produção feita em grandes lotes são analisadas. O motivo para aumentar o tamanho do lote é a hipótese de que isso irá compensar as esperas causadas por *setups* altos. Quando são necessárias 4 horas para efetuar uma troca de matriz, por exemplo, e o tempo de operação para uma unidade de um produto é de um minuto, o tempo aparente de processamento pode ser reduzido consideravelmente com o aumento do tamanho do lote de, por exemplo, 100 peças para 1.000 (Tabela 1). O fato é que as esperas de lote prolongam o ciclo de produção de forma considerável (Tabela 2).

TABELA 1. Relação entre Tempo de *Setup* e Tamanho de Lote — I.

Tempo de *setup*	Tamanho do lote	Tempo de operação principal por peças	Tempo de operação	Razão (%)	Razão (%)
4 h	100	1 min.	1 min. + $\frac{4 \times 60}{100}$ = 3,4 min.	100	
4 h	1.000	1 min.	1 min. + $\frac{4 \times 60}{1.000}$ = 1,24 min.	36	100
4 h	10.000	1 min.	1 min. + $\frac{4 \times 60}{10.000}$ = 1,024 min.	30	83

Se a produção do lote é nT, com T = 5 horas e o número de processos n = 3, então, o ciclo de produção (L) = 15 horas. Se, no entanto, uma peça do produto for transferida para o próximo processo assim que for concluída, então:

ciclo de produção *(l)*   = T + (n – 1)t*
                              = 5 +(3-1)x 1 minutos
                              = 5 horas e 2 minutos

---

*t = 1 minuto — tempo de processamento para uma peça.

TABELA 2. Relação entre Tempo de *Setup* e Tamanho de Lote — II.

Tempo de setup	Tamanho do lote	Tempo de operação principal por peças	Tempo de operação	Razão (%)	Razão (%)
8 h	100	1 min.	1 min. + $\frac{8 \times 60}{100}$ = 5,8 min.	100	
8 h	1.000	1 min.	1 min. + $\frac{8 \times 60}{1.000}$ = 1,48 min.	26	100
8 h	10.000	1 min.	1 min. + $\frac{8 \times 60}{10.000}$ = 1,048 min.	18	71

Portanto:

$$\frac{l}{L} = \frac{T + (n-1)t}{nT} = \frac{1}{n} = \frac{5\,h - 2\,min}{15\,h} = \frac{1}{3}$$

Como demonstrado, (n -1) x t é geralmente insignificante comparado com T. Neste caso:

$$\frac{l}{L} = \frac{1}{3}$$

Assim, se três processos fossem transformados em uma operação de fluxo de peças unitárias, a duração do ciclo de produção seria reduzida em dois terços. Se fossem transformados em 10 processos, o ciclo de produção teria um terço da duração original.

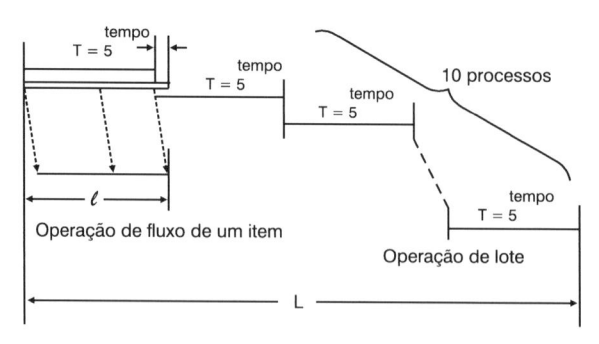

FIGURA 14. Melhorias das esperas de lote.

Melhorias a partir do Transporte e do TRF

Os ciclos de produção são reduzidos significativamente eliminando-se as esperas de lote. Mesmo assim, muitas plantas toleram as esperas causadas pela produção de lote, pois acreditam que isso reduz os custos relativos de *setup* e proporciona economia de horas-homem.

Esse raciocínio, entretanto, está baseado em hipóteses errôneas. Em primeiro lugar, *processar lotes* reduz as horas-homem, ao passo que *transportar lotes* reduz os ciclos de produção. Logo, a maior redução no tempo de produção é obtida, mesmo com lotes de processamento de 1.000 peças, quando cada item é transportado individualmente ao processo seguinte. Todavia, lotes de transporte de peças unitárias acarretam um incremento na operação de transporte de um processo ao próximo, problema esse resolvido por meio de melhoria no *layout*. Feito isso, meios de transporte mais eficientes devem ser considerados, tais como processos sucessivos colocados ao lado um do outro ou conectados por correias. Isso permite ao material processado fluir facilmente de um processo ao próximo. Dessa maneira, melhoramentos de *layout* reduzem drasticamente tanto ciclos de produção como o número de horas-homem de transporte.

Em segundo lugar, com a adoção da TRF, os tempos de *setup* podem ser reduzidos a tal ponto que, simplesmente, não haverá vantagem alguma em aumentar o tamanho do lote de processamento. Reduções de quatro horas para cinco minutos, por exemplo, não são incomuns.

A Relação entre o Prazo de Entrega e a Redução do Ciclo de Produção

Reduzir o tempo de produção, como observado acima, requer a eliminação do estoque entre processos. Na medida em que o ciclo de produção é reduzido, o estoque decresce. No entanto, é o entendimento da relação entre esse ciclo e o prazo de entrega, o fator principal para que se atinja a redução de esperas de estoque.

O período compreendido entre a feitura do pedido até a entrega é simbolizado por E e o período compreendido entre o primeiro processo ao último (o ciclo de produção) por P. A relação de E e P é mais crítica quando E é menor que P ($E<P$). Por exemplo, se um produto é pedido para entrega num prazo de 10 dias mas leva 20 para ser produzido, ele obviamente não poderá ser entregue no tempo desejado. Para assegurar-se de que E é sempre maior que P, estoque suficiente deve ser produzido e mantido para satisfazer todos aqueles pedidos que devem ser entregues em menos de 20 dias (Figura 15). Isso é normalmente obtido com a manutenção de estoque semiprocessado para reduzir o tempo de produção (P'). No entanto, isso resulta em esto-

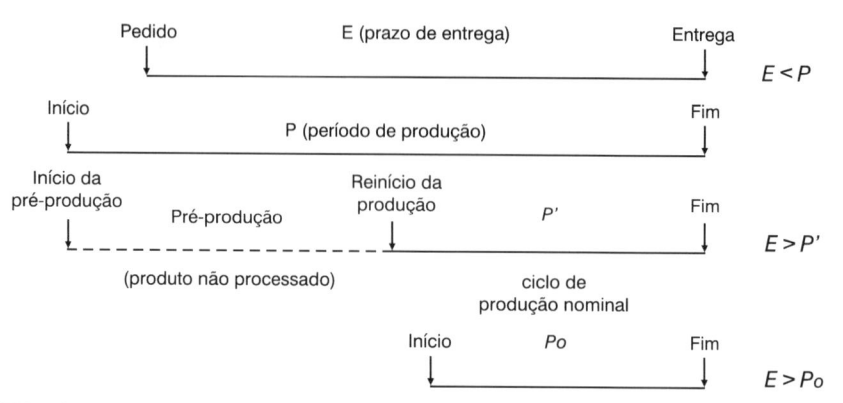

```
Pedido          E (prazo de entrega)         Entrega
  ↓                                             ↓       E < P
Início                                         Fim
  ↓         P (período de produção)             ↓
Início da              Reinício da
pré-produção           produção
  ↓       Pré-produção    ↓          P'       Fim
  ↓---------------------- ↓--------------------↓       E > P'
          (produto não processado)    ciclo de
                                  produção nominal
                              Início     Po      Fim
                                ↓                 ↓    E > Po
```

FIGURA 15. Relação *E:P*.

cagem maior entre processos. Se a previsão de pedidos for incorreta, essas acumulações podem ser maiores que o necessário ou talvez tenham que ser mantidas por períodos excessivamente longos. Para evitar essas acumulações de excesso, o ciclo de produção absoluto do início do processo ao fim *(Po)* deve ser menor que *E*, isto é, $E > Po$.

Geralmente, as peças semiprocessadas são retidas entre processos em qualquer ponto, abrangendo a metade do período de processamento real até 4 vezes a sua duração. Se esse período for eliminado com o balanceamento da quantidade e com a sincronização, o ciclo de produção pode ser reduzido em até 80%.

Outro fator importante na determinação da duração do ciclo de produção é a estocagem pelo tamanho do lote. Sua eliminação pode também reduzir *P* significativamente, dependendo do número de processos. Por exemplo, quando três processos estão envolvidos:

- A eliminação da estocagem entre processos resulta em uma redução de 60 a 80% do ciclo de produção.
- A eliminação da estocagem pelo tamanho do lote resulta em uma redução de 70% do ciclo de produção.

O impacto combinado dessas duas estratégias pode reduzir o ciclo de produção de 86 a 93%. Quando dez processos estiverem envolvidos, as reduções podem atingir de 96 a 98%.

Este método de redução das esperas no tempo de produção é a base do Sistema Toyota de Produção. Quando conjugado com a prática da TRF, as entregas podem ser feitas em prazo bastante curto, sem nenhum inventário.

Exemplo 2.11 – Redução do ciclo de produção. A R Manufacturing produz caminhões frigoríficos. Durante a crise do petróleo, houve uma baixa nos pedidos e na lucratividade da empresa, deixando-os com 23 unidades não vendidas em estoque. Nessa empresa, E era bem menor que P. Embora a especificação final dos pedidos fosse determinada de sete a 10 dias antes da entrega, o ciclo de produção durava três semanas. Os modelos *standard* eram produzidos antecipadamente e eventuais acessórios para outros modelos acrescentados de acordo com o pedido. Quando ocorreu uma queda no número de pedidos, os modelos *standard* transformaram-se em estoque.

Para recuperar a lucratividade, a empresa teve que reduzir seu ciclo de produção drasticamente, e várias providências foram tomadas para que isso acontecesse: o *layout* da planta foi modificado para permitir um fluxo de peças unitárias e eliminar estocagem entre processos. Durante essa transição, houve possibilidade de visualizar várias oportunidades de melhoria. Por exemplo, os materiais deviam ser cortados em lotes de 10 unidades; com a instalação de um método de corte rápido, um fluxo de peças unitárias pôde ser estabelecido. Em outro exemplo, as operações de injeção de isolamento térmico em paredes de refrigerador e de cozimento do esmalte requeriam nove dias para serem executadas, sendo que o cozimento em lotes de 10 (10 paredes laterais, 10 paredes traseiras e 10 tetos, e assim por diante) ocupava a maior parte desse tempo, e assim por diante. Esse período foi reduzido para um dia e meio, ao realizar o cozimento de todas as paredes de cada unidade ao mesmo tempo.

Em um ano e meio, o ciclo de produção havia sido reduzido para cinco dias, e foram eliminados os estoques de veículos prontos, acabando com a necessidade de produzir com antecedência. A empresa recuperou-se da crise do petróleo e ainda ganhou em eficiência.

Já afirmamos que existem muitos gerentes e supervisores que acreditam ser a produção em lote vantajosa ou que suas necessidades próprias de produção não podem ser adaptadas à operação de fluxo de peças unitárias. Contudo, quando visto do ponto de vista da produção clássica, esse tipo de raciocínio não está correto. O exemplo acima demonstra claramente a importância da relação entre E e P na gerência da produção. Dessa forma, essa relação deve ser minuciosamente investigada e aperfeiçoada.

Em uma entrevista, em 1979, na Plant Management Magazine, foi perguntado a Taiichi Ohno, ex-vice-presidente da Toyota Motors Company se, no futuro, a aplicação do Sistema Toyota à produção de produtos diversificados em pequenos lotes, iria gerar bons resultados. Sua resposta foi esta:

A Toyota Motors iniciou com a produção em pequenos lotes de vários produtos. Então, buscamos métodos efetivos para produção em pequenos lotes de múltiplos modelos para alcançar os Estados Unidos. Que tipo de sistema de produção poderíamos adotar? Decidimos pelo sistema de TRF, criado pelo Sr. Shingo.

Quando as trocas de matrizes são feitas com perícia, a produção em pequenas quantidades não tem custos altos. Os japoneses tinham de encontrar uma maneira de produzir uma certa variedade de produtos em pequenas, médias, ou mesmo grandes quantidades – quem mais poderia pensar nisso? O excelente equipamento de produção utilizado nos Estados Unidos era adequado às fábricas japonesas? Quanto mais estudávamos a situação, mais fatores pesavam contra o seu uso. Devido ao fato de terem sido desenvolvidos para tratar de poucos tipos de produtos, grandes lotes e vendas em massa, os recursos americanos não eram apropriados ao Japão. Mas eles são de tão boa qualidade que tendemos a, ainda assim, adquirir estas máquinas caras e utilizá-las.

Resumo

A produção de modelos mistos e em pequenos lotes foi introduzida na Toyota num esforço para equiparar-se aos fabricantes americanos de automóveis. Inicialmente, o procedimento da Toyota consistiu em remover as ineficiências no processamento, na inspeção e no transporte. Feito isso, atacou o problema da estocagem a fim de eliminar a geração de estoques intermediários e produtos acabados ao longo de todo o processo de produção.

3

Melhoria das Operações

FATORES COMUNS NAS OPERAÇÕES

No Capítulo 2, descrevi as quatro atividades que constituem qualquer processo: operações de processamento, inspeção, transporte e espera. Neste capítulo, iremos analisar as operações (p. 77).

Embora as operações reais possam variar bastante, elas podem ser classificadas da seguinte maneira:

Operações de **setup.** Preparação antes e depois das operações, tais como *setup*, remoção e ajuste de matrizes, ferramentas, etc.

Operações principais. Executar o trabalho necessário. Isso inclui as *operações essenciais* (aquelas ações que executam realmente a operação principal), ou seja:

- Processamento – usinagem de um produto
- Inspeção – medição da qualidade
- Transporte – movimentação de material
- Estocagem – manter ou estocar peças

Isso também inclui as *operações auxiliares* (ações que auxiliam a concluir a operação essencial), como por exemplo:

- Processamento – ação de colocar os materiais ou peças na máquina e remoção deles, quando a operação estiver concluída.
- Inspeção – encaixe do produto no aparelho de medição e, posteriormente, sua remoção.

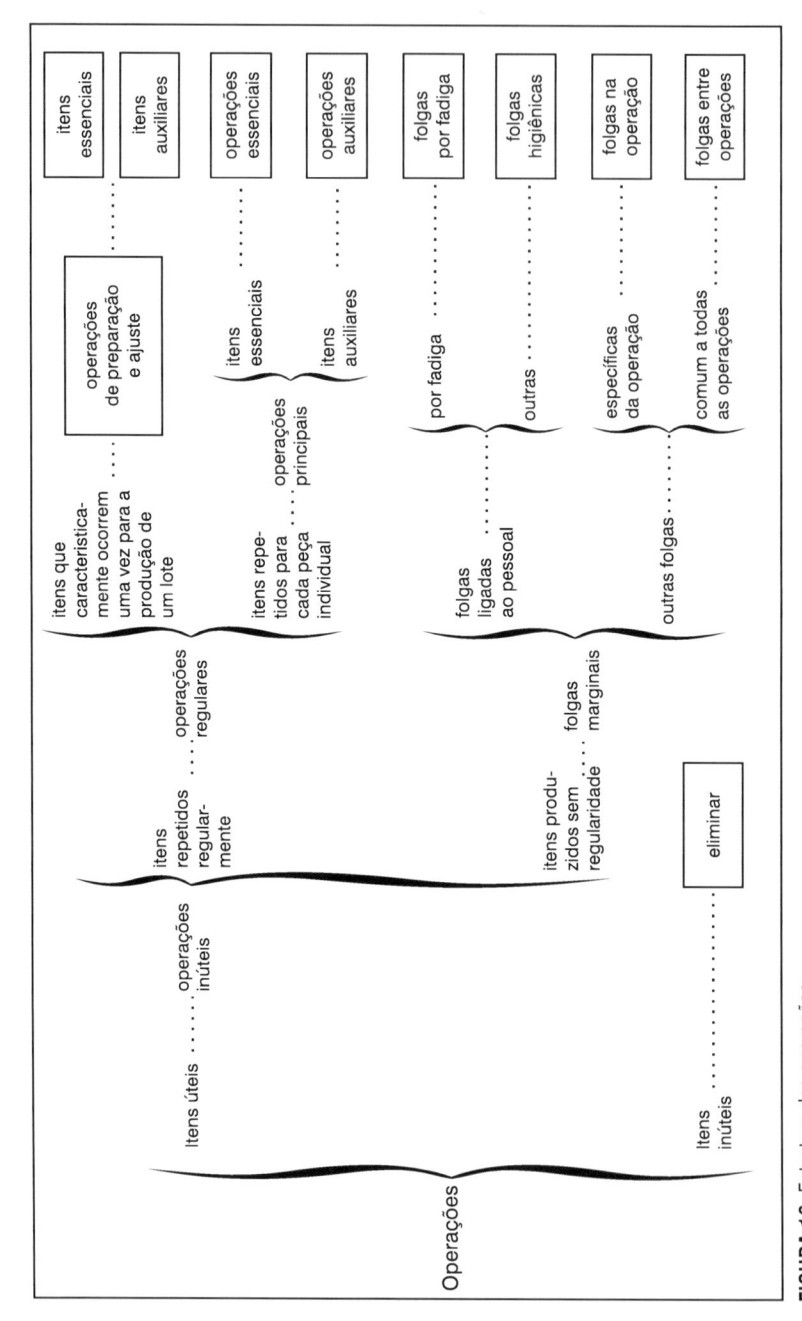

FIGURA 16. Estrutura das operações.

- Transporte – carregamento e descarregamento de material.
- Espera – colocação e remoção das peças na área de estocagem.

Folgas marginais. Atividades relacionadas indiretamente com a operação, como por exemplo:

- Folga na operação – atividade indiretamente ligada à tarefa como, por exemplo: lubrificação, aplicação de pinturas antiaderentes, remoção de rebarbas, tratamento de produtos com defeito, quebras de máquina, etc.
- Folgas entre operações – trabalho indireto comum a diversas operações, como por exemplo, fornecimento de materiais, substituição de produtos nos paletes.

Folgas ligadas ao pessoal. Atividades não relacionadas à operação e relativas às necessidades do operador. São de dois tipos:

- Folgas por fadiga – período de descanso entre operações.
- Folgas por necessidades fisiológicas – beber água, ir ao toalete, etc.

MELHORIA DO *SETUP* (Troca de Ferramentas e Matrizes)

A adoção da troca rápida de ferramentas (TRF) ou a troca de ferramentas em um único toque (OTED)[*] é a maneira mais eficaz de melhorar o *setup*.

Na Mitsubishi Heavy Industries, por exemplo, o tempo de *setup* em uma mandriladora de oito eixos foi reduzido de 24 horas para 2 minutos e 40 segundos no decorrer de um ano. Nesse mesmo período de tempo, o *setup* de uma máquina conformadora de parafusos na Toyota Motors foi reduzido de 8 horas para 58 segundos. Em outros países, por exemplo, na H. Weidmann Co., na Suíça, o *setup* de uma máquina injetora de plástico de 150 g[**] foi reduzido de 2 horas e meia para 6 minutos e 35 segundos. E, na Federal-Mogul Co., nos Estados Unidos, a troca de ferramentas em uma fresadora foi reduzida de 2 horas para 2 minutos.

Esses são exemplos típicos do tipo de melhorias obtidas, utilizando técnicas TRF e troca de ferramentas em um único toque (OTED). Em média, as reduções são de cerca de 80 a 95%.

Exemplo 3.1 – O surgimento da TRF: diferenciação dos dois tipos de setup. Em 1950, fui contratado para conduzir uma pesquisa de melhoria da eficiência na planta de Toyo Kogyo

---

[*] N. de T.: *One-Touch Exchange of Die.*

[**] N. de T.: Na tradução americana, 50 onças; 1 onça = 28,3295g.

da Mazda com o objetivo de eliminar os gargalos causados por três grandes prensas de 350, 750 e 800 toneladas, utilizadas na estampagem de painéis de carro. Depois de visitar o local, pedi ao gerente de seção que autorizasse uma análise dos tempos de produção ao longo de uma semana, de maneira que eu pudesse ter uma ideia de qual era o desempenho das prensas. Nenhuma delas estava trabalhando à plena capacidade.

O gerente de seção respondeu com a afirmação de que isso seria uma perda de tempo, pois ele já havia alocado para as prensas, em turno integral, seus trabalhadores mais qualificados e cuidadosos.

Na sua opinião, a única maneira de aumentar a produtividade seria comprar mais máquinas. Porém, a gerência havia recusado seu pedido.

"Posso entender sua situação", eu disse, "mas de qualquer maneira deixe-me fazer a análise. Se realmente não há outra maneira de eliminar os gargalos, irei aconselhar a gerência a comprar as máquinas". Aquele argumento persuadiu o gerente de seção a concordar com a pesquisa.

Uma troca de matriz foi programada para a prensa de 800 toneladas no terceiro dia. Depois de remover a terceira matriz, o operário começou a caminhar de um lado para outro freneticamente. Corri atrás dele com meu caderno de anotações para registrar suas atividades. Finalmente, perguntei a ele o que estava acontecendo e ele me respondeu que estava procurando por um parafuso de montagem da nova matriz que estava faltando.

"Tenho certeza de que coloquei todos na estante das ferramentas, mas agora não consigo encontrar o último". Disse que o esperaria próximo à prensa até que ele encontrasse o parafuso.

Mais de uma hora depois, ele voltou brandindo com um parafuso na mão direita.

"Você conseguiu!", exclamei.

"Não", respondeu, "não encontrei o parafuso que estava procurando e não tive escolha a não ser tirar um de outra máquina. Estou tão atrasado que tive de cortá-lo e refazer parte da rosca".

Dirigi a ele algumas palavras de apoio, mas para mim mesmo pensei: "O que ele fará, quando chegar o momento de preparar a outra máquina?".

A troca da matriz levou o dia todo. Quando estava terminado, perguntei se sempre levava tanto tempo. "Ah, é", disse o operador, "é mais ou menos assim a maioria das vezes".

Os resultados do estudo feito na prensa de 800 toneladas são demonstrados na Figura 17. A prensa foi ocupada efetivamente em operações de moldagem em apenas 3% do dia. A troca de matrizes e as demais tolerâncias no local de trabalho chegaram a 67%.

Esse exemplo sugere que há dois tipos de operação de *setup*:

- Setup *interno* (SI)[*] – operações de *setup* que podem ser executadas somente quando a máquina estiver parada, como a fixação e remoção de matrizes.

---

[*] Na edição americana: Estas são denominações originais de Shingo: IED (*Internal Exchange of Die*) significa "troca interna de matriz", ou *setup* interno (SI); OED (*Outer Exchange of Die*) significa "troca externa de matriz", ou seja, *setup* externo (SE).

O Sistema Toyota de Produção

Conteúdo da operação / Máquina	Setup: Preparação pós-ajuste	Operação principal: Operação essencial	Operação principal: Operação auxiliar	Margem de folga: Higiene	Margem de folga: Cansaço	Margem de folga: Operação	Margem de folga: Entre operações	Preparação & pós-ajuste	Folgas entre operações
Prensa de 800 ton / Operador principal	47,0%	3,0%	24,0%	1,0%	5,0%	6,0%	14,0%	seg % transporte de matriz 869 3,5 fixação da matriz 2940 11,7 ajuste 5475 21,7 remoção da matriz 17,89 7,2 diversos 610 2,4	seg % transporte de material 574 2,3 espera por guindaste 776 3,1 esfriamento de material 902 3,6 dar assistência à prensa contígua 34 0,1 diversos 1162 4,6
Prensa de 700 ton / Operador principal	46,3	4,27	23,6	0	1,84	7,34	16,65	transporte de matriz 1469 5,3 fixação da matriz 2033 8,2 ajuste 5669 23,5 remoção da matriz 307 1,2 diversos 1963 7,9	transporte de material 2231 8,3 espera por guindaste 356 1,4 diversos 1566 6,4
Prensa de 700 ton / Assistente	23,3	0	15,8	0	13,2	4,9	42,6	transporte de matriz 1633 6,5 preparação e fixação da parte 727 2,9 ajuste 1912 7,6 remoção da matriz 507 2,0 diversos 224 1,0	carga e descarga (material e produtos) 3711 14,8 espera por preparação e pós-ajuste de material 5635 22,0 espera pela operação principal 701 2,8 diversos 380 1,5
Prensa de 300 ton / Operador principal	40,0	9,0	27,0	0	2,0	13,0	9,0	transporte de matriz 2000 7,9 fixação da matriz 3849 11,3 ajuste 3424 13,6 remoção da matriz 799 7,2 diversos 1699 6,7	transporte de material 105 0,6 espera por guindaste 1220 4,8 diversos 56 0,2

FIGURA 17. Análise de produção de uma prensa de grande porte.

- Setup *externo (SE)* – operações de *setup* que devem ser concluídas, enquanto a máquina está funcionando, como o transporte de matrizes, da montagem à estocagem, ou no sentido contrário.

Em qualquer análise de operações de *setup*, é importante distinguir o trabalho que pode ser realizado enquanto a máquina está funcionando e aquele que deve ser feito quando a máquina está desligada. Utilizando esse princípio em Toyo Kogyo, o tempo de *setup* interno foi reduzido em 50%.

> *Exemplo 3.2 – Um segundo encontro com a TRF.* Em 1957, fui chamado para aumentar a capacidade de uma grande plaina mecânica de tipo aberto utilizada para usinar bases de motores a diesel de 10 toneladas no estaleiro da Mitsubishi localizado em Hiroshima. Devido ao tamanho dessas bases e à dificuldade na troca de ferramentas, a taxa líquida de operação da plaina estava abaixo de 50%.
> O exame da situação revelou que a marcação para centragem e dimensionamento da base do motor estava sendo realizada na mesa da plaina enquanto a máquina estava parada, o que causava uma redução considerável na taxa de operação. Enquanto discutia o problema com o gerente de fabricação, tive, de repente, uma ideia: por que não fazer as operações de *setup* para a próxima base do motor em uma segunda mesa? Dessa forma, poderíamos mudar as mesas quando mudássemos de um lote a outro e reduzir significativamente a interrupção na operação da plaina.
> Essa melhoria aumentou a produtividade da operação da plaina em 40%.

O que realmente havíamos feito foi converter uma operação de *setup* interno em uma de *setup* externo. Este é um princípio fundamental da melhoria de *setup*. Se eu tivesse visto isso dessa maneira, e não como uma solução para um problema operacional particular, o sistema da TRF teria nascido 13 anos antes.

> *Exemplo 3.3 – Um terceiro encontro com a TRF: convertendo* setup *interno em externo*. Em 1970, visitei a seção de carrocerias da planta principal da Toyota Motors. A administração havia pedido ao gerente de divisão, Sr. Sugiura, que cortasse o tempo de *setup* de 4 horas de uma prensa Scheoler de 1.000 toneladas em 50%. (Aparentemente, a Volkswagen, na Alemanha Ocidental, era capaz de trocar a matriz na mesma prensa em apenas 2 horas.)
> Dei duas sugestões: primeiro, estabelecer uma clara distinção entre operações de *setup* internas e externas; segundo, melhorar as operações em ambos os tipos de categoria (interna e externa). Em seis meses, o tempo de *setup* havia sido reduzido para 1 hora e meia.
> Porém, quando retornei alguns meses mais tarde, o Sr. Sugiura me informou que a administração, agora, queria o tempo de *setup* reduzido para 3 minutos! Por um momento fiquei pasmo com o pedido, mas lembrei-me então da melhoria no estaleiro da Mitsubishi. Por que não converter *setup* interno em

externo? Várias ideias surgiram, uma após a outra, e, rapidamente, anotei oito técnicas baseadas nesse princípio em um quadro-negro da sala de reuniões. O novo método permitiu que atingíssemos o objetivo de 3 minutos no período de poucos meses.

Formulei a hipótese de que qualquer *setup* poderia ser executado em menos de 10 minutos e chamei meu conceito de "Troca Rápida de Ferramentas", ou TRF*. Ele foi mais tarde adotado pela Toyota como um dos elementos principais do Sistema Toyota de Produção.

O Sr. Taiichi Ohno, anteriormente vice-presidente da Toyota Motors e agora um consultor, escreveu a respeito da TRF em um artigo intitulado "Trazendo Sabedoria para a Fábrica":

> Até cerca de 10 anos atrás, a produção na nossa empresa dava-se sempre que possível, durante as horas de trabalho normais. As trocas de fresas, brocas e outros eram realizadas durante o intervalo de almoço ou à noite. Tínhamos uma estratégia de substituir as fresas a cada 50 itens, mas como a produção aumentou na última década, os operadores de máquina estavam criando aversão a essas trocas demoradas. A multiesmerilhadeira causava uma das piores demoras: repor os seus rebolos levava metade de um dia. Como essa tarefa pararia a produção pela manhã inteira, se fosse realizada durante as horas de trabalho, colocávamos aos domingos trabalhadores por meio turno para executar essa tarefa.
>
> Esse é um modo antieconômico e, portanto, inaceitável de utilizar um meio de produção. As atividades de manutenção tinham que ser realizadas durante as horas normais de trabalho. Começamos, então, a procurar maneiras de executar as trocas de *setup* com mais rapidez. Shigeo Shingo, da *Japan Management Association*, vinha defendendo "trocas de ferramenta em menos de 10 minutos" para aumentar a produtividade. Sentimos que esse método poderia ser útil na nossa situação e começamos a implementá-lo.
>
> No passado, depois de consumir meio dia em *setup*, uma máquina poderia acabar sendo usada por apenas 10 minutos. Havia uma tendência a pensar que a produção deveria continuar por, no mínimo, tanto tempo quanto o tempo de *setup*. Isso, no entanto, resultaria em uma quantidade de produtos acabados que jamais poderíamos vender.
>
> Estamos agora trabalhando para cortar tempos de *setup* para uma questão de segundos. É claro, é mais fácil falar que fazer. Não obstante, estamos determinados a reduzir ainda mais a quantidade de tempo necessária para trocas de *setup*. (*Management*, Japan Management Association, Junho 1976.)

Como ilustram os comentários do Sr. Ohno, reduzir o tempo de *setup* ajuda a melhorar a produção como um todo. Por essa razão, o sistema TRF tem sido um elemento essencial no desenvolvimento do Sistema Toyota de Produção.

---

* N. de T.: Em inglês, SMED, abreviatura para *single-minute exchange of die,* ou seja, troca de matriz em um tempo inferior a 1 dígito, ou seja, troca de matriz em menos de 10 minutos.

Técnicas TRF

O tempo de *setup* normalmente compreende quatro funções:

- Preparação da matéria-prima, dispositivos de montagem, acessórios, etc. — 30%
- Fixação e remoção de matrizes e ferramentas — 5%
- Centragem e determinação das dimensões das ferramentas —15%
- Processamentos iniciais e ajustes — 50%

As oito principais técnicas TRF para reduzir o tempo de *setup* em cada uma dessas áreas são discutidas abaixo:

Técnica 1 – Separação das Operações de Setup Internas e Externas

Identifique claramente quais operações atuais devem ser executadas enquanto a máquina está parada (*setup* interno), e quais podem ser realizadas com a máquina funcionando (*setup* externo). Por exemplo, toda preparação e transporte de matrizes, gabaritos, dispositivos de fixação, ferramentas e materiais podem ser feitos durante o funcionamento da máquina. *Setup* interno deve estar limitado à remoção da matriz ou ferramenta anterior e fixação da nova.

Simplesmente a partir da separação e organização das operações internas e externas, o tempo de *setup* interno (paradas inevitáveis da máquina) pode ser reduzido de 30 a 50%.

Técnica 2 – Converter Setup Interno em Externo

Este é o princípio mais poderoso no sistema TRF. Sem ele, não poderiam ser atingidos os tempos de *setup* inferiores a 10 minutos. Fazer essa conversão envolve o reexame das operações para verificar se qualquer uma das etapas foi equivocadamente tomada como interna e encontrar maneiras de converter estes *setups* internos em externos.

Para evitar o tempo de *setup* interno relativo aos ajustes das alturas das matrizes, por exemplo, estas podem ser padronizadas com a instalação de calços nas matrizes menores. Outra conversão simples consiste em preaquecer matrizes para a fundição em molde permanente, o que elimina o aquecimento da matriz.

Técnica 3 – Padronizar a Função, não a Forma

A padronização da forma e do tamanho das matrizes pode reduzir os tempos de *setup* consideravelmente. A padronização da forma, porém, é uma perda, porque todas as matrizes teriam de adequar-se ao maior tamanho utilizado, o que aumentaria os custos desnecessariamente.

A padronização da função, por outro lado, requer apenas uniformidade nas peças necessárias à operação de *setup*. Por exemplo, acrescentar uma placa ou bloco à borda de fixação da matriz padroniza as dimensões somente daquela peça e torna possível utilizar os mesmos grampos em diferentes *setups*.

Técnica 4 – Utilizar Grampos Funcionais ou Eliminar os Grampos

Um parafuso é o mecanismo de fixação mais comum, mas sua utilização pode consumir um tempo muito grande. Por exemplo, um parafuso com 15 fios de rosca, por exemplo, deve ser girado 14 vezes antes que seja realmente apertado no último giro. Na prática, é esse último giro que fixa o parafuso e o primeiro que o solta — os outros 13 são movimentos supérfluos. Se a função do parafuso é simplesmente apertar ou soltar, seu comprimento deve ser apenas o suficiente para que fixe com um movimento. Isso faria do parafuso um fixador funcional. Entre os fixadores funcionais de um único giro estão incluídos o método do rasgo em U, o método do furo em forma de pera e o método da braçadeira (Figura 30, p. 145).

Parafusos com rosca não são, de maneira alguma, o único modo de fixar objetos. Tampouco devemos supor que fixadores sejam sempre necessários. Métodos de um único toque, que se utilizam de cunhas, ressaltos e prendedores ou molas, reduzem o tempo de *setup* consideravelmente, assim como qualquer mecanismo de ligação que encaixe e una duas partes. Esses métodos podem reduzir tempos de *setup* para alguns segundos. Eles são explicados em maior detalhe em meu livro *A Revolution in Manufacturing: The SMED System* (Cambridge, MA: Productivity Press, 1985).

Nos métodos de fixação, a direção e a magnitude da força requerida têm importância crucial. As forças de sustentação do parafuso podem ser decompostas em três direções: X (transversal), Y (longitudinal) e Z (vertical). Como nem sempre sabemos a magnitude ou direção da força requerida, é essencial analisar a dinâmica dessas forças.

Na Mitsubishi Heavy Industries, por exemplo, batentes eram aparafusados em cada um dos mandris de uma mandriladora. As operações de *setup* eram difíceis e demandavam muito tempo porque o espaço para fixação dos batentes era bastante restrito. No entanto, não havia realmente necessidade de aparafusar os batentes daquela maneira. Embora eles suportassem uma força considerável na direção oposta, eles eram sustentados pela ponta do mandril e, para removê-los, não havia necessidade de muita força.

Quando percebemos esse fato, foi possível melhorar a operação com a eliminação das roscas de forma a permitir encaixes cilíndricos. Abrimos pequenos rasgos próximos à ponta do mandril e prendemos 3 molas na base de cada batente (Figura 18). Ao cobrir a ponta do mandril com o batente, as molas encaixam-se no rasgo e o batente mantém-se fixo pela tensão das molas. Dessa maneira, o tempo de fixação e remoção dos batentes foi reduzido consideravelmente.

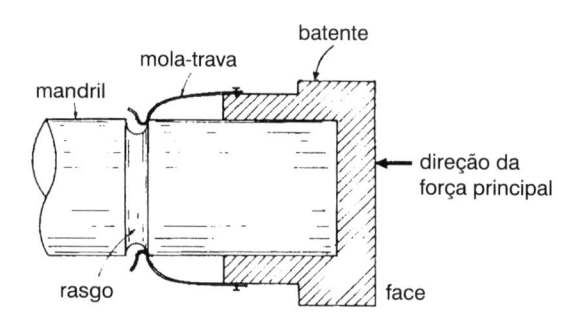

Figura 18. Fixação de batente.

Técnica 5 – Usar Dispositivos Intermediários

Algumas das esperas que ocorrem devido a ajustes durante o *setup* interno podem ser eliminadas com o uso de dispositivos padronizados. Enquanto a peça presa a um dispositivo está sendo processada, a próxima é centrada e presa a um segundo. Quando a primeira estiver pronta, a peça presa ao segundo dispositivo é facilmente instalada na máquina para processamento.

Por exemplo, uma máquina para fresar perfis produzia blocos para conformar tubos de aparelhos de televisão. A marcação das alturas e centragem para o gabarito e para o material eram feitas como *setup* interno na mesa da máquina. Devido às muitas curvas nos blocos, essa era uma operação complicada e demorada. Dois dispositivos intermediários foram construídos e eram um pouco menores que o prato da fresadora. Enquanto uma peça é fresada, um gabarito e a próxima peça a ser trabalhada são fixados ao outro dispositivo sobre a mesa, sendo então centrados e ajustados na altura apropriada.

Como os dispositivos são padronizados, a centragem e o posicionamento levam menos tempo, reduzindo tanto o tempo de *setup* interno como externo. Utilizam-se grampos para instalar os dispositivos rápida e facilmente sobre a mesa.

Dispositivos intermediários podem também ser usados em prensas grandes com matrizes múltiplas de tamanhos e alturas diferentes. Nesse caso, eles são usados para que a centragem interna e as operações de fixação não sejam feitas pela máquina. Com essa melhoria, a prensa precisa ser desligada somente quando uma empilhadeira troca os dispositivos intermediários, com as matrizes já montadas.

Técnica 6 – Adotar Operações Paralelas

Operações em injetoras de plástico ou de metais e em prensas grandes envolvem, invariavelmente, trabalho de *setup* nas duas laterais ou nas partes frontal e posterior da máquina.

Se apenas um operário executar essas operações, muito tempo e movimento são desperdiçados com o seu deslocamento em torno da máquina. Mas quando duas pessoas realizam as operações paralelas simultaneamente, o tempo de *setup* é em geral reduzido em mais de 50%, devido à economia de movimentos. Uma operação, por exemplo, que leva 30 minutos para ser executada por um trabalhador pode levar apenas 10 minutos com dois.

Quando essas operações paralelas são empregadas, o número de horas-homem empregadas na preparação é igual ou menor do que o número de horas-homem com apenas um trabalhador. Dessa forma, eleva-se a taxa de operação da máquina. O método é, infelizmente, rejeitado por gerentes que acreditam não poderem privar-se de um trabalhador para auxiliar no *setup*. Quando o *setup* é reduzido para 9 minutos ou menos, no entanto, não há necessidade de uma ajuda de mais do que 3 minutos; e com os *setups* simplificados, até um trabalhador não qualificado pode dar a assistência necessária com eficiência.

Técnica 7 – Eliminar Ajustes

Normalmente, ajustes e testes-piloto são responsáveis por 50 a 70% do tempo de *setup* interno. A eliminação desses tempos traz formidáveis economias de tempo.

A eliminação de ajustes inicia com o reconhecimento de que a *preparação* e o *ajuste* são duas funções distintas e separadas. Preparação ocorre na mudança de posição de um interruptor de fim de curso. O ajuste ocorre quando o interruptor de fim de curso é testado e repetidamente ajustado em uma nova posição. A suposição de que o ajuste é inevitável leva a tempos desnecessariamente longos de *setup* interno e requer um alto nível de habilidade e experiência por parte do operador. Porém, os ajustes podem ser eliminados, se um padrão for empregado para determinar com precisão a posição correta do interruptor de fim de curso. Por conseguinte, a preparação será a única operação necessária.

O ajuste vai se tornando um fator cada vez menos importante à medida que a preparação se torna mais precisa. O primeiro passo para eliminação do ajuste é realizar calibragens que eliminem a necessidade de confiar na intuição. Se o grau de precisão requerido é de apenas uma aproximação, uma régua graduada pode ser suficiente, mas não irá eliminar integralmente os ajustes. Obtém-se maior precisão com a utilização de relógios comparadores, sensores de proximidade magnética ou dispositivos numéricos de controle.

Na *Togo Manufacturing*, um limitador de deslocamento ajustável em função do passo da rosca era movido por meio de um eixo com rosca. Sempre que o limitador era deslocado de 50mm para 60mm, o eixo tinha que ser girado, passando por toda a escala intermediária. Qual a razão para todo esse movimento, se o limitador nunca era colocado em posições que não 50mm ou 60mm? Por que ele não poderia ser deslocado diretamente de uma posição à outra? Para eliminar esse giro inútil, as roscas do eixo foram eliminadas e um calibrador em forma de U foi instalado abaixo do eixo, de maneira que o limitador poderia deslizar até o calibrador e ser atarraxado com um parafuso fixador. Isso fez as preparações do limitador se tornarem uma tarefa fácil e rápida.

Esse exemplo chama a atenção para um obstáculo frequente na eliminação do ajuste: utilizamos dispositivos que permitem preparações contínuas e ilimitadas, quando o que realmente necessitamos é de preparações limitadas ou graduadas.

Obviamente, o melhor tipo de ajuste é não existir ajuste algum. Por exemplo, o sistema do "mínimo múltiplo comum" (MMC) está baseado no princípio de que o ajuste pode ser eliminado inteiramente, quando o número de preparações for limitado e invariável.

Havia uma fábrica onde um interruptor de fim de curso era utilizado para posicionar o ponto final da usinagem de eixos. Como havia cinco comprimentos de eixo, o interruptor tinha que ser deslocado por cinco posições diferentes. Não havia possibilidade de que ele fosse posicionado corretamente sem, no mínimo, quatro ajustes experimentais a cada mudança de *setup*. Com a instalação de interruptores de fim de curso nas cinco posições, cada um deles equipado com uma chave elétrica com fornecimento de energia independente dos outros interruptores, esse problema foi eliminado (Figura 19). Agora, o *setup* é executado com um simples toque de botão.

```
    ①     ②     ③     ④     ⑤   interruptor de
                                    fim de curso

                            interruptor de corrente
```

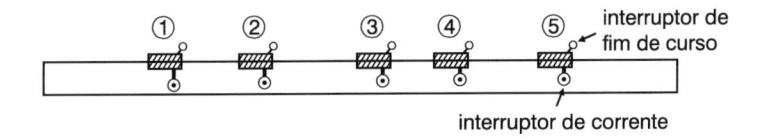

Figura 19. Troca de limitadores de fim de curso.

Um segundo exemplo do método MMC é ilustrado na Figura 20. Nessa operação, uma broca foi usada para escarear um furo para um parafuso fixo de um eixo motor principal. Limitadores tinham de ser reposicionados para oito comprimentos diferentes, e isso exigia que fossem feitos repetidos testes de funcionamento e ajustes. Os ajustes foram eliminados pela instalação de *plugs* limitadores de oito alturas diferentes em uma única placa. Para mudar de operação, basta rotar a placa para posicionar o limitador na altura desejada e então fixar a placa. Esse método de um toque reduziu o *setup* interno para menos de um minuto.

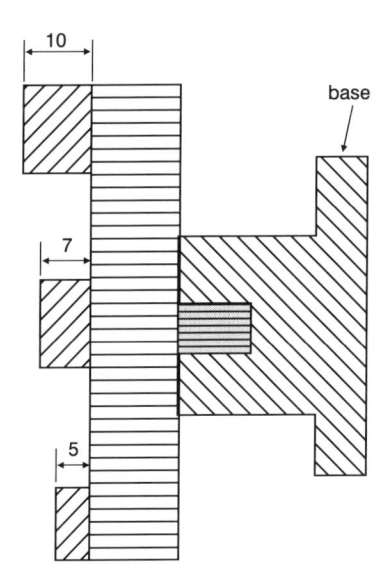

Figura 20. Um limitador rotativo.

O método MMC, assim como os métodos de um toque e de travamento, simplificam a preparação ou o posicionamento e eliminam o ajuste. Eliminar o ajuste é o objetivo óbvio que se deve sempre ter em mente. Por exemplo, algumas prensas são vendidas com alturas de impacto ajustáveis, porque empresas diferentes têm diferentes necessidades. Isso não significa, no entanto, que qualquer uma delas realmente opere com matrizes de alturas de prensagem diferentes. Essas empresas devem padronizar as alturas de matrizes ou adquirir prensas adaptadas às suas necessidades. A mesma lógica equivocada fica evidente, quando prensas caras são equipadas com altura de impacto ajustável motorizada e funções de ajuste altamente precisas. Por que investir em tais funções, quando é muito mais econômico eliminar os ajustes por meio da padronização?

Técnica 8 – Mecanização

Embora a troca de lâminas, dispositivos, matrizes e padrões pequenos não sejam grandes problemas, a mecanização é geralmente fundamental para deslocar matrizes, matrizes de injeção e matrizes de injeção de plástico grandes. Para a instalação de matrizes com um toque, pode ser utilizada pressão de ar ou óleo. E, é claro, o ajuste de altura de impacto motorizado, mencionado anteriormente, também é de grande auxílio.

O investimento na mecanização deve, no entanto, ser pensado com cuidado. Recentemente, muitas empresas têm padronizado a dimensão das placas de fixação e dado-lhes acabamento com alto grau de precisão. O travamento de um toque é então realizado com a inserção dessas placas em dispositivos especiais de fixação. Entretanto, apenas a matriz conforma realmente o produto. Considerando o objetivo da operação, é desperdício dar acabamento às placas de fixação com alto grau de precisão.

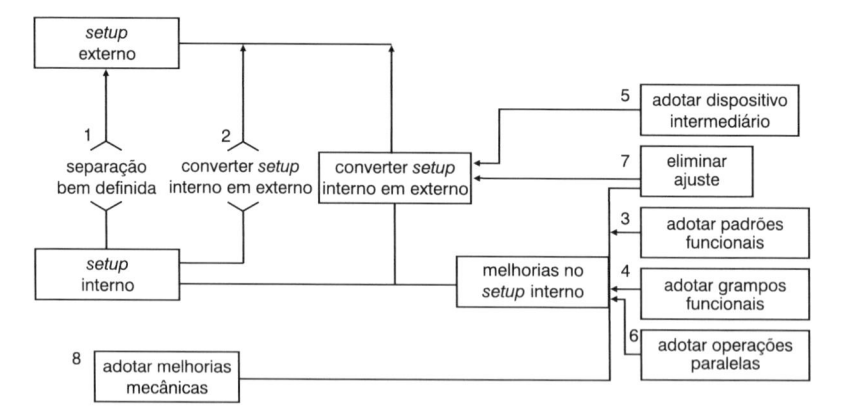

Figura 21. Fluxograma para aplicação das oito técnicas TRF.

A mecanização deve ser considerada somente após ter sido feito todo o esforço possível para melhorar os *setups* utilizando as técnicas descritas.

Os sete primeiros princípios podem reduzir um *setup* de 2 horas para 3 minutos, e a mecanização irá reduzir esse tempo em apenas mais 1 minuto.

A TRF é uma abordagem analítica para a melhoria do *setup* da qual a mecanização é apenas um componente. Empreender tal melhoria com a mecanização pode reduzir o tempo de *setup* em um primeiro momento, mas não irá remediar as ineficiências básicas de um processo de *setup* mal-planejado. É muito melhor mecanizar *setups* após sua total linearização com a aplicação dos princípios da TRF.

Quatro Estágios Conceituais da TRF

A TRF conduz à melhoria do *setup* de forma progressiva. Assim, ele passa por quatro estágios básicos. Cada um desses estágios é discutido abaixo:

Estágio Um

Neste estágio preliminar, não é feita qualquer distinção entre *setups* interno e externo. Muitas ações que poderiam ser realizadas como *setup* externo, como a procura de ferramentas ou manutenção da matriz são, em vez disso, executadas enquanto a máquina está parada. Isso aumenta desnecessariamente o tempo de preparação.

Estágio Dois

Esse é o estágio mais importante na implementação da TRF. Ele implica a separação das operações de *setup* interno e externo. Faça uma lista de verificação que inclua todas as peças, condições de operação e medidas que tenham de ser tomadas enquanto a máquina estiver em operação. Depois, cheque o funcionamento de todos os componentes para evitar esperas durante o *setup* interno. Finalmente, pesquise e implemente o método mais eficiente para deslocar matrizes e outros componentes enquanto a máquina estiver em funcionamento.

Estágio Três

Analise a operação de *setup* atual para determinar se alguma das atividades consideradas *setup* interno podem ser convertidas em *setup* externo. Por exemplo, preaquecer uma matriz de injeção ao mesmo tempo em que a máquina está operando elimina a necessidade de preaquecimento com injeções preparatórias de metal líquido durante o *setup* interno.

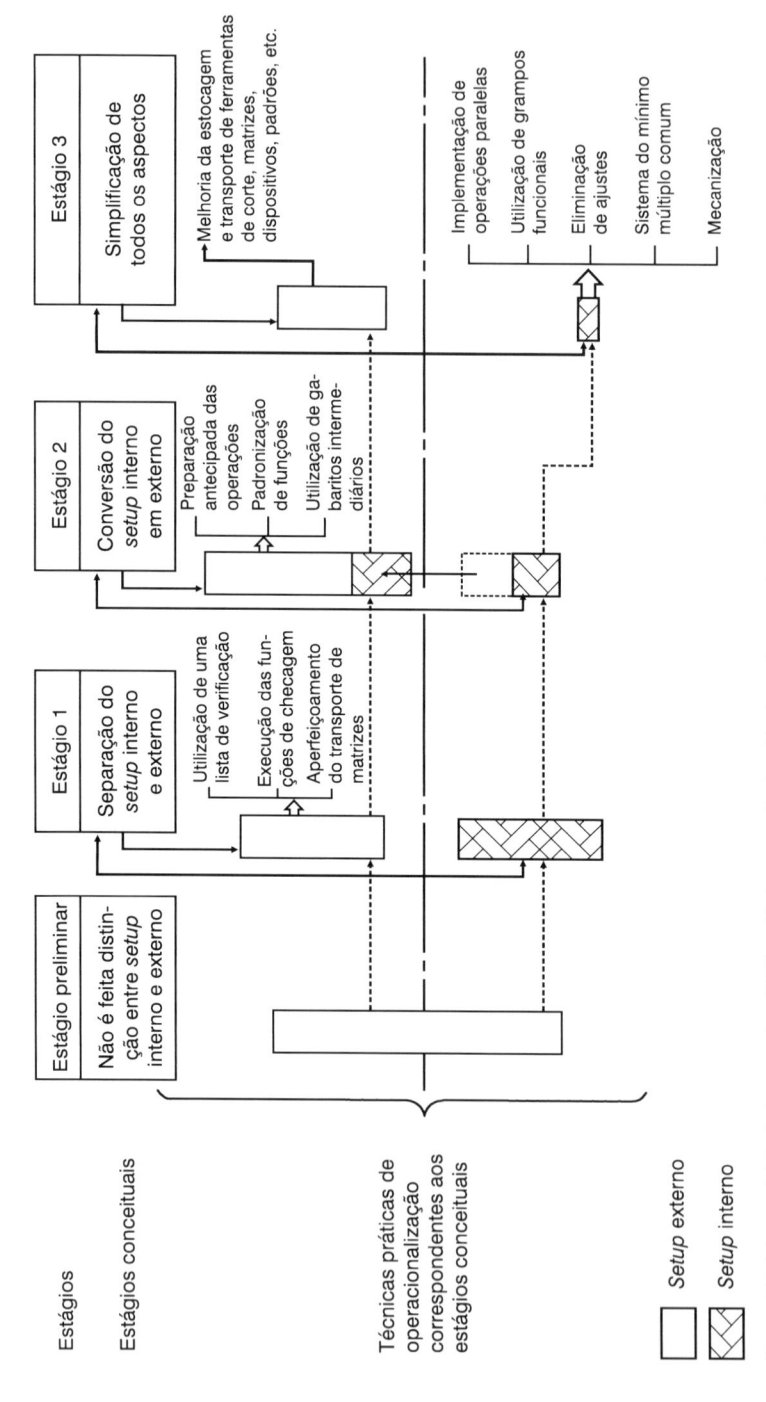

Figura 22. A troca rápida de ferramentas (TRF): estágios conceituais e técnicas de operacionalização.

Estágio Quatro

Examine as operações de *setup* interno e externo para observar eventuais oportunidades adicionais de melhoria. Leve em consideração a eliminação de ajustes e a linearização dos métodos de fixação.

Das centenas de melhorias obtidas com a TRF ao longo dos anos, as seguintes comprovaram ser as mais efetivas:

- Separação bem definida dos *setups* interno e externo
- Conversão total de *setup* interno em externo
- Eliminação de ajustes
- Fixação sem parafusos

Esses métodos podem reduzir os *setups* para menos de 5% dos seus tempos anteriores. De fato, trocas podem, às vezes, ser concluídas em alguns segundos com a eliminação dos ajustes e a utilização do sistema do mínimo múltiplo comum descrito anteriormente. *A maneira mais rápida de trocar uma ferramenta é não ter de trocá-la.* No exemplo dos cinco interruptores de fim de curso da página 77, apenas a função da máquina foi modificada – de interruptor para interruptor, sem ajuste mecânico ou manual. Para tornar a TRF uma realidade no chão de fábrica, basta uma simples demonstração dos seus métodos básicos aos operários e deixá-los iniciar uma revolução via TRF.

MELHORIA DAS OPERAÇÕES PRINCIPAIS

Como já discutido neste capítulo, as operações principais consistem em operações essenciais e auxiliares.

Melhorar as operações essenciais significa avançar na tecnologia de produção, ou seja, mudar as técnicas de usinagem ou conformação empregadas ou automatizar a operação. Melhorar as operações auxiliares consiste em simplificar ou automatizar o carregamento e o descarregamento de peças ou matérias-primas na máquina. A Toyota Motors melhorou as operações principais separando os operários das máquinas, sempre que possível, a partir das técnicas de operações multimáquinas e pré-automação.

Separação de Trabalhador de Máquina

As indústrias modernas têm prosperado pelo fato de, gradualmente, transferir o trabalho que era feito por homens para as ferramentas e as máquinas. As máquinas hoje manipulam as ferramentas que um dia foram operadas pelas mãos dos trabalhadores; a energia do ser humano foi substituída por energia elétrica ou gerada por outras fontes. Entretanto, durante essa evolução, a confiabilidade das máquinas manteve-se baixa, exigindo sempre a atenção contínua dos trabalhadores. O julgamento humano fez-se necessário para identificar e corrigir os problemas da máquina.

No Japão, a separação do homem e da máquina iniciou em meados dos anos 1920. Naquela época, as peças eram em geral instaladas e torneadas em máquinas, porém, usinadas manualmente com ferramentas de corte. À medida que a mecanização aumentava, as ferramentas de corte passaram a ser aplicadas automaticamente e, com isso, o esforço do homem foi transferido em grande parte para a máquina.

Com o tempo, a confiabilidade das máquinas foi aumentando, e, hoje, mecanismos completamente automatizados podem detectar e corrigir problemas sozinhos. Mas os trabalhadores continuam dando assistência às máquinas porque essa prática, como outros velhos hábitos, não é fácil de ser abandonada.

Contudo, na Toyota Motors, o trabalhador e a máquina têm sido historicamente separados tanto quanto possível, com o objetivo de promover a eficiência na produção assim como o uso efetivo e expressivo dos recursos humanos. Desde o fim dos anos 1940, os trabalhadores da Toyota não estão vinculados a uma única máquina, mas são responsáveis por cinco ou mais máquinas, alimentando uma, enquanto as outras trabalham automaticamente.

Essas operações multimáquinas são sustentadas por dois princípios importantes. Em primeiro lugar, uma máquina, após sua total depreciação, é utilizada "de graça", ao passo que os trabalhadores devem ser pagos indefinidamente. Assim, sob a ótica da redução de custos, é preferível ter máquinas paradas do que trabalhadores parados. Em segundo lugar, reduzir os custos é mais importante do que manter máquinas com altas taxas de operação.

DESENVOLVIMENTO DA PRÉ-AUTOMAÇÃO OU AUTONOMAÇÃO

A evolução posterior dessas ideias levou à adoção do que eu chamo pré-automação, ou autonomação no Sistema Toyota de Produção, ou "automação com toque humano". Ela separa completamente os trabalhadores das máquinas por meio do uso de mecanismos sofisticados para detectar anormalidades de produção. Muitas das máquinas usadas pela Toyota têm essa capacidade.

Comenta-se que existam 23 estágios entre o trabalho puramente manual e a automação completa. No entanto, até o vigésimo, o trabalho manual teve apenas que ser mecanizado. Para ser totalmente automatizado, uma máquina deve ser capaz de detectar e corrigir os seus próprios problemas operacionais. É técnica e economicamente viável desenvolver um equipamento que detecte problemas (pré-automação). Porém, fazer ele também os corrigir é muito caro e tecnicamente difícil e, em consequência, não é trivial justificar esse custo. Noventa por cento dos resultados da automação total (os primeiros 20 estágios) podem ser atingidos a um custo relativamente baixo, se as máquinas forem projetadas para simplesmente detectar problemas, deixando a correção dessas anormalidades aos trabalhadores.

Assim, a pré-automação ou autonomação é o estágio anterior à automação total. Os passos necessários para atingi-la são os seguintes:

Mecanização do Trabalho Manual

1. Automatização das operações essenciais
2. Automatização das operações auxiliares
3. Automatização das folgas de trabalho
4. Automatização das folgas entre operações

Mecanização do Trabalho Intelectual

5. Automatização da detecção de problemas

6. O trabalhador escolhe uma solução apropriada e executa-a

Exemplo 3.4 – Pré-automação. Na Matsushita Electric, cinco conjuntos de prensas de 500 toneladas foram equipadas com dispositivos de pré-automação, fazendo com que 43% da produção total pudesse ser efetuada sem a assistência dos trabalhadores. Eles utilizaram os seguintes métodos:

- A produção do produto A continua durante o período de almoço com a utilização das máquinas que não exigem assistência.
- O produto B é feito a partir de um estoque tipo alimentação contínua. Ao final do dia de trabalho, 80% de um rolo de matéria-prima, foi utilizado. Nesse momento, é feita uma troca rápida de ferramentas (TRF) para produzir C, que requer muito menos material e pode ser produzido à noite com uma única bobina de matéria-prima sem necessidade de um único trabalhador presente.
- Na manhã seguinte, a matriz para o produto C é substituída pela de B para continuar a produzir a partir dos 20% remanescentes do material da bobina.

Essa organização da produção implicou a instalação de uma unidade de estocagem de grande escala a um custo de seis milhões de ienes para todas as cinco prensas. No entanto, um equipamento novo para atingir o mesmo nível de produção, teria custado 10 vezes mais e requerido cinco operadores adicionais.

Essa é a maneira como a Matsushita tira vantagem tanto do sistema TRF como da pré-automação. O custo dos produtos feitos com a pré-automação é a metade do que custavam os produtos fabricados com métodos de produção convencionais.

Com seu conceito de autonomação, o Sistema Toyota de Produção também defende o uso de dispositivos mecânicos para detectar anormalidades. A ideia, contudo, não está necessariamente incluída num sistema global.

MELHORIA DAS FOLGAS MARGINAIS

Mesmo quando as operações essenciais, tais como fixação, usinagem e remoção de produtos, tiverem sido automatizadas, muitas operações indiretas e consumidores de tempo, tais como a remoção de cavacos, alimentação de material e estocagem de produtos, serão ainda feitas à mão. Tolerâncias para as atividades marginais que estão relacionadas a uma tarefa ou área de trabalho específicas devem ser analisadas detalhadamente na busca de oportunidades para melhoramentos. A automação pode ser aplicada em muitas delas, como demonstram os exemplos abaixo:

- Lubrificação - Devem ser consideradas propostas tais como: lubrificação automática, uso de metais impregnados de óleo, etc.
- Óleo de corte - Devem ser consideradas propostas tais como: lubrificação automática ou corte sem a utilização de óleo.
- Remoção de cavacos - Devem ser consideradas propostas tais como: pulverização ou lubrificação e remoção automáticas dos cavacos.

Folgas entre operações, que consistem no trabalho indireto, comum a diversas operações diferentes, também podem ser linearizadas. Considerando, por exemplo:

- Alimentação automática das matérias-primas, especialmente em se tratando de grandes quantidades.
- Estocagem automática do produto, em especial a substituição automática de paletes para armazenar grandes quantidades de produtos.

É preciso ter em mente que não é grande vantagem automatizar as operações principais, se as atividades marginais ainda forem executadas manualmente.

Com relação às *folgas com pessoal*, obtém-se maior produtividade de mão de obra com o aperfeiçoamento dos métodos de trabalho e aumentando a motivação e envolvimento do trabalhador. Com qualquer nível de automação, as pessoas serão sempre uma parte essencial e vital da produção.

Resumo

Ao adotar o sistema de TRF, a Toyota alcançou acentuadas reduções no tempo de *setup*. A produtividade tornou-se ainda maior com a utilização adicional de operações multimáquinas e da automação.

4

Conclusões sobre o Desenvolvimento da Produção com Estoque Zero

A principal característica do Sistema Toyota de Produção consiste em sua ênfase na produção sem estoque, ou com estoque zero. Para entender o sistema, é necessário compreender antes o significado de "estoque".

Antigamente, estoques, ou inventários, eram considerados um "mal necessário", com ênfase no "necessário" sendo o "mal" encarado como inevitável e talvez até útil. Há dois tipos de estoque: aquele que ocorre naturalmente como resultado de determinadas práticas de produção e o estoque "necessário". Ambos são discutidos abaixo:

ESTOQUE NATURAL

Razões para a geração de estoque:

- Previsões incorretas da demanda do mercado
- Superproduzir somente para evitar riscos
- Produção em lotes
- Diferenças no turno de trabalho: por exemplo, executar o recozimento em três turnos e elaborar o acabamento em um turno

ESTOQUE "NECESSÁRIO"

A acumulação em estoque pode ocorrer devido a ineficiências tanto no processo como nas operações. *Processos* ineficientes resultam em três tipos de acúmulo de estoque:

- Estoque criado pela produção antecipada, quando os ciclos de produção são mais longos que os ciclos de entrega *(P>E)*
- Estoque produzido por antecipação como precaução em relação às flutuações da demanda
- Estoque produzido para compensar o deficiente gerenciamento da produção e as esperas provocadas pela inspeção e transporte

Operações ineficientes resultam em dois tipos de geração de estoque:

- Estoque para compensar as quebras de máquina ou os produtos defeituosos
- Estoque gerado, quando as operações são realizadas em grandes lotes para compensar os longos tempos de *setup*

A palavra "necessário", no conceito "mal necessário", quando estamos nos referindo ao estoque, veio a significar "em nome da segurança". Essa interpretação tem feito os gerentes manterem uma certa quantidade de estoque de segurança.

Porém, ambos os estoques, tanto o "natural" como o "necessário", causam perdas. São fenômenos não lucrativos e que devem ser cuidadosamente estudados e eliminados por completo. Todavia, a redução do estoque não deve se tornar um fim em si mesma, na medida em que sua eliminação radical pode causar atrasos na entrega ou queda nas taxas de operação das máquinas. Ao invés disso, são as condições que produzem ou que geram a necessidade de estoque que devem ser corrigidas, de forma a reduzir o estoque de maneira racional. Há três estratégias que devem ser seguidas a fim de se atingir o ideal da produção com estoque zero:

- Reduzir drasticamente os ciclos de produção
- Eliminar as quebras e os defeitos, detectando as suas causas e procurando solucionar a raiz dos problemas
- Reduzir os tempos de *setup* para menos de 10 minutos ou até mesmo para segundos com a adoção da TRF, o que possibilita a produção em pequenos lotes e, por conseguinte, permite respostas rápidas às flutuações da demanda

PARTE II

Um Estudo do Sistema Toyota de Produção do Ponto de Vista da Engenharia de Produção

5

Os Princípios do Sistema Toyota de Produção

O QUE É O SISTEMA TOYOTA DE PRODUÇÃO?

A resposta mais comum a essa pergunta (80% das pessoas) irá reproduzir a visão do consumidor médio e dirá: "É um sistema *Kanban*"; outras, 15% talvez, venham a saber, de fato, como ele funciona na fábrica e responderão: "É um sistema de produção"; somente algumas poucas compreendem realmente o objetivo desse sistema e dirão: "É um sistema que visa a eliminação total das perdas".

Algumas pessoas imaginam que a Toyota veste agora um novo modelo de roupa, o sistema *Kanban*. Elas então saem de casa, compram e experimentam o mesmo modelo. Descobrem rapidamente que são muito gordas para vesti-lo! Elas devem eliminar as perdas e efetivar as melhorias fundamentais em seu sistema de produção antes que técnicas como o *Kanban* possam ser de alguma utilidade. O Sistema Toyota de Produção é 80% eliminação das perdas, 15% um sistema de produção e apenas 5% o *Kanban*.

A confusão provém de uma má compreensão da relação entre os princípios básicos de produção na Toyota e o *Kanban* como uma técnica para ajudar a implementar esses princípios. No prefácio do seu livro, *The Toyota Production System* (Cambridge, MA: Productivity Press, 1987), Taiichi Ohno deixa clara essa diferença. O Kanban, ele diz, é simplesmente um meio de chegar ao *just-in-time*. A confusão surgiu porque o termo "regras de *Kanban*" havia sido usado tanto para se referir aos princípios de produção como para o *Kanban*. Por exemplo, uma importante regra do *Kanban* exige que todos os materiais e produtos devem ser acompanhados por um cartão *Kanban*;

outra enfatiza que os produtos com defeito não devem passar aos processos seguintes. No entanto, essa última regra não é propriamente uma função do *Kanban* – mas um dos princípios básicos do Sistema Toyota de Produção.

Essa distinção torna-se mais óbvia quando a consideramos nos termos das três funções administrativas:

- Planejamento – estabelece o sistema de objetivos, como por exemplo, o *layout* da planta, operações-padrão, etc.
- Controle – garante a execução correta do plano.
- Inspeção – compara a execução ao plano de maneira que um ou outro problema possa ser corrigido ou ajustado, se necessário.

O ciclo de organização, controle (incluindo execução) e inspeção desenvolve-se como os degraus de uma escada (Figura 23). Ao Sistema Toyota de Produção corresponde a função de planejamento; o *Kanban* corresponde à função de controle.

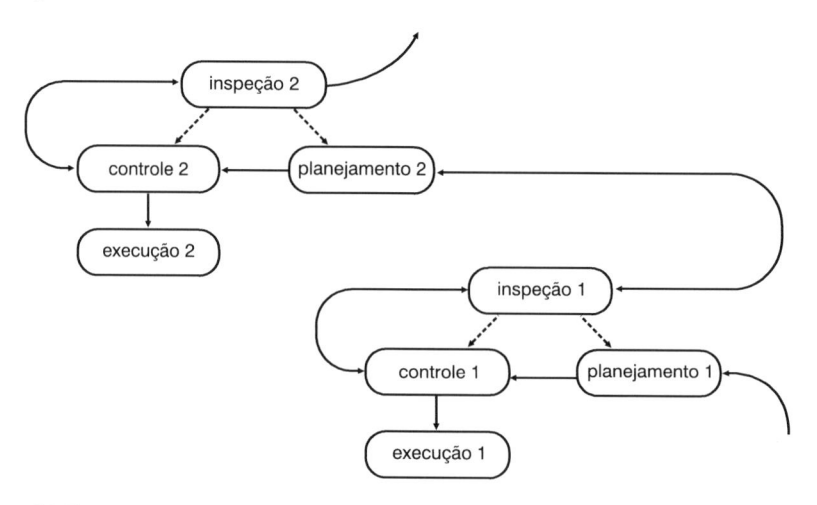

Figura 23. Fluxo de planejamento, controle e funções de inspeção.

PRINCÍPIOS BÁSICOS

Muito tem sido escrito sobre o Sistema Toyota de Produção "em dialeto"; ou seja, termos próprios ao sistema são empregados sem explicação, como se eles fossem de domínio geral. Isso tem causado alguma confusão e mal-entendidos. Para evitar problemas semelhantes neste livro, explicarei alguns princípios e termos básicos.

Perdas por Superprodução

Existem dois tipos de superprodução:

- *Quantitativa* – fazer mais produto do que o necessário
- *Antecipada* – fazer o produto *antes* de que ele seja necessário

Por exemplo, um produto é feito para exportação com um tempo de atravessamento muito pequeno até a expedição. Para prevenir a falta do produto devido a defeitos que possam vir a ocorrer, a empresa produz 100 peças a mais do que as 5 mil encomendadas. Se houver apenas alguns poucos defeitos, as peças excedentes serão desperdiçadas. Esta é a *superprodução quantitativa*.

Por outro lado, se 5 mil peças são encomendadas com entrega para o dia 20 de dezembro, mas foram produzidas até o dia 15 do mesmo mês, está caracterizada a *superprodução antecipada*.

Muitos gerentes se preocupam somente em evitar a superprodução quantitativa e não dão importância se um inventário de 20 dias tem de ser mantido e administrado, desde que os produtos sejam produzidos dentro do prazo. Na *Toyota Motors*, a superprodução antecipada não é tolerada. O método utilizado para eliminá-la é a produção *just-in-time*.

Just-in-time

Em japonês, as palavras para *just-in-time* significam "no momento certo", "oportuno". Uma melhor tradução para o inglês seria *just-on-time*, ou seja, em tempo, exatamente no momento estabelecido. *In time*, em inglês, significa "a tempo", ou seja, "não exatamente no momento estabelecido, mas um pouco antes, com uma certa folga". No entanto, o termo sugere muito mais que se concentrar apenas no *tempo* de entrega, pois isso poderia estimular a superprodução antecipada e daí resultar em esperas desnecessárias. Na verdade, o Sistema Toyota também realiza a produção com estoque zero, ou sem estoque, ou seja, cada processo deve ser abastecido com os *itens necessários*, na *quantidade necessária*, no *momento necessário* – *just-on-time*, ou seja, no tempo certo, sem geração de estoque.

Separação do Trabalhador da Máquina

A modificação progressiva na relação entre trabalhador e máquina é uma característica importante do Sistema Toyota de Produção. Como mencionado no Capítulo 3, trabalhador e máquina foram separados para aumentar a eficiência da produção, assim como para promover o uso mais efetivo e significativo dos recursos humanos. Essa separação iniciou à medida que as máquinas foram gradualmente substituindo a energia e o trabalho humanos. A Tabela 3 ilustra a transferência progressiva do trabalho manual à automação. A transformação envolve os seis estágios discutidos a seguir:

Estágio 1 – Trabalho manual. Os trabalhadores dão forma e acabamento aos artigos manualmente, sem qualquer ajuda das máquinas.

Estágio 2 – Alimentação manual com usinagem automatizada. Os trabalhadores fixam e removem os produtos das máquinas e alimentam as ferramentas manualmente. Somente a usinagem é feita pelas máquinas.

Estágio 3 – Alimentação e usinagem automáticos. Os trabalhadores fixam e removem os produtos e dão partida nas máquinas. As máquinas executam a alimentação de ferramentas e usinagem. Os trabalhadores detectam condições anormais e corrigem-nas. (Essa última função é também realizada nos dois primeiros estágios.)

Estágio 4 – Semiautomático. Fixação e remoção de produtos automatizadas; alimentação e usinagem automáticas. O único trabalho executado pelos trabalhadores é o de detecção e correção de condições anormais.

Estágio 5 – Pré-automação. Todas as funções, inclusive a detecção de defeitos, são executadas pela máquina; os trabalhadores simplesmente corrigem os defeitos.

Estágio 6 – Automação. Processamento, detecção e correção de problemas feitos inteiramente de forma automática.

A Toyota passou por esses seis estágios ao converter, gradualmente, operações manuais em operações executadas por máquinas. Mesmo assim, foi uma decisão muito difícil separar totalmente trabalhador e máquina. Mesmo no estágio 3 (alimentação e usinagem automatizados), havia necessidade de que os trabalhadores estivessem próximos à máquina, para supervisionar e observar, ficar atentos a anormalidades e corrigi-las.

A indústria têxtil foi a primeira a utilizar a pré-automação para separar completamente o trabalhador da máquina. Antes de chegar à Toyota Motors, o Sr. Ohno trabalhou na Minsei Textile Company (agora Toyoda Autoloom Company) com os teares automáticos inventados por Sakichi Toyoda. Ali, ele viu máquinas pararem automaticamente e emitirem um sinal quando detectavam uma condição anormal.

O Sistema Toyota de Produção 105

Tipo	Operações manuais				Operações mentais			
	Operações principais		Operações auxiliares		Folgas marginais			
	Operações essenciais				(Método comum)		(Método Toyota)	
Estágio	Corte	Alimentação	Instalação/Remoção	Operação de interruptor	Detecção de anormalidade	Disposição de anormalidade	Detecção de anormalidade	Disposição de anormalidade
1 Operação manual	Trabalhador	Trabalhador	Trabalhador	Trabalhador	Trabalhador	Trabalhador	Trabalhador	Trabalhador
2 Alimentação manual, corte automático	Máquina	Trabalhador	Trabalhador	Trabalhador	Trabalhador	Trabalhador	Trabalhador	Trabalhador
3 Alimentação automática, corte automático	Máquina		Trabalhador	Trabalhador	Trabalhador	Trabalhador	Máquina que para automaticamente (trab. supervisiona mais de uma máquina)	Trabalhador
4 Semiautomação	Máquina		Máquina	Máquina	Máquina	Trabalhador	Máquina (trabalhador supervisiona mais de uma máquina)	Trabalhador
5 Pré-automação (automação com toque humano)	Máquina		Máquina	Máquina	Máquina	Trabalhador	Máquina (automação com toque humano)	Trabalhador
6 Automação real	Máquina		Máquina	Máquina	Máquina	Máquina	Máquina	Máquina

TABELA 3. Separação de Trabalhador e Máquina.

Na Toyota, ele equipou as máquinas com dispositivos que permitem paradas automáticas, de maneira que um operador pode deslocar-se entre as máquinas, fixando e removendo produtos nas máquinas e dando partida a elas. Isso permitiu a operação simultânea de várias máquinas. Posteriormente, foi também introduzida nas máquinas a capacidade de detectar anormalidades.

Geralmente, essa função é incluída no estágio 5, depois que todo o trabalho mecânico foi automatizado. Na Toyota, no entanto, paradas automáticas e funções detectoras de problemas foram incorporados em um estágio bem mais adiantado. Isso facilitou a separação do trabalhador e da máquina, um conceito bastante evoluído no "Sistema Toyota de Produção" e um dos seus componentes essenciais.

Baixas Taxas de Utilização das Máquinas

A taxa de produção das máquina na Toyota Motors é duas a três vezes maior que a de empresas similares. E, de fato, para um mesmo nível de produção, a Toyota possui bem mais equipamentos que a maior parte das outras companhias, e esse é um de seus pontos fortes.

Isso é o que um rápido exame das estatísticas irá nos dizer. No entanto, esse fator representa uma percepção apenas superficial da situação. Por quê? Muitas pessoas estimam que a taxa de capacidade-utilização ou taxa de operação seja de cerca de 40%. A esse nível, a taxa de produção das máquinas da Toyota chega a ser igual ou um pouco maior que a de outras empresas.

Operação Multimáquinas e Baixas Taxas de Operação das Máquinas

Esta taxa de operação mais baixa é o resultado natural da separação do trabalhador e máquinas nas operações multimáquinas. Em 1955, 700 trabalhadores operavam 3.500 máquinas numa média de cinco máquinas por trabalhador. Em uma situação dessas, uma máquina pode terminar o seu ciclo enquanto o trabalhador está atendendo outra e a taxa de operação decresce.

Se o número de máquinas por trabalhador fosse reduzido, a taxa de operação tornaria a subir; nesse caso, existiria a possibilidade dos trabalhadores terem de esperar as máquinas terminarem a operação[*]. Em resumo: na Toyota, baixas taxas de operação são preferíveis à ociosidade dos operadores.

---

[*] A espera (por parte dos trabalhadores) é uma das sete perdas principais na Toyota e é eliminada onde quer que seja encontrada: pp. 235-240.

Há duas razões para isso: a primeira é que, tendo sido totalmente depreciadas, as máquinas e os equipamentos não apresentam custos contábeis. Em segundo lugar, o custo por hora do operador é geralmente muito maior do que o custo da máquina; do ponto de vista da redução de custos, é preferível uma máquina parada a um trabalhador ocioso.

Por exemplo, uma prensa de $60.000,00 é totalmente depreciada em 10 anos a uma taxa de $6.000 por ano, ou $500 por mês. O custo de um trabalhador, por sua vez, incluindo salários, benefícios e custos indiretos, é de três a cinco vezes superior em um período de 10 anos. As máquinas *parecem* mais caras por causa do seu alto preço de aquisição. Entretanto, na maioria dos casos, o custo de um trabalhador é bem mais alto. A operação multimáquinas na Toyota trouxe como resultado uma produtividade por trabalhador na ordem de 20 a 30% mais alta que em outras empresas.

Planejamento de Equipamento e Baixas Taxas de Operação

O que significa tudo isso em termos de planejamento do equipamento? Primeiro, se baixas taxas de operação puderem ser previstas, equipamentos mais baratos e de menor capacidade podem ser adquiridos com antecedência. Além disso, a empresa pode:

- Projetar e produzir suas próprias máquinas
- Projetar máquinas internamente para outras empresas produzirem
- Adquirir máquinas de baixo custo de fontes externas e adequá-las às necessidades da empresa

Há milhares de máquinas na Toyota, e cada uma foi aperfeiçoada para adaptar-se às necessidades específicas da empresa. Robótica ou outros equipamentos com finalidade específica, de custo alto, não são considerados bom investimento, quando feitas fora da empresa.

"Custos irrecuperáveis" é a expressão utilizada na Toyota quando o assunto é investimento em equipamento. Na avaliação da Toyota, qualquer equipamento deve ser depreciado assim que for adquirido, estando em uso ou não. É sempre mais lucrativo utilizar máquinas que produzem a custo baixo, e é preciso desfazer-se de equipamentos que na realidade aumentam custos, mesmo que seu preço de aquisição tenha sido alto. Equipamento novo deve ser adquirido somente depois que todos os motivos para a compra tenham sido estudados cuidadosamente. Uma vez que a compra tenha sido feita, o custo da máquina é "submerso", e a gerência tem que experimentar diversas maneiras de manter baixos os custos operacionais de produção.

O grande número de máquinas traz um segundo benefício: a produção pode ser aumentada rapidamente durante períodos de pico de demanda, pela simples contratação de trabalhadores temporários. Como normalmente as máquinas foram aperfeiçoadas para permitir manuseio fácil, é possível que os trabalhadores temporários trabalhem de forma independente após um período rápido de treinamento.

Realizar uma Apendicectomia

Na Toyota, as máquinas são equipadas para detectar problemas de produção. Quando são detectados problemas, as máquinas param imediatamente, indicando o tipo de problema por meio de luzes indicadoras. Além disso, é permitido aos trabalhadores parar a linha de produção, quando percebem qualquer problema. Quando a linha é interrompida, um *andon* (painel indicador) acende, informando a todos na área o tipo de problema e onde ele ocorreu.

O *andon* é um controle visual que transmite informações importantes e sinaliza a necessidade de ação imediata por parte dos supervisores. Há gerentes que acreditam na superação de vários problemas de produção com a implementação do controle visual do Sistema Toyota de Produção. Na Toyota, porém, a questão mais importante não é com que rapidez o pessoal é alertado do problema, e sim quais soluções serão implementadas. Paliativos ou medidas temporárias, embora façam a operação voltar ao normal da maneira mais rápida, não são apropriados. Também não é a melhor resposta, quando ocorrem defeitos, trabalhar horas extras para produzir o número programado de unidades. Essas soluções podem ser comparadas ao uso de uma bolsa de gelo para curar a apendicite – ela pode aliviar a dor por algum tempo, mas apenas uma apendicectomia irá evitar a recorrência. Essa é a visão da Toyota – descobrir e implementar soluções que impeçam de forma definitiva a recorrência do problema.

Certa vez, a entrega de peças por parte de um fornecedor atrasou e a linha parou por duas horas. O chefe do setor de recebimento desculpou-se pelo atraso, mas o gerente de fabricação não quis nem ouvir suas explicações, uma vez que o setor de recebimento não tinha como evitar o problema. Essa história ilustra um ponto importante: se você quer prevenir a repetição do problema, deve primeiramente identificar e tomar conhecimento da causa básica desse problema. Se o problema, no caso, está em como encaminhar os pedidos aos fornecedores, o chefe de compras deve explicar o atraso e desenvolver um plano para impedir as recorrências. Se o causador do atraso é o fornecedor, a pessoa ou departamento encarregado naquela planta deve explicar e retificar o problema.

O sistema de controle visual da Toyota pode facilitar esse processo de resolução de problemas, mas apenas o entendimento desse princípio pode fazer com que ele tenha sucesso. Na Toyota, existe somente um motivo para parar a linha – garantir que não seja necessário parar a linha novamente.

FUNDAMENTOS DE CONTROLE DA PRODUÇÃO

Adoção do Princípio do não custo

Muitas empresas determinam o preço dos seus produtos, utilizando o seguinte princípio básico de custo:

$$\text{Custo} + \text{Lucro} = \text{Preço de Venda}$$

Quando o custo do petróleo sobe, por exemplo, o preço de venda do produto é aumentado para refletir os custos mais altos de energia e manter o nível desejado de lucro – sob a ótica da fórmula acima. Da mesma forma, se o preço do minério de ferro sobe, o preço do aço deve subir para refletir o maior custo da matéria-prima. Para o próprio governo, é fácil aumentar preços como resposta a aumentos de custos. Alguns chegam a argumentar que o lucro acrescentado ao custo deve ser grande o suficiente para cobrir as possíveis perdas, se o produto não vender. A Toyota não aceita essa fórmula, tampouco esses argumentos. Em vez disso, como é o mercado (o consumidor) quem sempre determina o preço de venda adequado, a Toyota utiliza o princípio do "não custo".

$$\text{Preço de Venda} - \text{Custo} = \text{Lucro}$$

Aplicando essa fórmula, pressupondo que os consumidores são os responsáveis por decidir o preço de venda, o lucro é o que resta depois de subtrair o custo deste preço final. Portanto, a única forma de aumentar o lucro é reduzir os custos. Consequentemente, a atividade de redução de custo deve ter a mais alta prioridade. A adoção do princípio do não custo e a eliminação da perda têm permitido à Toyota, com frequência, tomar a iniciativa de reduzir os preços de vendas dos seus carros nos últimos 35 anos.

Qualquer empresa pode fazer um esforço para eliminar a perda, mas enquanto ela operar adicionando lucros ao custo para determinar preço, seus esforços serão provavelmente inúteis. Somente quando a redução de custo se torna o meio para manter ou aumentar lucros a empresa ficará motivada para eliminar totalmente o desperdício.

Da mesma forma, se as pessoas decidissem qual o custo de administrar a máquina do governo, muitas despesas "necessárias" não poderiam ser justificadas e a eliminação de desperdício real iria ocorrer. Não seria do interesse público que o governo operasse sob esse princípio?

Eliminação das Perdas

Comenta-se que o Sistema Toyota de Produção é tão poderoso que poderia extrair água torcendo uma toalha seca. Essa é, de fato, uma boa descrição. Por exemplo, para secagem de pó não devemos apenas retirar a umidade da superfície; devemos também eliminar a umidade invisível cristalizada dentro dela. De forma similar, na Toyota procuramos pelo desperdício que geralmente não é notado porque se tornou aceito como uma parte natural do trabalho diário.

Os movimentos dos operadores podem ser classificados como operação e perda. A *perda* é qualquer atividade que não contribui para as operações, tais como espera, acumulação de peças semiprocessadas, recarregamentos, passagem de materiais de mão em mão, etc.

Existem dois tipos de operação: aquelas que agregam e as que não agregam valor. Operações que não agregam valor, tais como caminhar para obter as peças, desembalar peças vindas de fornecedores e operar chaves, podem ser consideradas perdas. No entanto, melhorias no trabalho serão sempre necessárias.

Operações que agregam valor transformam realmente a matéria-prima, modificando a forma ou a qualidade. Essas atividades transformadoras constituem o *processamento*, discutido na Parte 1 deste livro. Eles transformam matéria-prima em componentes ou em produtos e aumentam o seu valor a partir de atividades como montagem de partes, forjamento de matérias-primas, estampagem de chapas de aço, soldagem, tratamento térmico de engrenagens ou pintura da carroceria. Quanto maior o valor agregado, maior a eficiência da operação.

No chão de fábrica, é claro, outras atividades não agregadoras de valor, tais como aquelas causadas por má manutenção de equipamentos, reparos e "retrabalhos", reduzem a eficiência operacional líquida. A experiência diz que o percentual de trabalho que de fato agrega valor a um produto é menor que o esperado. Isso significa que os trabalhadores devem transformar em trabalho tudo aquilo que seja somente movimento. *Trabalho* avança um processo à frente e agrega valor, ao passo que a mera *movimentação*, mesmo que rápida e eficiente, pode não levar a nada.

Para elevar a taxa líquida de operação, o número de horas-homem deve ser reduzido e, na Toyota, o ideal é atingir uma taxa de operação de 100%.

A Tabela 4 lista as atividades de melhoria na eliminação da perda na Toyota, entre 1976 e 1980, expressas pelas sugestões apresentadas e adotadas durante aquele período. A Tabela 5 ilustra o impacto dessas atividades ao comparar o número de horas-homem de montagem por carro da Toyota ao de fabricantes de automóveis americanos, suecos e alemães.

Tabela 4. Número de Melhorias Sugeridas na Toyota Motors.

Ano	Número total de sugestões	Número de sugestões por pessoa	Taxa de adoção
1976	463.000	10,6	83%
1977	454.000	10,3	86%
1978	527.000	11,9	88%
1979	575.000	12,8	91%
1980	860.000	18,7	94%

TABELA 5. Tempo de Montagem por Veículo por País*.

	Toyota (Planta de Takaoka)	Planta (A) (Estados Unidos)	Planta (B) (Suécia)	Planta (C) (Ex-Alemanha Ocidental)
Número de empregados	4.300	3.800	4.700	9.200
Número de carros produzidos	2.700	1.000	1.000	3.400
Tempo por carro (número de pessoas)	1,6	3,8	4,7	2,7
Taxa	1,0	2,4	2,9	1,7

* Da tese de M. Sugimori.

Eliminação das Perdas a partir de Melhorias Fundamentais na Função Processo

Como já discutido na Parte I, o processo consiste em quatro componentes: processamento, inspeção, transporte e espera. Desses, apenas o processamento agrega valor; os outros podem ser vistos como perda. No passado, a forma típica de se atingir a melhoria do processo era "melhorar a perda". Ao invés disso, melhorias fundamentais devem ser efetivadas, porque elas eliminam a perda – e, assim, a necessidade de "melhorá-la".

Alguns exemplos dessa metodologia aplicados à inspeção, transporte e esperas são considerados a seguir:

Melhoria da inspeção. Sem inspeção, os defeitos causarão problemas, então adotamos a inspeção por amostragem. Contudo, melhorias fundamentais a partir da inspeção preventiva eliminam completamente a operação de inspeção. Dispositivos do tipo *Poka-yoke* eliminam os defeitos e reduzem as horas-homem de inspeção a zero.

Melhoria do transporte. Empilhadeiras melhoram o transporte do produto pela economia de tempo e mão de obra. No entanto, melhorias básicas no *layout* da fábrica eliminam inteiramente a necessidade de transporte.

Melhoria das esperas. Enquanto os estoques *buffer* são utilizados para manter a operação funcionando regularmente, novos métodos serão gerados para melhorar o fluxo de entrada e saída de itens do almoxarifado e controlar o estoque. Técnicas de armazenagem automáticas e programas de controle de estoque computadorizados são muito populares. Entretanto, a sincronização de cada processo elimina as esperas do processo (estocagem entre processos), e a implementação de fluxos de peças unitárias elimina as esperas do lote (estocagem pelo tamanho do lote).

Além disso, passando às máquinas a função de detectar problemas e torná-las capazes de parar automaticamente minimiza problemas e ajuda a evitar que eles ocorram outra vez. Isso também reduz a necessidade de estoques *buffer*. Finalmente, quando a meta dos zero defeitos é atingida, a necessidade de *buffers* é eliminada por completo.

Infelizmente, soluções positivas e permanentes como essas não são, com frequência, sequer levadas em consideração.

Eliminação das Perdas a partir de Melhorias Fundamentais na Função Operação

A mesma análise feita com relação às operações revela que apenas operações essenciais agregam valor. Outras, tais como trocas de matrizes, operações auxiliares e folgas marginais podem ser todas vistas como perda. Portanto, melhorias operacionais constituem-se, também, em uma forma de "melhoria da perda". Observe os seguintes exemplos:

Melhoria do setup. As trocas de matrizes são essenciais, mas consomem demasiado tempo. O tamanho do lote é frequentemente aumentado para compensar as horas-homem gastas em preparação de máquinas.

Em comparação, a adoção dos sistemas TRF e troca de ferramentas em um único toque (OTED) reduzem tempos de *setup* drasticamente e eliminam a necessidade da utilização de grandes lotes.

Melhoria em operações auxiliares. Como a sua fixação e remoção são problemáticas, os produtos são alinhados em uma direção em um magazine e alimentados na máquina automaticamente. Entretanto, com a adoção do fluxo de peças unitárias no processo precedente, os produtos podem ser removidos automaticamente e transferidos em uma única direção ao processo seguinte. Com essa disposição, produtos individuais podem ser fixados automaticamente para processamento.

Da mesma forma, a operação de um interruptor com apenas um toque reduz o tempo de operação. Todavia, se o equipamento for modificado para iniciar a usinagem automaticamente assim que o produto for fixado à máquina, o trabalho manual de ligar o interruptor será eliminado.

Melhoria das folgas de trabalho. A automação é utilizada para melhorar a aplicação de óleo lubrificante e de corte e remoção de cavacos. Uma melhoria real, no entanto, na forma de mancais não lubrificados e usinagem sem óleo poderia eliminar completamente a necessidade de óleos de lubrificação e de corte. Além disso, uma névoa de óleo esfria as lâminas das ferramentas com 10 vezes mais eficiência que outros métodos, elimina falsos gumes de corte, remove cavacos para prolongar a vida útil da lâmina em 30 a 60% e reduz o consumo de lubrificante em 90%.

Os cavacos e os refugos são eliminados, quando métodos de forjamento e fundição forem mais precisos. Uma segunda solução ótima consiste na remoção forçada dos cavacos da máquina para facilitar seu descarte.

Melhoria das folgas entre operações. Em geral, as operações de alimentação e estocagem são melhoradas com a utilização de materiais contínuos e de paletes de grande volume. Porém, mecanismos automáticos para preparação de máquinas podem proporcionar melhoria real. Tais mecanismos colocam novas bobinas ou lotes de matéria-prima em posição para alimentação contínua ou abastecimento de paletes novas, por exemplo, fazendo com que não haja necessidade de os trabalhadores executarem essas tarefas. Além disso, conectar processos sucessivos elimina as esperas do processo, minimiza os estoques de peças não acabadas e elimina a necessidade de equipamento especial de estocagem.

Esses são todos exemplos de melhoria positiva, permanente – *real*. Mas quando sua implementação é sugerida, muitas vezes a resposta é "nossos métodos podem não agregar valor, mas sem eles seria impossível realizar o trabalho, de maneira que não temos escolha. Eles são um mal – mas um mal necessário". Infelizmente, com o tempo, o "mal" é esquecido e apenas o "necessário" permanece. É por isso que tanta perda permanece oculta por trás dos processos e das operações.

A capacidade de eliminar a perda na produção é desenvolvida a partir do momento em que se deixa de acreditar que "não há outra maneira" de executar uma dada tarefa. É inútil dizer: "Isso tem de ser feito deste jeito", ou "Isso é inevitável!".

Na Toyota, descobrimos que *sempre* existe uma outra maneira. Procuramos pelo desperdício que se supõe natural ou que não é considerado um problema. Quando descobrimos alguma prática geradora de desperdício, não dizemos "isso é inevitável". Em vez disso, dizemos: "Isso não agrega valor, portanto, teremos que mudar – mas iremos tolerar essa prática até que encontremos uma maneira de eliminar completamente o desperdício".

Uma atitude positiva é absolutamente essencial para a eliminação da perda. Enquanto ratificarmos a condição atual, afirmando que não há como modificá-la, deixaremos escapar oportunidades para melhoria. Não poderemos encontrar e eliminar desperdício, se não estivermos procurando por ele.

> *Exemplo 5.1– Prensas com interruptores de um toque.* As normas de segurança do trabalho exigem que os operadores sejam protegidos de qualquer contato com o maquinário que possa ser perigoso, por meio de dispositivos de desarme, a menos que as máquinas estejam equipadas para que parem automaticamente quando qualquer parte do corpo do operador entre na zona de risco.
>
> Por motivos de segurança, então, a operação da prensa requer que os interruptores sejam pressionados durante toda a operação com as duas mãos, para garantir que ambas estejam fora da zona de risco daquela máquina. Se uma mão for retirada do interruptor, a máquina para automaticamente. Em geral, diz-se: "Se esta é uma norma de segurança, é impossível modificá-la". Contudo, essa prática, que diminui a velocidade do trabalho consideravelmente, constitui desperdício. Como se poderia atender às normas de segurança e ao mesmo tempo aumentar a produtividade?
>
> A Figura 24 mostra como as operações multimáquinas ou multiprocessos são executadas na Toyota. Uma chave de um toque para a primeira prensa é colocada próximo à segunda, a chave da segunda é colocada próximo à terceira e assim por diante. Quando o operador dá partida na prensa, ele já está em segurança, fora da zona de risco daquela máquina. Essa melhoria por si só já duplicou a produtividade! (Ela não protege, entretanto, uma terceira pessoa de acidentalmente entrar na zona de risco, de forma que medidas adicionais de proteção devem ser tomadas.) Mas pense o quanto podemos alcançar quando paramos de pensar que algo "é impossível ou inevitável".

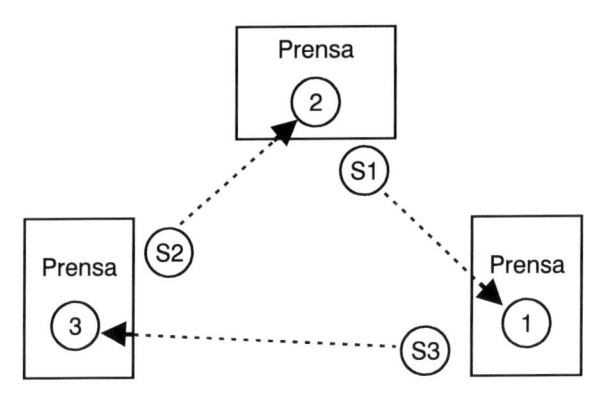

Figura 24. Controle remoto de prensa.

Exemplo 5.2 – Eliminação do desperdício representado pela aplicação de óleo sobre o retalho. Na Indústria T, material bobinado era utilizado com matrizes progressivas na prensa. Perguntei ao gerente de fabricação por que ele punha óleo sobre o material com um rolete de feltro. Ele respondeu explicando que o óleo era necessário durante a extrusão do material. Então perguntei: "Por que o senhor põe óleo sobre o retalho?". Após pensar por algum tempo, ele respondeu: "O rolete cobre toda a superfície do material, de forma que não há como evitar que isso seja feito".

Disse a ele que o verdadeiro problema estava nas palavras "não há como evitar". No momento em que tomamos conhecimento de que aplicar óleo sobre o retalho representa perda, estamos prontos para pensar em outro método de lubrificação. Algum tempo depois, o método de lubrificação foi modificado. Utilizando um método de aspersão de névoa de óleo nas partes superior e inferior da matriz, a lubrificação do retalho foi eliminada.

Esse é um exemplo simples de um princípio poderoso: procure continuamente pelo desperdício!

Exemplo 5.3 – Partida rápida e simultânea de diversas máquinas. Na Taiho Industry, um trabalhador executava uma operação multimáquinas com 14 máquinas de corte e tinha que dar partida manualmente nas máquinas a cada processo. Para melhorar esse procedimento, um botão de um toque foi instalado próximo à oitava máquina para comandar as máquinas de números 1 a 7, de modo que todas as sete máquinas poderiam ser ligadas ao mesmo tempo; um outro botão comandando as máquinas 8 a 14 foi instalado próximo à primeira máquina, de modo que todas as máquinas também poderiam ser ligadas ao mesmo tempo.

Essa melhoria reduziu o tempo de ciclo de 35 para 4,2 segundos. Nessa fábrica pensava-se que "não havia outro jeito" senão ligar cada máquina separadamente. Esse procedimento ineficiente não poderia ser melhorado se eles não percebessem que o tempo necessário para cada máquina operar e terminar o seu processo não era importante, desde que todas terminassem antes do ciclo seguinte.

Melhoria do Processamento e das Operações Essenciais

Como já observado, apenas aqueles aspectos do processo que transformam o material ou melhoraram a qualidade, as operações essenciais que realmente propiciam mudanças na forma e na qualidade, isto é, usinagem, etc., agregam valor ao produto. Inspeção, espera, transporte e outras operações incluídas no processamento (operações auxiliares, de *setup* e de margem de tolerância) apenas elevam os custos e devem ser eliminadas.

O processamento em si e as operações essenciais devem ser examinados cuidadosamente na busca de possíveis melhorias. Há formas melhores de aumentar o valor agregado dos produtos do ponto de vista da Engenharia de Valor (EV) e da Análise de Valor (AV). Para ajudar na resposta a essa questão, devemos reexaminar os materiais, os métodos e os próprios produtos. A moldagem a vácuo para evitar rebarbagem e reduzir defeitos é um exemplo de melhoria do método de processamento.

Pergunte "Quem, O que, Quando, Onde, Como" e "Por quê?"

Uma atividade-chave à qual é dada muita importância na Toyota é a procura pelas causas reais dos problemas e perdas. Perguntamos "Por quê?" repetidas vezes até que a resposta seja encontrada. Tradicionalmente, o 5W1H significa:

- Quem (Who) – sujeito da produção
- O que (What) – objetos da produção
- Quando (When) – tempo
- Onde (Where) – espaço
- Por quê (Why) – encontrar a causa para cada uma das perguntas acima porque todas são importantes fatores na resolução de um problema
- Como (How) – métodos

Na Toyota, as cinco primeiras perguntas significam realmente cinco *Por quês*. Perguntando "Por quê?" cinco vezes ou mais vezes até que a causa de um problema seja descoberta. Para cada fator – o que, quem, onde, quando e como – perguntamos "Por quê, por quê, por quê, por quê, por quê?". Perguntar uma vez nunca é suficiente. Ao perguntarmos "Por quê?" cinco vezes, o *como* devemos solucionar o problema também será esclarecido.

A busca da melhoria pode ser definida por três eixos:

1. O eixo X – representa os objetivos da melhoria
2. O eixo Y – reconhece objetivos múltiplos
3. O eixo Z – busca objetivos de forma sistemática, trabalhando gradualmente na direção de objetivos subjacentes ou fundamentais

Perguntar "Por quê?" cinco vezes nos impede de terminar a investigação antes de termos atingido a raiz do problema, que é o objetivo fundamental da melhoria. Se não conduzirmos nossa investigação aplicada e sistematicamente e se não continuarmos perguntando "Por quê?", poderemos nos acomodar com uma medida intermediária que não elimina realmente a raiz do problema.

Produção em Massa e Produção em Grandes Lotes

O livro de Taiichi Ohno, *O Sistema Toyota de Produção*, tem como subtítulo *Para Além da Produção em Grande Escala*, mas o que ele quer dizer com isso não está explicado no livro. Embora esse título pareça manifestar-se a favor de uma *escala* mais apropriada de gerenciamento da produção, a posição de Ohno é de que o Sistema Toyota de Produção é a antítese da produção em massa americana. No prefácio, ele afirma:

> O Sistema Toyota de Produção desenvolveu-se a partir de uma necessidade. Certas restrições no mercado tornaram necessária a produção de pequenas quantidades de muitas variedades (de produtos) sob condições de baixa demanda; foi esse o destino da indústria automobilística japonesa no período de pós-guerra.

Os mercados americanos, ao contrário, davam a impressão de demandar produção em massa de um número menor de produtos. O sistema de produção e gerenciamento desenvolvido na Toyota foi o resultado de esforços de tentativa e erro para competir com a produção em massa já estabelecida nas indústrias de automóvel americanas e europeias.

Mas será que essa diferença entre essas duas maneiras de pensar a produção é assim tão simples? O objetivo da produção em massa americana é reduzir tanto os custos de mão de obra por unidade como os custos totais aliviando o ônus causado pela depreciação. Baixos preços de venda, por sua vez, estimulam a demanda, criando um ciclo de produção em massa e vendas em massa.

Desse ponto de vista, a produção em massa é altamente vantajosa, em especial para maquinário e matrizes diferenciados. Por exemplo, a Volkswagen colheu grandes benefícios da produção do "Fusca" durante um longo período de tempo com poucas mudanças no modelo. Similarmente, o número de Corollas produzido pela Toyota Motors é o maior jamais produzido por algum fabricante, e os lucros advindos desse modelo foram enormes.

Entretanto, o potencial para produção em massa (produção em grande quantidade), no entanto, é uma característica do mercado e nem sempre é uma opção que uma empresa possa escolher. Embora já tenha sido chamada de produção "antecipada" ou "planejada", ela está, na verdade, baseada em suposições. Obviamente, as programações de produção são baseadas em vendas já realizadas e pesquisa de mercado, mas a demanda real vem a ser, frequentemente, bastante diferente das projeções.

Em resumo, a empresa pode não ser livre para optar entre produção pequena, média ou em massa, porque ela não controla a demanda do mercado. Ela pode optar, porém, entre a produção em pequenos ou grandes lotes.

A produção em grandes lotes e a produção em massa são, na verdade, duas dimensões diferentes. A produção em lotes pequenos é preferível (mesmo para produção em massa), porque ela reduz e controla a geração de estoque excessivo. Mesmo quando a quantidade total do pedido for grande, os pedidos podem ser atendidos a tempo, em pequenas quantidades, sem geração de estoque. A produção em grandes lotes, ao contrário, irá sempre resultar em estoque excessivo por um determinado período de tempo, qualquer que seja a demanda total. O Sistema Toyota de Produção é a antítese da produção em grandes lotes e *não* da produção em massa – e é por isso que nesse sistema a redução do tempo de *setup* é tão importante.

Rumo à Produção Contrapedido

A programação baseada no pedido da Toyota tem relação com a demanda real. Quando a demanda aumenta, o mercado da empresa amplia-se. Durante esses períodos, a produção antecipada pode acompanhar a demanda real sem perdas. Mas em condições normais de mercado, a demanda real deve determinar a produção.

Características da Produção Contrapedido

A produção em massa é especulativa. Na Toyota, a produção é baseada em pedidos confirmados (pedidos firmes) e é voltada para um mercado que exige rápida entrega de uma grande variedade de modelos, cada um produzido em pequenas quantidades. O sistema de TRF possibilitou a produção de múltiplos modelos e, juntamente com a produção em pequenos lotes, facilitou a produção em pequenas quantidades. Tamanhos de lote pequenos e produção com fluxos de peças unitárias sincronizados reduziram os prazos de entrega consideravelmente.

A dificuldade maior com a produção contrapedido é a flutuação na demanda. Flutuações diárias podem ser administradas por meio do balanceamento da carga e da capacidade (Capítulo 7); variações temporais de demanda não devem ser administradas com a utilização de estoques para atender os períodos de alta e baixa demanda. Para responder às flutuações sazonais da demanda, a Toyota estabeleceu a capacidade de produção ao nível mínimo nos pontos de baixa da demanda e responde a aumentos através de horas extras, utilizando o excesso de capacidade das máquinas e de trabalhadores temporários. Essas técnicas funcionam da seguinte forma:

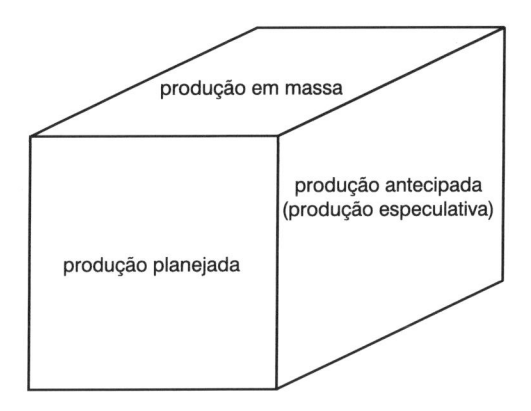

Figura 25. Características da produção em massa.

Hora extra. Há intervalos de quatro horas entre os dois turnos, durante os quais se pode aumentar a produção para satisfazer uma alta de até 50% na demanda.

Excesso de capacidade e trabalhadores temporários. Durante os períodos de demanda média, muitos trabalhadores operam 10 máquinas carregadas a 50% da capacidade. Quando a demanda aumenta, trabalhadores temporários são contratados. Isso possibilita operar à capacidade de 100%, com cada trabalhador operando somente cinco máquinas. Para que isso seja feito com eficiência, obviamente, as máquinas tiveram que ser aperfeiçoadas de forma que mesmo trabalhadores temporários possam trabalhar independentemente depois de não mais de três dias de treinamento.

Assim, flutuações na demanda são administradas com a flexibilidade na capacidade de produção. Isso é possível porque a Toyota emprega de 20 a 30% menos trabalhadores em relação a outros fabricantes de automóveis e tem maior capacidade de reserva como resultado da eliminação das perdas e as melhorias no trabalho.

Produção Contrapedido para Demanda Sazonal

Ao contrário da Toyota, a Companhia Elétrica S fabrica produtos baseados em projeção acerca da demanda futura. Eles produzem bens sazonais e terminam a produção destinada a todo o inverno baseando-se em uma previsão de demanda feita em outubro. Após outubro, eles ficam sujeitos às flutuações do mercado e, frequentemente, têm de manter grandes quantidades de estoque.

A empresa queria passar à produção contrapedido mas não tinha ideia de como administrar as flutuações sazonais na demanda. Eles agora produzem 70% das unidades cujas vendas podem ser projetadas com certeza até o final de outubro. Em novembro, dezembro e janeiro, é executada a produção contrapedido. Para enfrentar as flutuações na demanda, eles adotaram o sistema de TRF e reduziram o seu ciclo de produção consideravelmente. Vários produtos podem ser agora entregues num prazo de 10 dias a partir do recebimento do pedido.

Naquele ano, o verão estava muito quente e a previsão meteorológica era de que o inverno seria bastante severo. Outras empresas acumularam grandes estoques para satisfazer a demanda esperada. Veio um inverno ameno, e elas se viram com grandes estoques de produtos acabados. Na Companhia Elétrica S, foi constatada uma impressionante diferença de 4 bilhões entre a sua produção planejada antiga e a produção real. Tivessem continuado com a produção planejada, teriam tido aquele enorme excedente. No entanto, como haviam mudado para a produção contrapedido, o estoque final resultou em apenas 10% do previsto anteriormente, o suficiente para atender à demanda real.

A Relação entre o Ciclo de Produção e o Prazo de Entrega

No Capítulo 2, vimos que a relação entre o período de entrega e o ciclo de produção é muito importante. E (o prazo de entrega) deve ser maior do que P (o período compreendido entre o primeiro processo de produção e o último) – $E>P$. Se um produto tem um prazo de entrega de 10 dias, mas leva 20 dias para ser produzido, ele não poderá ser entregue no prazo. Para que se tenha certeza de que E é sempre maior do que P, estoque semiprocessado adicional é produzido e mantido para atender a todos os pedidos que exigirem entrega em menos de 20 dias.

Também, como vimos no Capítulo 2, uma previsão incorreta leva à geração de excesso de estoque e a criação de estoques entre processos. Para evitar esse problema, o ciclo de produção absoluto (do início ao fim da produção) – Po deve ser menor do que E, ou seja, $E > Po$. Geralmente, isso é obtido com o balanceamento e a sincronização da produção e com a eliminação das esperas de processo e das esperas dos lotes.

Entrega Rápida e Produção Contrapedido

Um comerciante japonês foi transferido para a ex-Alemanha Ocidental. Procurando um guarda-roupa para sua nova casa, não encontrou um que estivesse disponível para pronta-entrega. Ele teria que encomendar um e o prazo de entrega mais curto seria de seis meses. Quando ele perguntou por que o guarda-roupa não poderia ficar pronto antes dessa data, o proprietário da loja respondeu: "Meus guarda-roupas são feitos para durar a vida inteira; por que o senhor não pode esperar seis meses para entrega?". O comerciante japonês ficou espantado com a diferença entre os mercados alemão e japonês.

Nos Estados Unidos e Europa, as expectativas em relação a tempos de entrega são bem diferentes daquelas do Japão. Na Inglaterra, por exemplo, a entrega de um Austin pode levar de seis meses a um ano. Nos Estados Unidos, pode-se ter de esperar de três a seis meses por uma encomenda especial da GM ou da Ford. Entretanto, qualquer um gosta de receber mercadorias compradas por encomenda o mais rápido possível.

Devido à valorização recente do iene, os carros nacionais custam cerca de $500 menos do que carros japoneses nos Estados Unidos. Mesmo assim, a Toyota continuou a desfrutar de boas vendas por causa da sua entrega rápida, durabilidade e baixo custo de manutenção de seus automóveis. A sua pesquisa de mercado nos Estados Unidos mostrou que essas eram as características de um carro desejadas pelo consumidor americano.

A Toyota satisfaz a demanda no mercado externo com o mesmo sistema de produção com estoque zero ou sem estoque, empregado nas vendas domésticas. Por exemplo, um Celica, comprado por encomenda especial, está pronto para entrega em 10 dias. O vendedor informa o escritório central de vendas que, por sua vez, encaminha o pedido diretamente à Toyota Motors. Ali, após ser dada entrada do pedido no computador, ele é retransmitido à planta de montagem. O carro é produzido no prazo de dois dias; o prazo considerado para entrega é de seis dias e há uma margem adicional de dois dias. Dessa maneira, os clientes, em qualquer lugar do Japão, podem receber o carro encomendado no prazo de 10 dias. Para modelos *standard,* a entrega é imediata.

Intensa Pesquisa de Mercado

Obviamente, o ciclo de produção de dois dias mencionado acima, não inclui o processamento da matéria-prima. A carroceria, a estrutura e várias outras peças são produzidas de acordo com um sequenciamento de produção fixo. Os dois dias são programados para a pintura e montagem final necessária para adaptar o carro ao pedido do cliente.

Por esse motivo, é bastante útil ser capaz de prever com alto grau de certeza quantos e quais tipos de carros serão necessários. Duas vezes por ano, a Toyota Motors pesquisa cerca de 60 mil pessoas para detectar tendências do mercado, a um custo de aproximadamente ¥ 120 milhões. Mais cinco ou seis pesquisas são realizadas todos os anos. O orçamento de marketing total anual de cerca de ¥ 600 a 700 milhões permite à Toyota fazer previsões de mercado extremamente precisas. Outra de suas técnicas de coleta de dados é manter-se informada, diariamente, de quantos carros por modelo são registrados no departamento de veículos automotores japonês. A partir dessa informação, a programação da produção pode ser modificada a qualquer momento. Essa prática confirma a dedicação da Toyota à produção contrapedido e sua determinação em fabricar apenas aqueles carros que podem ser vendidos.

Planejamento da Produção para a Produção Contrapedido

O planejamento da produção deve ser visto de duas perspectivas. Primeiro, com que precisão a demanda pode ser identificada? Segundo, até que ponto pode-se atender à demanda por meio do plano de produção? Se a produção é baseada meramente em projeções, essas exigências são fáceis de serem atendidas. Entretanto, se o objetivo é a produção com estoque zero, o planejamento torna-se um desafio maior. O método da Toyota é ilustrado na Figura 26. É também importante coordenar o planejamento da produção com os sistemas de informação.

Os dados de produção no plano anual são baseados em pesquisa de mercado. As produções mensal e semanal são planejadas para adequarem-se às previsões, mas as programações diárias são determinadas inteiramente pelos pedidos. O consumidor prefere receber sua mercadoria no menor prazo possível após a realização do pedido. Porém, a produção total leva mais tempo, de maneira que o sistema da Toyota é, na verdade, uma combinação de planejamento antecipado e planejamento contrapedido.

Na medida em que o ano vai passando, os planos de longo prazo são decompostos em projeções de produção mensais. Em muitas empresas, ajustes na programação mensal são permitidos somente durante um período limitado, depois do qual a programação permanece inalterada até que o plano do próximo mês seja determinado. Esse procedimento pode, com o tempo, propiciar a geração de estoque excessivo. O método da Toyota é similar, mas é aplicado de uma maneira mais precisa e flexível. À medida que a produção diária se aproxima, o plano é afinado de forma cada vez mais precisa com

O Sistema Toyota de Produção 123

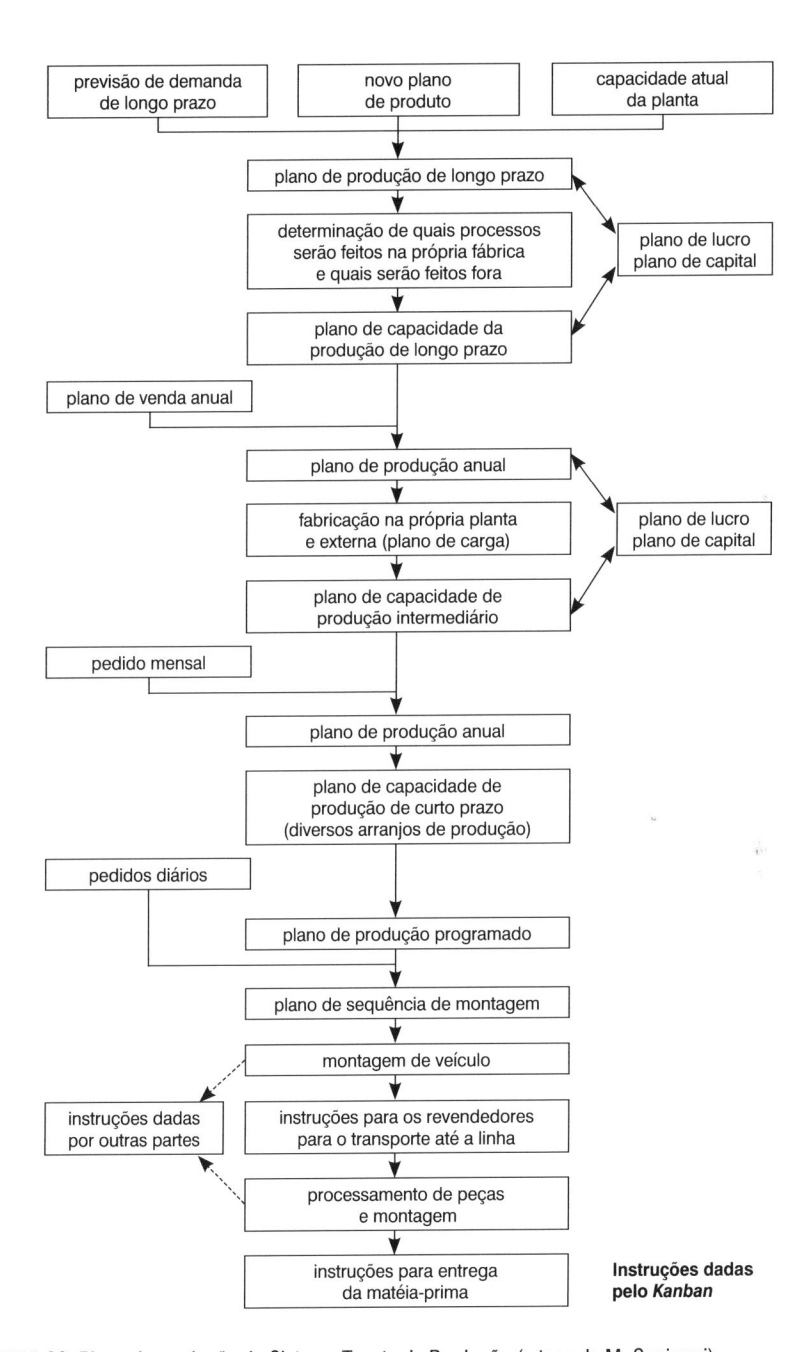

```
┌─────────────────────┐  ┌─────────────────┐  ┌─────────────────────┐
│ previsão de demanda │  │   novo plano    │  │  capacidade atual   │
│    de longo prazo   │  │   de produto    │  │      da planta      │
└──────────┬──────────┘  └────────┬────────┘  └──────────┬──────────┘
           └──────────────────────┼──────────────────────┘
                                  ▼
                ┌─────────────────────────────────┐
                │ plano de produção de longo prazo│◄──────┐
                └────────────────┬────────────────┘       │
                                 ▼                        │
                ┌─────────────────────────────────┐       │
                │  determinação de quais processos│       │   ┌──────────────┐
                │  serão feitos na própria fábrica│◄─────►│   │plano de lucro│
                │     e quais serão feitos fora   │       ├──►│plano de capital│
                └────────────────┬────────────────┘       │   └──────────────┘
                                 ▼                        │
                ┌─────────────────────────────────┐       │
                │     plano de capacidade da      │◄──────┘
                │      produção de longo prazo    │
                └────────────────┬────────────────┘
┌────────────────────┐           │
│plano de venda anual│───────────┤
└────────────────────┘           ▼
                ┌─────────────────────────────────┐
                │     plano de produção anual     │◄──────┐
                └────────────────┬────────────────┘       │
                                 ▼                        │
                ┌─────────────────────────────────┐       │   ┌──────────────┐
                │   fabricação na própria planta  │◄─────►│   │plano de lucro│
                │     e externa (plano de carga)  │       ├──►│plano de capital│
                └────────────────┬────────────────┘       │   └──────────────┘
                                 ▼                        │
                ┌─────────────────────────────────┐       │
                │    plano de capacidade de       │◄──────┘
                │    produção intermediário       │
                └────────────────┬────────────────┘
┌────────────────┐               │
│ pedido mensal  │───────────────┤
└────────────────┘               ▼
                ┌─────────────────────────────────┐
                │     plano de produção anual     │
                └────────────────┬────────────────┘
                                 ▼
                ┌─────────────────────────────────┐
                │      plano de capacidade de     │
                │      produção de curto prazo    │
                │   (diversos arranjos de produção)│
                └────────────────┬────────────────┘
┌──────────────────┐             │
│ pedidos diários  │─────────────┤
└──────────────────┘             ▼
                ┌─────────────────────────────────┐
                │   plano de produção programado  │
                └────────────────┬────────────────┘
                                 ▼
                ┌─────────────────────────────────┐
                │  plano de sequência de montagem │
                └────────────────┬────────────────┘
                                 ▼
                ┌─────────────────────────────────┐
                │       montagem de veículo       │
                └────────────────┬────────────────┘
┌──────────────────┐             │
│instruções dadas  │⤎⤎⤎⤎         ▼
│por outras partes │    ┌─────────────────────────────────┐
└──────────────────┘    │   instruções para os revendedores│
                        │  para o transporte até a linha  │
                        └────────────────┬────────────────┘
                                 ▼
                ┌─────────────────────────────────┐
                │     processamento de peças      │
                │           e montagem            │
                └────────────────┬────────────────┘
                                 ▼
                ┌─────────────────────────────────┐        Instruções dadas
                │    instruções para entrega      │        pelo *Kanban*
                │       da matéia-prima           │
                └─────────────────────────────────┘
```

FIGURA 26. Plano de produção do Sistema Toyota de Produção (a tese de M. Sugimori).

os pedidos aceitos. O plano de sequência da produção da montagem final é ajustado diariamente aos pedidos do consumidor e mudanças são retransmitidas aos processos precedentes via *Kanban*.

Processos iniciais, tais como a conformação, furação, mandrilamento e usinagem das matérias-primas são comuns a todos os modelos. À medida que os materiais prosseguem do processamento de peças e montagem à sub-montagem e daí à montagem final, as preferências de cor ou modelo do cliente exigem peças específicas para cada caso. Mas, como mostra a Figura 27, a produção contrapedido torna-se essencial somente no estágio do processamento em que as exigências individuais do consumidor devem ser levadas em consideração. Isso inclui, por exemplo, os acessórios e a pintura externa.

1. **Conformação da matéria-prima**
   fundição, forjamento, conformação, etc.
2. **Processamento das peças**
   furação ou mandrilamento, usinagem, etc.
3. **Montagem das peças**
   tanque de combustível, montagem de pistão, etc.
4. **Submontagem**
   montagem do carburador, motor, etc.
5. **Montagem final**
   montagem do veículo e acabamentos do interior, etc.

Comum / Especializado

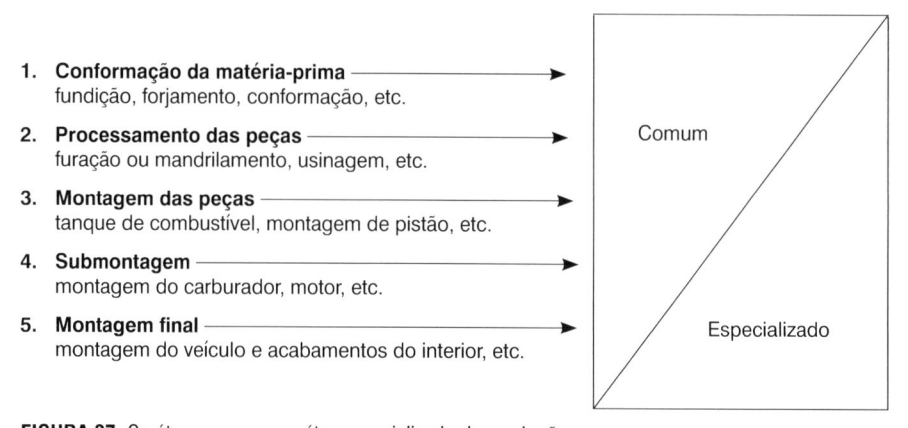

FIGURA 27. Caráter comum e caráter especializado da produção.

Em suma, a Toyota combina um planejamento preciso de produção por antecipação, com um planejamento contrapedido, à medida que a produção se aproxima da montagem final. Esse planejamento flexível, combinado com um ajuste fino diário do plano de sequência de produção da montagem final, permite a verdadeira produção contrapedido, que satisfaz também as necessidades da produção com estoque zero.

O Sistema "Supermercado" da Toyota

O Sistema Toyota de Produção é, às vezes, comparado a um supermercado. Ele tem as seguintes vantagens: os clientes de supermercado (processos) compram o que precisam, quando precisam. Como eles podem ir à prateleira e apanhar o que quiserem, as horas-homem alocadas a vendas são reduzidas. Finalmente, as prateleiras são reabastecidas à medida que os produtos vão sendo vendidos (peças retiradas), o que facilita a verificação do que foi retirado e permite evitar a geração de superestoques.

No supermercado, é claro, não há garantia de que os produtos vendidos hoje irão vender também amanhã, de forma que alguns produtos podem permanecer na prateleira por um período prolongado. Qual é o tamanho desse problema na Toyota? Uma analogia com o *baseball* pode dar uma ideia: se um batedor tem uma média de acertos durante a temporada de uma a cada três rebatidas e, durante um jogo, erra na primeira e na segunda tentativas, acertará na terceira? A resposta é uma questão de probabilidade.

Alguém poderia dizer: "Ele tem uma média de rebatidas de 0,333, então acerta uma de cada três – é certo que acertará desta vez!". Alguém mais poderia dizer: "Ele não está se sentindo bem hoje, então há uma boa possibilidade de outro erro". Eu ficaria com a segunda hipótese, porque, provavelmente, tenha ocorrido uma alteração na média.

Na Toyota, porém, quando a montagem utiliza peças provenientes do processo Z, os trabalhadores de Z simplesmente processam um número igual ao do processo precedente, o qual, por sua vez, toma um número igual do processo precedente e assim por diante. Dessa maneira, muito pouco sobra para o azar. Isso é o equivalente a supor que o batedor que acertou na primeira tentativa irá acertar novamente na próxima vez.

Alguns estudiosos têm dito que o Sistema Toyota de Produção aumenta o estoque intermediário porque uma reserva de peças não acabadas é mantida em cada processo para suprir as necessidades do processo subsequente. Na verdade, porém, esse estoque é produzido com a única intenção de substituir as peças utilizadas em produtos já vendidos e não em produtos que poderiam ser vendidos. Aqui deve ser feita uma distinção clara entre o estoque que resulta de uma discrepância entre a previsão e a demanda real e o estoque que é gerado temporariamente em resposta à demanda real. Superestoques têm bem menos probabilidade de ocorrer quando as peças são processadas apenas em resposta à demanda diária real.

Assim, a característica mais importante de um sistema de supermercado é que a estocagem é ativada e mantida pela demanda real. A Toyota tem utilizado esse conceito para criar um sistema de produção flexível, no qual processos posteriores subtraem dos anteriores como o fazem consumidores no supermercado. Isso é frequentemente caracterizado como o sistema "de puxar" da produção contrapedido. Porém, "empurrar" e "puxar" são apenas efeitos ou medidas a serem tomadas. A Toyota adotou a produção contrapedido e utilizou um sistema de "puxar" para essa produção funcionar com eficiência.

Comparação entre os Sistemas Ford e Toyota

Ao lhe pedirem para comparar os sistemas de produção da Toyota e da Ford e declarar qual companhia ele pensava estar na posição dominante, o Sr. Ohno afirmou:

> Novos progressos e melhorias surgem diariamente nos dois sistemas, de forma que é difícil fazer um julgamento. Mas tenho certeza de que o sistema da Toyota é especialmente apropriado para produção em um período de crescimento econômico lento.

Como veremos, existem várias razões para essa conclusão.

Muitas empresas, como a Ford, produzem peças em massa, em grandes lotes, para evitar as trocas de ferramentas. O Sistema Toyota toma o caminho inverso. Em *O Sistema Toyota de Produção*, o Sr. Ohno diz: "nosso *slogan* de produção é 'tamanhos de lote pequenos e rápidos *setups*'". Ele também afirma que a produção sem estoque (ou estoque zero) é outra característica importante do Sistema Toyota:

> Mesmo que hoje alguns fabricantes — a Volvo, por exemplo — tenham uma pessoa para montar um motor inteiro, em geral, a maior parte das indústrias ainda utiliza uma linha de produção ou sistema de automação, fordista. Embora os eventos descritos por Sorensen tenham ocorrido por volta de 1910, o modelo básico mudou pouco.
>
> Assim como o da Ford, o Sistema Toyota de Produção é baseado no sistema da linha de produção. A diferença é que, enquanto Sorensen se preocupava em estocar as peças no almoxarifado, a Toyota eliminava o almoxarifado[*].

Três Diferenças Básicas

A Toyota tem três características básicas que a distinguem da Ford: tamanhos pequenos de lote, produção de modelos mistos e operação de fluxo de peças unitárias contínua, desde o processamento até a montagem final.

Lote grande versus *produção em lotes pequenos*. Pode-se afirmar que a diferença entre a Ford e a Toyota é o fato da Ford produzir em massa poucos modelos, ao passo que a Toyota produz muitos modelos em pequenas quantidades. Isso está correto, mas não é tudo. A decisão de adotar produção em massa ou produção em quantidades pequenas de uma grande variedade de

---

[*] N. de T.: *O Sistema Toyota de Produção: Além da Produção em Larga Escala*, de Taiichi Ohno, publicado pela Bookman Editora (de agora em diante citado como *Toyota*).

modelos, como já mencionado anteriormente, não é feita ao acaso; pelo contrário, é uma resposta às condições do mercado e às demandas do usuário.

Da mesma forma, períodos de grande ou pequeno crescimento resultam de circunstâncias sociais mutáveis que estão além do controle da empresa. Em um período de grande crescimento, é fácil criar um mercado comprador; mas durante um período de crescimento baixo, são os compradores que decidem o mercado. As empresas devem ser flexíveis e prontas para responder a novas e diferentes demandas.

Obviamente, a produção em massa tem algumas vantagens, tais como: a depreciação de máquinas, ferramentas ou matrizes especiais ou exclusivas; mas a questão central está na adoção de tamanhos de lotes grandes ou pequenos. Os fabricantes americanos de automóveis sempre supuseram que grandes lotes e a produção em massa planejada gerariam economias substanciais. Essa estratégia resultou em:

- Grandes estoques de produtos acabados (causados por diferenças entre as previsões e a demanda real).
- Acumulação de estoques intermediários entre os processos (gerados devido à produção de grandes lotes).

Embora esses fenômenos, frequentemente, aumentem durante períodos de baixo crescimento, eles são tolerados por várias razões. Em primeiro lugar, lotes grandes reduzem as esperas causadas pelas trocas de ferramenta e matrizes; em segundo, facilitam a divisão do trabalho e reduzem as horas-homem e outros custos e, em terceiro lugar, a divisão do trabalho propicia oportunidades de emprego para trabalhadores sem qualificação e isso, quando combinado com custos mais baixos do produto, ainda traz o benefício de ajudar a impulsionar o consumo.

Todas essas justificativas perdem o valor, no entanto, quando os tempos de *setup* são reduzidos a partir da TRF. Além disso, mesmo na produção de pequenos lotes, muitas funções são comuns a mais de um produto ou processo. Desde que a soma de pequenos lotes resulte em uma produção total grande, a divisão do trabalho é mantida, e trabalhadores não qualificados podem ainda ser empregados.

Lotes pequenos também reduzem os ciclos de produção e aumentam a precisão da produção. Sob essas condições, cria-se a possibilidade de produzir de acordo com a demanda real.

Adoção da produção com modelos mistos no processo de montagem. Os primeiros automóveis foram provavelmente produzidos, um de cada vez, por um único grupo de trabalhadores. A operação de montagem com fluxo de peças unitárias da Ford tornou possível a divisão do trabalho, mas está baseada na produção em grandes lotes. Por exemplo, 200 mil unidades do modelo X são produzidas na primeira parte do mês, seguidas por 300 mil unidades do modelo Y no meio do mês, e finalmente, 400 mil unidades do modelo Z. Na Toyota, entretanto, a produção balanceada com modelos mistos resulta em uma sequência de montagem final de 2X 3Y 4Z que é repetida ao longo do dia.

A produção com modelos mistos elimina a geração de estoque intermediário por utilizar-se de pequenos lotes. Responde rapidamente às flutuações da demanda e facilita o planejamento, porque permite que se saiba no início do processo qual será a carga média.

Operação de fluxo consistente das peças à montagem. A montagem na Ford é feita como fluxo de peças unitárias, mas as peças fornecidas à montagem são todas produzidas em grandes lotes. Na Toyota, a montagem e o processamento de peças são ambos executados como operações de fluxo de peças unitárias como, por exemplo, a soldagem da estrutura ou a usinagem de peças. Além disso, a Toyota utiliza um sistema amplo no qual várias peças fluem diretamente para a montagem final. Todas as peças, sejam elas processadas na própria planta ou fornecidas por outras fábricas, são produzidas em pequenos lotes e criam um único fluxo contínuo de peças unitárias. Isso é um princípio fundamental do sistema Toyota e uma diferença significativa entre a Ford e a Toyota.

A Figura 28 resume as diferenças entre a Toyota e a Ford.

Característica	Ford	Toyota	Benefício
1. Fluxo de peças unitárias	Somente na montagem	Interligação do processo e montagem	Ciclos curtos, inventário de produtos acabados reduzidos, estoque intermediário pequeno
2. Tamanho do lote	Grande	Pequeno	Redução do estoque intermediário, produção contrapedido
3. Fluxo do produto	Produto único (poucos modelos)	Fluxo misto (muitos modelos)	Redução do estoque intermediário, ajustes para mudanças, promove equilíbrio da carga

Figura 28. Diferenças entre os Sistemas Ford e Toyota.

- Tanto a Ford como a Toyota utilizam fluxo de peças unitárias nas operações de montagem.
- A Ford, no entanto, produz poucos modelos em lotes grandes, com uma operação de fluxo de um único produto na montagem. A Toyota

produz muitos modelos, em pequenos lotes, em uma operação de montagem com modelos mistos.
- A fabricação de peças e a montagem são separadas na Ford, mas diretamente interligadas na Toyota.
- O fluxo de peças unitárias é utilizado apenas no processo de montagem, na Ford; as peças são processadas em lotes grandes. Na Toyota, toda a produção é feita com pequenos lotes.

O Sistema Toyota não se contrapõe ao Sistema Ford. Para ser mais exato, ele é uma evolução progressiva - um sistema voltado ao mercado japonês que produz em massa, em lotes pequenos, e com estoques mínimos.

Essas são as principais características do Sistema Toyota de Produção. A chave para que se chegue até ele é a adoção da TRF, para reduzir o tempo de *setup* e promover a produção em pequenos lotes.

Resumo

O objetivo principal do Sistema Toyota de Produção consiste na identificação e na eliminação das perdas e na redução dos custos. Os estoques são eliminados a partir do tratamento e da superação das condições ocultas que causam essas perdas. A produção contrapedido, ou produção em resposta à demanda, ao invés da produção antecipada ou preditiva, menos precisa, ajuda a controlar essas condições. Outra estratégia importante, do ponto de vista das operações, é a separação do homem e da máquina – pré-automação – para chegar à operação simultânea de máquinas (multimáquinas).

6

A Mecânica do Sistema Toyota de Produção: Melhoria do Processo, Controle da Programação e *Just-in-Time*

A função processo consiste em processamento, inspeção, transporte e estocagem. Porém, apenas o processamento agrega valor. Isso todos sabem na Toyota, onde a meta é a redução de custo a partir da eliminação da perda, especialmente a perda por superprodução. Lá, a inspeção, o transporte e especialmente a estocagem, ou a prática de manter estoque, são considerados perdas e eliminados sempre que isso for possível.

Muitas pessoas consideram o *just-in-time* a característica proeminente do Sistema Toyota de Produção. Porém, o *just-in-time* não é mais que uma estratégia para atingir a produção sem estoque (ou estoque zero). O mais importante é o conceito de produção com estoque zero.

Os controles da programação e da carga são dois importantes conceitos na ótica do Sistema Toyota de Produção. O controle da programação garante que o produto será concluído dentro do prazo. O controle da carga garante a viabilidade da fabricação do produto, ou seja, que há um equilíbrio adequado entre a capacidade e a carga. Por exemplo, se você não chegar na hora certa, irá perder o trem (controle da programação); mas, mesmo que você esteja dentro do horário, não poderá embarcar se não houver mais lugares no trem (controle da carga).

CONTROLE DA PROGRAMAÇÃO E *JUST-IN-TIME*

Planejamento da Produção

Normalmente, o planejamento da produção ocorre em três estágios:

- Plano agregado de produção - longo prazo (anual, semestral, trimestral)
- Plano mestre de produção - mensal
- Plano detalhado[*] - sequência prática de produção por uma semana, três dias, ou um dia

O plano agregado de produção da Toyota está apoiado em ampla pesquisa de mercado e fornece um número aproximado para a produção. Números mensais não oficiais relativos à produção são informados à planta, e aos fornecedores de peças com dois meses de antecedência são confirmados um mês mais tarde. Esses números confirmados são usados para efetuar as programações detalhadas diárias e semanais e para o balanceamento da sequência da produção. Aproximadamente duas semanas antes da produção real, são dados para cada linha os números de produção projetados para cada modelo. Uma programação única balanceada é enviada ao final da linha de montagem, como também o são todas as mudanças diárias, para adequar a programação aos pedidos reais. As modificações são, então, transmitidas de volta, ao longo da linha, de jusante a montante[**], por meio do sistema Kanban. A flexibilidade ao nível do plano detalhado é a característica que distingue o sistema Toyota de programação em relação às outras empresas. A cada dia, mudanças precisas podem ser feitas rápida e facilmente.

Controle da Programação e Produção com Estoque Zero

O Capítulo 5 introduziu dois aspectos característicos do Sistema Toyota de Produção: a produção contrapedido e a produção com estoque zero ou sem estoque.

---

[*] N. de T.: Em inglês, *Master schedule, Intermediate schedule* e *Detailed schedule*. Os termos empregados nesta edição são os mais comuns na literatura de Engenharia de Produção.

[**] N. de T.: O final da linha de montagem fica caracterizado como jusante, ao passo que montante representa o início da linha.

O "Estoque Zero" e o Just-in-time

Como vimos no Capítulo 5, o uso *do just-in-time,* simplesmente para garantir a entrega final dentro de um período estabelecido, resulta, com frequência, em superprodução e produção antecipada. Na Toyota, no entanto, *just-in-time* significa, também, produzir peças ou produtos exatamente na quantidade requerida – apenas quando são necessárias, e não antes disso.

Na Toyota, produção com estoque zero significa que estoques de carros acabados devem ser zero, ou seja, a produção deve ser igual ao número de pedidos, não excedendo esse número. Para atingir esse equilíbrio, a Toyota adotou a produção contrapedido. Como nem sempre é possível atingir um ciclo de produção (P) que seja menor que o prazo de entrega (E), ou P<E, o método do "supermercado" para planejamento e produção foi também adotado. (O supermercado trabalha com a hipótese de que o que foi comprado hoje será provavelmente demandado amanhã.) Por conseguinte, o planejamento para os processos iniciais baseiam-se em pedidos feitos com antecedência; evita-se a geração de excesso de estoque, vinculando-se, contudo, os processos finais e a montagem final com os pedidos reais dos consumidores. Essa flexibilidade e esse controle são obtidos por meio do sistema Kanban. E, finalmente, já que não produzir mais do que o necessário é uma regra incondicional, a capacidade da máquina ou a utilização da capacidade não são consideradas como fatores no controle da produção.

Sete Princípios para Reduzir o Ciclo da Produção

Na Toyota diz-se: "Um bloco de cilindro fundido na Kamigo pela manhã está funcionando em um automóvel pronto no final da tarde". Como isso é possível?

Reduzir esperas do processo. Esperas do processo ocorrem quando um lote inteiro está esperando para ser processado. Para reduzir o ciclo de produção, é muito mais eficaz reduzir as esperas de processo do que o tempo de processamento. Geralmente, a proporção entre o tempo de processamento e estocagem está entre 2:3 e 1:4. Em casos mais extremos, o corte das esperas de processo pela metade resultará em uma redução de 60% no tempo de produção; a eliminação total pode reduzir o ciclo de produção em 80%.

Para atingir esses resultados, deve-se balancear as quantidades de produção e capacidades de processamento entre processos e sincronizar a linha de produção em toda a planta. Qualquer que seja o tamanho do lote – 3 mil, 300, três peças, ou apenas uma – se os tempos de processamento são idênticos em cada processo, eles podem ser sincronizados a fim de eliminar esperas do processo. Quando temos uma sequência de máquinas de diferentes capacidades, os tempos de processamento não serão iguais. Logo, as máquinas mais rápidas devem ter sua velocidade diminuída deliberadamente para igualar os tempos de processamento nominais. Entretanto, se os tamanhos de lote forem grandes, as esperas dos lotes irão prolongar o ciclo de produção.

Reduzir as esperas do lote. A eliminação das esperas do processo a partir do balanceamento de quantidades e sincronização pode reduzir o ciclo de produção em até 80% – no máximo. Para reduzi-lo ainda mais, há necessidade de reduzir ou eliminar as esperas dos lotes.

Em geral, as demoras causadas por esperas de lotes estão ocultas sob o tempo de processamento e estão sujeitas a não serem percebidas.

A Figura 29 ilustra a diferença no tempo de processamento entre operações de lote e de fluxo. Nesse caso, um lote de 3 mil peças leva 15 horas para atravessar uma sequência de três processos de 5 horas cada. No entanto, o tempo de produção pode ser bastante reduzido, se os três processos forem conectados de uma forma que permita que uma peça uma vez concluída, imediatamente, passe ao processo seguinte. Neste caso, por exemplo: se o tempo de processamento por peça for de 6 segundos, o ciclo de produção será reduzido para 5 horas e 12 segundos. Isso representa uma redução do tempo original. Se cinco processos forem conduzidos em um fluxo de peças unitárias, o ciclo de produção baixará para 1/5 do original e, se forem 10, para 1/10, e assim por diante.

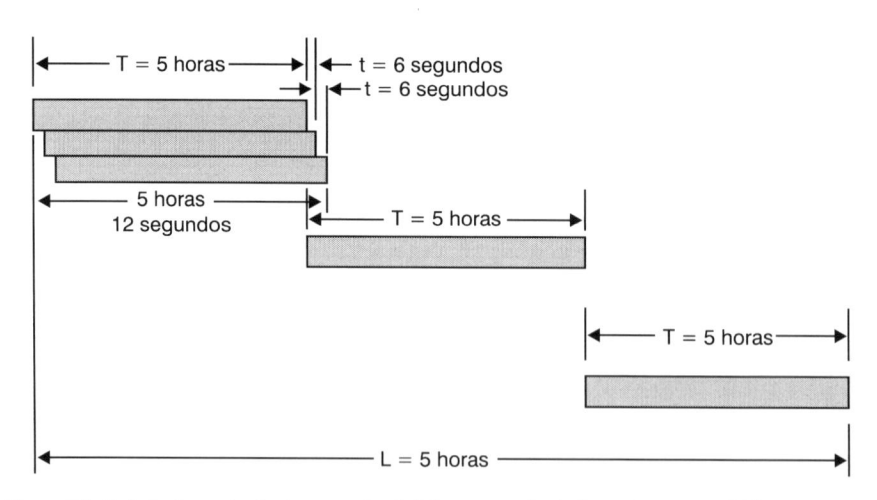

Figura 29. Período de produção de operação de lote e operação de fluxo de peças unitárias.

A divisão da produção em pequenos lotes pode reduzir drasticamente os ciclos de produção. No entanto, muitos resistem a essa ideia, porque a produção em grandes lotes exige menos tempo global para trocas de ferramenta e matrizes, reduzindo, em consequência disso, as horas-homem totais para o processamento. Porém, na produção com pequenos lotes essa vantagem é neutralizada, porque o aumento dos lotes de transferência diminui o ciclo de produção.

Em um fluxo de peças unitárias, cada lote de transferência equivale a uma peça. Isso reduz consideravelmente o tempo de produção. Um lote de 3 mil peças, por exemplo, pode ser processado em um tempo bastante curto, se cada peça for transferida ao processo seguinte assim que tenha sido processada. Para obter essa redução, todavia, o *layout* da planta tem que permitir transporte simples e rápido entre os processos.

Redução do tempo de produção. As esperas de processo podem ser eliminadas por meio do balanceamento de quantidades e da sincronização, com a redução do ciclo de produção para 1/5 do tempo anterior. A utilização de fluxos de peças unitárias para 10 processos em sequência, por exemplo, reduz o ciclo de produção para 1/10 do anterior. O efeito multiplicador com a eliminação de ambas as esperas, do processo e do lote, podem reduzir o ciclo de produção para até 1/50 (1/5 x 1/10) quando 10 processos estiverem envolvidos.

Esse efeito multiplicador será ainda mais acentuado quando lotes econômicos forem determinados. A restrição que limita o ciclo de produção é o tempo de atravessamento requerido por um lote de processamento. O tamanho do lote de processamento, por sua vez, é determinado principalmente pela quantidade de tempo necessário para trocar ferramentas. Esse tempo pode ser cortado em 90%, se um *setup* de 1 hora, por exemplo, puder ser cortado para 6 minutos, de modo que o efeito líquido na taxa de operação permaneça inalterado mesmo que o lote de processamento seja diminuído de 3 mil para 300 peças.

Se o tempo de processamento é de 1/2 hora e o tamanho do lote for cortado para 1/10 do que era anteriormente, essas melhorias, combinadas com a eliminação das esperas do lote e do processo, tornam possível reduzir radicalmente o ciclo de produção:

$$1/50 \times 1/10 = 1/500$$

A produção em lotes de 3 mil unidades incluía tanto as esperas do processo como esperas do lote e levava 10 dias para ser concluída. Com a diminuição do tamanho dos lotes para 300 unidades, com a equalização e sincronização dos 10 processos envolvidos e com a instituição de fluxos de peças unitárias, o tempo de processamento foi abreviado para menos de 30 minutos (1/500 de 240 horas).

São quatro os princípios básicos que devem ser seguidos ao criar-se o fluxo de peças unitárias, que tem como consequência as radicais reduções dos tempos de produção demonstradas anteriormente.

- Balancear as quantidades de produção entre processos e sincronizar todos os processos (para eliminar esperas do processo)
- Reduzir o tamanho do lote de transferência para 1 (a fim de eliminar as esperas do lote)
- Aperfeiçoar o *layout* para reduzir a necessidade de transporte
- Reduzir o tamanho do lote

Com a aplicação desses princípios, o bloco de motor da Toyota, fundido pela manhã, estará funcionando em um automóvel acabado no final da tarde.

Empregar layout, formação da linha e o sistema de controle total do trabalho. Conforme foi demonstrado, a produção com fluxo de peças unitárias requer o balanceamento das quantidades, pequenos lotes e sincronização entre processos. Isso causa um grande aumento no número de operações de transporte; portanto, duas estratégias foram desenvolvidas para reduzir o tempo total de transporte:

- Alteração do *layout* da planta, de maneira que pouco ou nenhum transporte seja necessário
- Uso de métodos mais convenientes para conectar processos, como, por exemplo, uma correia transportadora

O segundo método pode ser caro e causar inconvenientes; geralmente, a melhoria no *layout* é mais apropriada.

A melhoria do *layout* passa por várias etapas. Primeiramente, as máquinas devem estar dispostas em correspondência com o fluxo de processamento do produto. Organizar a fábrica em seções de acordo com o tipo de máquina (por exemplo, seção das prensas ou seção dos tornos) é uma medida que somente aumenta o transporte. Algumas disposições de *layout* devem ser consideradas:

- Linha de processo único – Para produção de um produto único e um modelo único em grandes quantidades, no período de um mês
- Linha de processo comum – Quando a produção de um único produto não é suficiente para um fluxo mensal contínuo, mas os produtos A, B, C e D possuem processos em comum que podem ser organizados em um fluxo contínuo

- Linha de processo similar – Produtos A, B, C, D, E e F possuem alguns, mas não todos, processos em comum, de forma que apenas linhas parciais, com aqueles processos em comum, podem ser formadas

Na Toyota, a linha de processo comum é a mais utilizada. No entanto, muitas plantas têm, geralmente, menos fatores de processo comuns e devem adotar a linha de processo similar.

Melhorias no *layout* da linha resultam nos seguintes benefícios:

- Eliminação das horas-homem de transporte
- *Feedback* de informação referente à qualidade mais rápido, para ajudar a reduzir os defeitos
- Redução de horas-homem ao reduzir ou eliminar esperas de lote ou de processo
- Ciclo de produção reduzido

A redução do ciclo de produção irá acelerar a implementação da produção contrapedido e ajudar a reduzir os estoques de produtos acabados. E, após a eliminação dos dois tipos de espera entre processos, a produção sem estoque se tornará realidade.

Embora a formação de linha tenha várias vantagens, ela apresenta certas dificuldades. O maior problema que pode vir a ocorrer consiste na diferenciação das capacidades de máquina dentro de um processo ou entre processos. Mas como já observado anteriormente, capacidade de máquina não é considerado um fator no controle de produção da Toyota. No seu sistema sem estoque, em qualquer ciclo, nada além da quantidade necessária é produzido. Portanto, máquinas de capacidade menor são perfeitamente aceitáveis, desde que possam produzir a quantidade exigida e, mesmo que a capacidade da máquina seja alta, não é permitida a superprodução. Idealmente, a capacidade da máquina deve estar de acordo com os requisitos da produção; na realidade, porém, máquinas de alta capacidade são usadas mesmo que não possam ser utilizadas em todo o seu potencial.

O problema anterior levou a um refinamento adicional na Toyota. Uma pequena quantidade de estoque é mantida entre máquinas de grande e pequena capacidades. Quando os níveis de estoque chegam a 20 peças, a operação das máquinas de capacidade maior é interrompida. Ela é retomada quando o nível cai a cinco peças. Normalmente, máquinas de grande capacidade sucedem máquinas de baixa capacidade intermitentemente para permitir a sincronização entre os processos e manter níveis de estoque mínimos.

Isto é o controle total, que é definido como um método de controle onde as operações são suspensas quando os estoques estão no máximo. Com o controle total, a produção global irá corresponder às quantidades requeridas.

Com esse método, não há necessidade de uma alta taxa de operação de máquina e, na verdade, frequentemente isso não é desejável. Para que funcione, o método requer o compromisso de restringir a operação da máquina, mesmo que isso resulte em uma baixa taxa de operação. Se essa questão não for compreendida, o sistema de controle total não pode ser adotado.

Quando combinado com linhas de produção que incorporam balanceamento de quantidades, sincronização e fluxo de peças unitárias, por um lado, e o TRF para produção em pequenos lotes, por outro, o sistema de controle total reduz o ciclo de produção em uma razão geométrica.

Sincronizar operações e absorver desvios. A sincronização ou o equilíbrio da linha é fundamental em qualquer série de operações de fluxo. A consequência disso é que todo esforço deve ser feito para segmentar tarefas e estabelecer operações-padrão para minimizar as perdas devido ao desequilíbrio.

Na prática, porém, não importa quão cuidadosamente as operações são planejadas e executadas; alguns desvios dos tempos-padrão irão ocorrer. Por exemplo, um parafuso pode estar muito apertado e um tempo um pouco maior que o normal pode ser necessário para afrouxá-lo; ou um parafuso cai no chão e perde-se tempo ao procurá-lo ou conseguir um novo. É inevitável que ocorram esses pequenos problemas, ou seja, sempre haverá algum grau de desvio dos tempos-padrão.

É comum tratar esses problemas com a inclusão de estoques *pulmão* entre os trabalhadores. Quando completam seu trabalho antes do programado, os trabalhadores processam produtos estocados; quando um trabalhador está atrasado, o próximo se utiliza do seu estoque *pulmão* e o trabalhador atrasado tenta recuperar o tempo perdido trabalhando mais rápido no próximo ciclo. Assim, o produto estocado entre os trabalhadores serve como um amortecedor para absorver e evitar as esperas entre os processos.

Se estoques servem apenas como amortecedores, uma peça deveria ser suficiente entre processos; na prática, porém, são mantidas diversas peças.

- A disposição das caixas de peças – 75cm é considerada uma boa largura para uma área de trabalho. Contudo, esse padrão é frequentemente ignorado, quando muitas peças são necessárias e caixas de peças estão estocadas a alguma distância, porque não há noção de que não é apropriado manter grandes estoques. Em situações como essa, o tamanho da área de estocagem entre trabalhadores pode ser em geral reduzido pela metade, organizando a disposição das caixas de peças em três dimensões.

Além disso, em operações de montagem, o fato de que apenas uma única unidade de uma determinada peça é necessária em um determinado momento sugere diferentes maneiras de tratar o assunto. Poderiam ser projetadas caixas rotatórias que liberassem somente as peças necessárias no momento exigido. Outros mecanismos poderiam ser feitos com as mesmas características, mas colocados em três dimensões ao invés de duas, ou seja, empilhados verticalmente e dispostos lado a lado. Medidas desse tipo irão prevenir a proliferação de caixas de peças e impedir que a área de trabalho se torne muito grande.

- Absorção de desvios dos tempos-padrão – Os procedimentos acima ajudam a minimizar os estoques entre processos; mas, na Toyota, nenhum estoque é tolerado entre processos. Para absorver desvios do tempo-padrão, a Toyota adotou um *sistema de assistência mútua*. Quando há alguma espera, os trabalhadores ajudam um ao outro, em vez de permitir a geração de estoque.

Para operações em grupo, a Toyota emprega dois sistemas de revezamento, assim como os praticados nos esportes: o *revezamento da natação* e o *revezamento do atletismo*.

Em um revezamento na natação, não se permite que nadadores rápidos mergulhem na água até que o nadador precedente toque na borda da piscina – o nadador rápido (trabalhador) trabalha no ritmo do mais lento. Em revezamentos no atletismo, por outro lado, uma *zona de revezamento* é estabelecida. Se o corredor precedente é rápido, o bastão pode ser passado ao corredor mais lento no fim da zona; se o corredor seguinte é rápido, o bastão pode ser entregue no começo da zona – o nadador rápido (trabalhador) ajuda o lento.

Essa assistência mútua absorve desvios dos padrões entre processos sem acumular estoque.

Determinação do tempo de fabricação unitário. * É o tempo necessário para produção de uma peça de produto. Esse tempo é equivalente ao tempo de trabalho total dividido pela quantidade de produção. Não se deixe enganar com a ideia de que a redução do tempo de fabricação unitário necessariamente tenha algo a ver com a melhoria da produtividade. Por exemplo, 10 trabalhadores podem produzir 100 peças de produto. Depois de algumas melhorias, eles podem produzir 120 peças. Entretanto, isso não significa que eles devam fazer as 120 peças por dia. Se 100 peças por dia são

---

* N. de T.: Takt time.

suficientes para satisfazer a demanda, uma melhoria real será alcançada se forem empregados menos trabalhadores que os 10 iniciais – a fabricação de mais unidades de produto que o necessário não representa melhoria na produtividade.

Em suma, o tempo de fabricação unitário pode ser calculado a partir da quantidade de produção requerida ou da capacidade real de trabalhadores e máquinas. Fazer a escolha correta parece não trazer dificuldades, mas é importante ter cautela. Por exemplo, seria ridículo dirigir além do limite de velocidade, apenas porque um carro pode atingir velocidades maiores. Como o Sistema Toyota de Produção está baseado no princípio de que superprodução significa perda, o tempo de fabricação unitário é calculado a partir da quantidade de produção necessária.

Garantir o fluxo de produto entre processos. O objetivo final da metodologia de produção da Toyota é um sistema ideal no qual tudo – desde a manufatura da matéria-prima (forjamento, fundição, prensagem) até a usinagem, montagem inicial, submontagem e montagem final – está encadeado em um fluxo de peças unitárias coerente. Embora essa integração total não tenha sido ainda atingida, a Toyota desenvolveu um sistema de entregas mistas contínuas e frequentes de pequenos lotes, das plantas de fabricação (por exemplo, pré-montagem da estrutura do automóvel, pintura e usinagem) à linha de montagem.

Com grande frequência, chegam entregas oriundas de processos adjacentes à planta de montagem final, as quais criam um fluxo de produtos que se aproxima do sistema total descrito acima. Na Toyota, podem ser vistos, com frequência, carrinhos transportadores ostentando os dizeres "Veículo com Preferência". Esses veículos carregam peças em pequenos lotes mistos que são necessários na montagem final e não podem sofrer atrasos. Quando eles passam, até o presidente da empresa dá a preferência de passagem. Da mesma forma, empilhadeiras transportam peças das plantas de forjamento, fundição e estampagem diretamente à usinagem. Todas essas atividades são sincronizadas com tempos de fabricação unitários e controladas por meio do sistema *Kanban*. O trabalho é tão ordenado e desenvolve-se com tanta velocidade que algumas vezes é chamado de "sistema carrossel". O sucesso reflete-se na extraordinária rotatividade de estoque da Toyota. A Tabela 6 compara essa taxa com as de outros fabricantes de automóvel.

Tabela 6. Rotatividade de Estoque de Fabricantes de Automóveis por País*.

Ano	Toyota	Co. A (Japão)	Co. B (EUA)	Co. C (EUA)
1960	41 vezes	13 vezes	7 vezes	8 vezes
1965	66	13	5	5
1970	63	13	6	6

* Da tese de M. Sugimori

Adoção da TRF

Não é exagero afirmar que a extraordinária redução nos tempos de troca de ferramentas e matrizes é um fator de fundamental importância no sucesso do Sistema Toyota de Produção. A produção contrapedido e sem estoque exige, incondicionalmente, reduções no tempo de *setup*.

Os Primeiros Dias da TRF

Na época em que visitei a Toyota, em 1970, seu tempo de preparação para uma máquina de estampar de mil toneladas era de 4 horas – duas vezes maior que o da Volkswagen.

Cerca de 6 meses mais tarde, nossos esforços para melhorar esse procedimento havia reduzido este tempo para 1 hora e meia. Todos estavam agitados, porque havíamos batido a Volkswagen.

Quando retornei à Toyota, dois ou três meses depois, no entanto, a alta gerência exigia que o tempo de preparação fosse reduzido para 3 minutos. A princípio, considerei tal exigência fora de propósito. Mas, após estudar o Sistema Toyota de Produção, fui aos poucos percebendo que esses tempos curtos (os quais não poderiam ser atingidos sem a TRF) eram fundamentais para atingir a produção contrapedido e sem estoque.

Eu ainda não sabia como chegar à redução tão drástica. Então, tive uma inspiração – converter *setup interno* em *externo*. Esse princípio fundamental da TRF permitiu que baixássemos o tempo para 3 minutos, após poucos meses.

Li em um periódico de economia que era possível reduzir um tempo de *setup* de 3 horas na Toyota para 3 minutos porque os trabalhadores haviam estado ociosos grande parte do tempo. Essa é uma explicação extremamente superficial que revela a pouca noção do autor a respeito do Sistema Toyota de Produção. A redução do tempo de preparação não está, de forma alguma, relacionada com a densidade de trabalho e sim com uma mudança na forma de pensar e no uso de métodos científicos decorrentes de uma visão revolucionária do problema.

Outros tentaram explicar os êxitos da TRF, na Toyota, em termos de habilidades de engenharia e calcularam que foram necessárias 340 mil testes piloto – o que soma 30 anos-homem – para reduzir um *setup* de 3 horas para 3 minutos. De acordo com esse ponto de vista, a conquista foi resultado principalmente de treinamento, embora dispositivos, acessórios e métodos de troca melhorados e a vivacidade e inspiração dos trabalhadores da Toyota fossem também reconhecidos.

Na verdade, porém, apenas três meses foram necessários para reduzir o tempo de *setup* de 3 horas para 3 minutos. E foi graças aos princípios do método científico da TRF e não a habilidades de engenharia que se alcançou a solução. Poderia citar milhares de exemplos de outras empresas japonesas para mostrar que os tempos de *setup* para ferramentas e matrizes podem ser reduzidos em cerca de 95% em relação às condições anteriores em alguns meses. Somente comparadas com empresas não japonesas é que as reduções da Toyota podem ser consideradas extraordinárias (Tabela 7).

Tabela 7. Comparação de Tempos de Preparação em Máquinas de Estampar por País (capota e paralama)*.

	Toyota	Co. A (EUA)	Co. B (Suécia)	Co. C (Alemanha Oc.)
Máquina de estampar parada durante troca de matriz	9 min.	6 horas	4 horas	4 horas
Número de trocas	1,5 / turnos	1 em menos de 2 turnos	—	1 em 2 dias
Tamanho do lote	1 dia	10 dias	1 mês	—
Golpes por hora	500-550	300	—	—

* Da tese de M. Sugimori

Aspectos Importantes do Sistema TRF

Como colocado anteriormente, ao longo de 10 anos de aplicação prática, oito técnicas ou princípios básicos de troca de ferramentas e matrizes foram desenvolvidas. Desses, os mais importantes são:

1. Distinguir claramente *setup* interno do externo
2. Converter *setup* interno em externo

3. Desenvolver grampos funcionais (considerar, por exemplo, fixadores sem roscas)
4. Eliminar ajustes

Os dois últimos princípios exigem maior discussão:

Grampos Funcionais

No encaixe de parafusos e porcas, três ações necessitam ser privilegiadas:

1. Colocar a porca na ponta do parafuso e girar uma vez para firmá-la
2. Continuar girando a porca
3. Na última rosca, apertá-la com o torque necessário

Dessas três ações, a primeira é a mais difícil de executar: se a porca não estiver centrada e posicionada sobre o parafuso no ângulo exato, ela não encaixará no parafuso. Por que não pensar em fixá-la e soltá-la sem que ela saia do parafuso? E o que pensar do fato de que parafusos e porcas são soltos no primeiro giro e apertados no último?

É surpreendente, mas essas questões simples, geralmente, não são bem compreendidas. Certa vez desafiei trabalhadores no chão de fábrica a executar uma troca de matriz sem girar nem uma porca ou parafuso mais de uma vez. Eles teriam que pagar-me $500 para cada giro a mais! Para evitar essas multas, eles realizaram as seguintes melhorias:

1. Doze parafusos prendiam a tampa de uma panela de vulcanização. Os trabalhadores fizeram os furos dos parafusos na tampa na forma de buracos de fechadura antigos e fixaram-nos com arruelas em forma de U (Figura 30a). Com apenas um giro das porcas, as arruelas podem ser retiradas, e, ao girar a tampa no sentido anti-horário para o lado maior do furo, a tampa é removida sem retirar e nem ao menos tocar nas porcas. Isso diminuiu consideravelmente o tempo de troca.
2. Na operação de enrolamento de arame da Indústria S, a porca era removida antes da arruela. Esse processo foi melhorado com o emprego de uma porca com um diâmetro externo menor do que o diâmetro externo do núcleo do carretel e fixando-a com uma arruela tipo U. (Figura 30b). Agora, para remover o núcleo, a porca é solta com um giro e a arruela do tipo U é sacada. Então, sem tocar na arruela, o núcleo do carretel é retirado. Essa melhoria diminuiu o tempo entre operações para 1/10 do tempo anterior.

Em resposta a um desafio semelhante, um tempo de troca de 2 horas foi reduzido para 2 minutos na Companhia F.M. nos Estados Unidos. A solução por eles desenvolvida é mostrada na Figura 30e: foram cortados os filetes em três seções ao longo do corpo do parafuso e nas três seções correspondentes da porca (que era um pouco mais grossa que o normal). Isso permite deslizar a porca sobre o parafuso até a profundidade necessária e girá-la uma só vez para apertá-la. Esta é uma fixação em um único toque.

Grampos funcionais sem roscas. Outro método a ser considerado é o grampo sem roscas, cuja redução nos tempos de preparação pode ser ainda mais efetiva.

Ao apertar um parafuso com roscas tem-se como objetivo *fixar um item*. Porém, um parafuso é somente uma forma de atingir esse objetivo. Muitos engenheiros, no entanto, consideram o parafuso como sendo o método de fixação universal e não pensam em utilizar outros, tais como cunhas e ressaltos, que não requerem o uso de roscas. Esquemas de travamento ou o método do "cassete" são outras opções.

Em todos esses casos, é importante considerar a direção na qual a força será aplicada. São três possibilidades: X = transversal, Y = longitudinal e Z = vertical.

Grampos para máquina de estampar. Em geral, as matrizes de prensas não precisam suportar cargas longitudinais ou transversais grandes – só há necessidade de impedir seus movimentos. Verticalmente, no entanto, a matriz inferior está sustentada pela mesa da máquina e a superior deve ser mantida suspensa senão pode cair com seu próprio peso. A carga máxima, portanto, é a força de compressão das matrizes inferior e superior.

A solução para fixação é a padronização de ambos os lados das matrizes superior e inferior e ajustá-las, unidas, com uma tolerância de ± 0,15mm com uma cantoneira-guia. O movimento longitudinal também deve ser impedido com o uso de cunhas. Com esse método, as matrizes de máquinas de estampar de menos de 50 toneladas podem ser simplesmente inseridas ou retiradas, o que torna as trocas de matrizes com tempos próximos a 15 segundos possíveis. É necessário, obviamente, padronizar as alturas das matrizes.

Batentes de mandriladora. Em uma mandriladora de oito eixos, os batentes em cada eixo eram fixados com parafusos difíceis de serem alcançados para ajuste e aperto. Para que funcionem de modo adequado, obviamente, os batentes devem ter contato com o produto e determinar suas dimensões. Uma importante melhoria foi adotada da seguinte maneira:

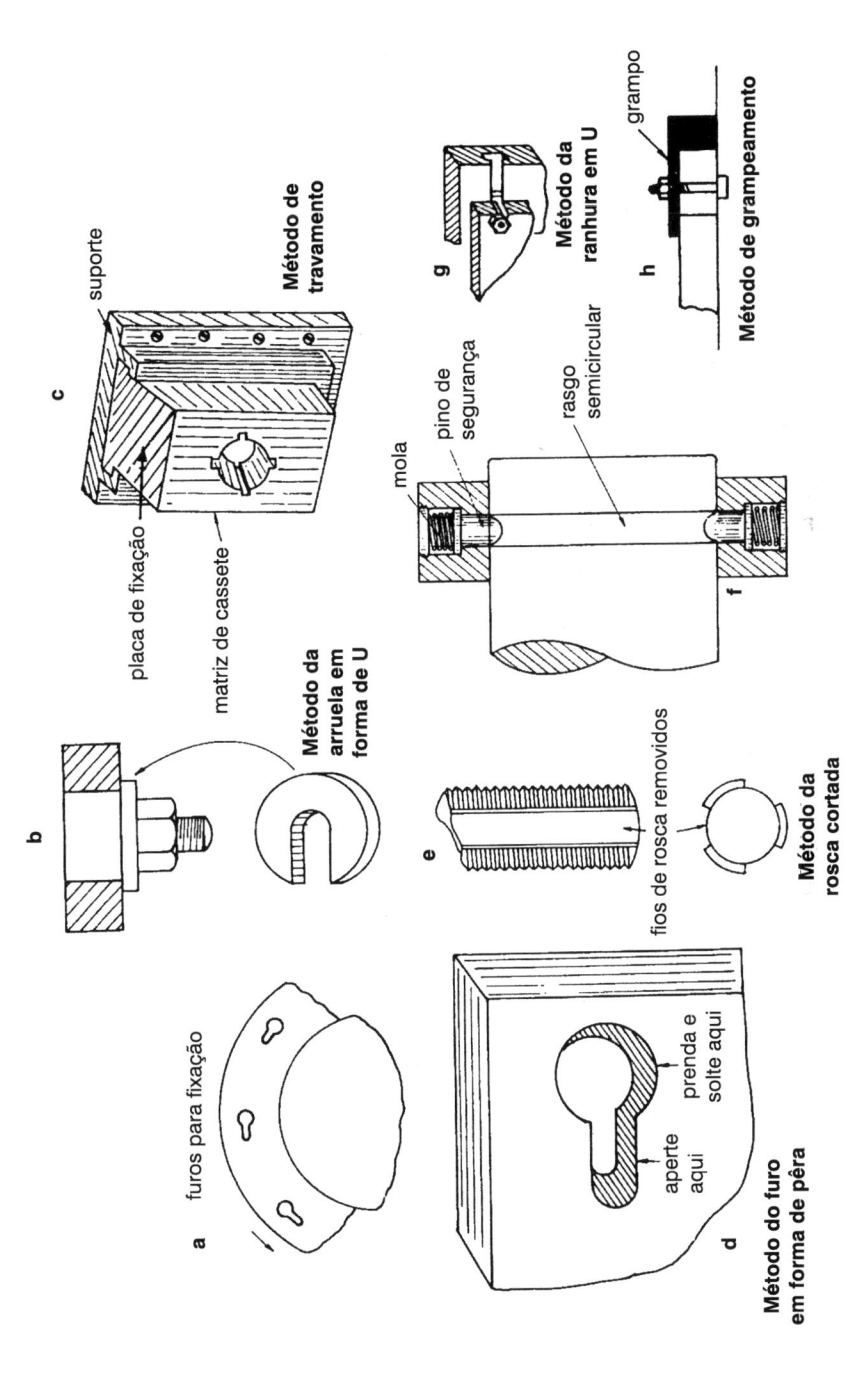

Figura 30. Dispositivos funcionais de fixação.

- Os parafusos foram usinados de forma a perder as roscas e manter apenas a forma cilíndrica
- Ranhuras foram feitas na ponta de cada eixo e molas acopladas à ponta do batente para deslizar para dentro das ranhuras. O batente foi assim mantido no seu lugar pela tensão na mola

Dessa maneira, o batente foi sustentado pelo encaixe cilíndrico transversal e verticalmente. A força sobre o batente vinda da direção oposta era suportada pelo eixo e apenas uma força de pouca intensidade era necessária para retirar o batente. Essa melhoria reduziu o tempo de preparação em 90%.

Em geral, quando queremos melhorar os métodos de fixação, tendemos a considerar alternativas caras como dispositivos hidráulicos, pneumáticos ou magnéticos. Soluções práticas e baratas estão disponíveis, todavia, com o devido entendimento da função de fixação.

Eliminação de Ajustes

O princípio mais importante para diminuir a duração das trocas de matriz e ferramenta é evitar os ajustes. Para aplicá-lo, temos que entender a diferença entre preparação e ajuste – duas atividades bastante diferentes. Na *preparação*, a posição requerida já está acertada e o ajuste é desnecessário. Por exemplo, se um interruptor de fim de curso for posicionado corretamente da primeira vez, ele não tem que ser ajustado nos trabalhos seguintes. No mesmo exemplo, *ajuste* significaria mexer no interruptor até encontrar a posição correta. As pessoas, geralmente, pensam que o ajuste é uma parte inevitável do *setup*, mas isso não é necessariamente verdadeiro.

O sistema do mínimo múltiplo comum. O sistema do mínimo múltiplo comum é um meio efetivo de eliminar ajustes. Considerando, por exemplo, um processo que requeira ajuste com um interruptor de fim de curso em todas as cinco posições. A solução é colocar um interruptor em cada posição, mas conectar cada um deles em uma chave de força à parte. Quando, por exemplo, houver necessidade da segunda marca, somente o segundo interruptor é ativado. Com tal troca de interruptores em um único toque, o próprio mecanismo dispensa ajustes – apenas a *função* é trocada. A seguir, mais três exemplos:

Furação. Havia necessidade de um furo num parafuso de segurança em um eixo-motor. Como havia oito diferentes comprimentos de eixo envolvidos, a posição do limitador de furação tinha de ser mudada e ajustada cada vez que se trocava a posição. Para eliminar a necessidade de ajustes, os trabalhadores prepararam uma placa circular com oito limitadores de diferentes espessuras. Sempre que um comprimento de eixo diferente era requerido, a placa circular rotava até o limitador em questão a partir de um único toque.

Usinagem. Cinco dispositivos-padrão eram empregados para posicionar as ferramentas utilizadas para a usinagem automática de componentes de câmeras. Colocar as ferramentas na posição correta levava muitas horas de ajuste e grande habilidade. A operação foi melhorada com a abertura de cinco rasgos na circunferência externa de um cilindro correspondendo aos cinco tipos de dispositivo-padrão. O ajuste foi eliminado inteiramente ao rotar-se este "dispositivo cilíndrico padrão" e inserindo um pino na posição apropriada. O tempo de preparação foi abreviado consideravelmente e o trabalho, agora, pode ser executado por trabalhadores não especializados.

Fabricação de molas helicoidais. Uma máquina produzia seis molas helicoidais de diferentes alturas para automóveis. A posição do limitador era trocada, girando-se um parafuso-guia. Após o posicionamento, um produto-teste fabricado e, dependendo do resultado, eram feitos ajustes. Para eliminar o ajuste, as roscas do parafuso-guia foram removidas e seis diferentes dispositivos de posicionamento adaptados à sua base. Agora, quando o limitador entra em contato com o dispositivo, a posição correta pode ser atingida sem ajuste.

Como ilustram esses exemplos, muitas máquinas dispõem de dispositivos para troca de posição que empregam parafusos, mas deve-se considerar o seguinte aspecto com cuidado: muitas máquinas são projetadas para permitir posições *contínuas e ilimitadas*. O que geralmente necessitamos, porém, são posições *fixas e limitadas*. Ao mudar uma marca de 100mm para 120mm, por exemplo, não precisamos passar pelo 100.1mm, 100.2, 100.3, 100.4, etc., para atingir a marca desejada.

Na realidade, precisamos de apenas algumas marcas. Como os fabricantes não sabem quais as necessidades das diferentes empresas, eles oferecem capacidade de posicionamento ilimitada. Cada planta que utilizar a máquina deve escolher um método que seja adequado para o trabalho exigido (geralmente um que empregue posições limitadas e fixas) e adaptar a máquina conforme este método.

Surpreendentemente, a maioria das pessoas não compreende isso, e não altera as funções da máquina para adequá-la às suas necessidades, aumentando assim a utilidade da máquina para sua situação específica. Com frequência, elas acabam por empregar procedimentos difíceis e desnecessários. Cheguei a uma conclusão a respeito dos fabricantes de máquinas: as funções necessárias para fabricação de produtos são levadas em consideração no seu projeto, mas tenho dúvidas de que eles estejam preocupados com a simplificação das trocas de ferramentas e matrizes. Consequentemente, aqueles que operam de fato as máquinas devem dar atenção a esse assunto nas suas plantas. Enquanto os princípios básicos da TRF são sempre aplicáveis, é possível, talvez, que diferentes soluções mecânicas tenham de ser desenvolvidas para otimizar a função da máquina para circunstâncias específicas dadas.

Benefícios do Sistema TRF

Se a TRF for adotada, pode-se esperar os seguintes benefícios:

1. Ao reduzir os tempos de *setup*, as taxas de operação da máquina aumentarão.
2. A produção em pequenos lotes reduz significativamente os estoques de produtos acabados e a geração de estoques entre processos (intermediários).
3. Por fim, a produção pode responder rapidamente às flutuações da demanda, por meio de ajustes para adequar-se a mudanças nas exigências de modelo e ao tempo de entrega.

A maioria das empresas considera o primeiro desses benefícios como sendo o principal. Na Toyota, taxas de operação baixas podem ser aceitas, já que o princípio mais importante é produzir apenas a quantidade exigida e a redução do custo é uma prioridade. Por conseguinte, a Toyota dá maior importância aos segundo e terceiro itens, com especial ênfase na redução de estoques de bens acabados e a redução dos estoques gerados entre processos. Se uma troca de ferramentas for reduzida para 3 minutos, é muito provável que o produto seja produzido em pequenos lotes com muitas trocas de ferramenta.

Em muitas de minhas visitas a fábricas, a alta gerência comenta casualmente a respeito do seu sucesso com a TRF. Eles descobrem que, além de trazer os três benefícios citados acima, a TRF também resolve outros problemas. Os trabalhadores que, no passado, resistiam às mudanças por medo de fracasso, adquirem confiança com seu sucesso em reduzir tempos de *setup* e aprendem a apreciar os desafios. Como resultado, uma cultura de apoio às atividades de melhoria desenvolve-se em toda a empresa.

Flexibilidade da Capacidade

A demanda real de mercado não será estável todos os meses ao longo do ano; nem o serão as quantidades requeridas a cada dia em um dado mês. É natural pensarmos que essas flutuações sejam inevitáveis. Uma típica solução consiste em criar estoques de produtos acabados e bens não acabados para diminuir o impacto das variações na demanda.

O Sistema Toyota de Produção, em comparação, favorece a produção contrapedido. Essa é uma abordagem bastante diversa daquela da produção planejada ou antecipatória. Se ela for adotada sem real engajamento, pode resultar em gasto inútil de muitas horas-homem. A Toyota trata desse problema mantendo produção de capacidade flexível. Isso permite à empresa responder rápida e eficientemente a altas e baixas da demanda.

Resposta aos Aumentos da Demanda

Previsões de demanda de longo prazo. Em época de bônus[*], é normal que a demanda aumente. Várias soluções são postas em execução para absorver os aumentos na demanda, que são certos e previsíveis com boa antecedência.

- Operações multimáquinas e multiprocessos normalmente permitem que as máquinas sejam carregadas a apenas 50% da capacidade, quando um trabalhador opera 10 máquinas, por exemplo. Na época do aumento esperado na demanda, trabalhadores temporários suplementares podem ser contratados para carregar as máquinas à capacidade de 100% – cinco máquinas são operadas, agora, por cada trabalhador, ao invés de 10, duplicando assim a produção. Se uma empresa quiser adotar essa forma de produção, é importante que as máquinas sejam de fácil manuseio, de maneira que trabalhadores temporários, sem qualificação, possam produzir o máximo possível depois de um período mínimo de treinamento.
- Cada trabalhador regular na montagem conduz uma operação com um tempo de fabricação unitária de 1 minuto. Com a adição de trabalhadores temporários, cada operação pode ser dividida em dois segmentos de 30 segundos cada. Com esse tempo de fabricação mais curto, a produção duplicará. Assim como a operação da máquina, os métodos de trabalho devem ser melhorados, para que os trabalhadores temporários sejam capazes de executar o trabalho com facilidade.

Aumentos de curto prazo da demanda. Na Toyota, o primeiro e o segundo turno estão separados por um período de 4 horas. Isso faz com que seja possível aumentar a capacidade de produção por períodos curtos, trabalhando horas extras entre os dois turnos. Eventualmente pode-se lançar

---

[*] Nota da edição americana: Duas vezes por ano, em abril e outubro, os trabalhadores japoneses recebem bônus de valores bastante razoáveis. O limite máximo dos pagamentos está geralmente vinculado aos lucros da empresa; o mínimo é geralmente determinado durante as negociações com as classes trabalhadoras a partir da demanda, que pode ser prevista com boa antecedência.

mão de diaristas trabalhando em horas extras para aumentar a capacidade. Além disso, melhorias no equipamento e nos métodos de trabalho podem produzir excedentes na capacidade que podem ser utilizados para satisfazer à maior demanda. Por fim, em alguns casos, os trabalhadores que em geral executam tarefas não relacionadas com a produção podem ajudar temporariamente na produção.

Quando a Demanda Diminui

Baixas na demanda podem ser um problema de difícil solução. Em geral, as empresas supõem que a demanda irá subir. Quando a demanda real é menor do que a projetada, elas produzem excessos e geram estoques, já que eles relacionam máquinas paradas com perdas. Na Toyota, a superprodução é considerada perda e o estoque não é permitido.

Há várias medidas que podem ser tomadas pela gerência de produção quando a demanda diminui:

- Na fabricação de peças, os trabalhadores podem ser responsáveis pela operação de mais máquinas
- Na montagem, o tempo de fabricação unitário pode ser aumentado e o número de trabalhadores reduzido

Essas medidas podem prevenir a superprodução. Porém, como se pode utilizar o excesso de horas-homem resultante? A filosofia básica da Toyota é de que é melhor deixar os trabalhadores ociosos do que produzir em excesso. Ademais, no Japão, a gerência tem a responsabilidade de garantir o emprego do trabalhador – as empresas raramente dispensam trabalhadores durante períodos de baixa para chamá-los quando aumenta a demanda.

Pode-se manter os trabalhadores ocupados com os seguintes tipos de tarefa durante períodos de demanda:

- Consertos de pequenos vazamentos que tenham sido negligenciados (isso poupou à empresa quase $5.000 em despesas com água);
- Realizar a manutenção e o conserto de máquinas que tenham sido negligenciados durante o ciclo normal de produção;
- Praticar trocas de ferramentas e matrizes;
- Fabricar gabaritos e dispositivos de fixação para as melhorias planejadas;
- Produzindo na planta o que era feito anteriormente por fornecedores externos. (Do ponto de vista de um contador, isso poderia ser considerado perda, já que os custos de mão de obra relativos à fabricação

na própria fábrica são geralmente mais altos que os de uma empresa externa. Em contrapartida, na medida em que horas-homem excedentes constituem perda, a produção de alguns itens na planta pode ser vantajosa.)

Seria errado supor que produzir com o mínimo de trabalhadores acarreta produzir com o menor número de máquinas possível no chão de fábrica. Em vez disso, o excesso de capacidade da máquina deve ser mantido de modo que, quando a demanda aumenta, trabalhadores temporários possam ser contratados e a produção possa ser aumentada. Sem essa política, as máquinas são operadas à capacidade máxima e as taxas de operação tornam-se importantes demais. Se a demanda aumentar nessas circunstâncias, trabalhadores podem ser acrescentados à produção, mas máquinas, não. Portanto, para antecipar aumentos, somos forçados a superproduzir e manter um estoque grande durante períodos de demanda baixa. Isso gera pesados custos que configuram perdas.

Eliminação dos Defeitos

Inspeção para Prevenir Defeitos

Com os sistemas de controle de produção convencionais, um certo nível de estoque é mantido para prevenir que produtos com defeito causem transtorno à linha de produção. Pelo fato de não ser permitida a superprodução em qualquer circunstância na Toyota, deve-se impedir totalmente a ocorrência de defeitos. Para isso, a inspeção deve *prevenir* os defeitos e não simplesmente *encontrá-los*.

A inspeção preventiva, descrita detalhadamente no Capítulo 2, envolve três estratégias:

- Controle na fonte – controlar os defeitos onde eles ocorrem
- Autoinspeção – os trabalhadores são responsáveis por encontrar e corrigir defeitos gerados na própria operação
- Inspeção sucessiva – os trabalhadores checam o trabalho realizado pelos colegas

Inspeção 100%

Para total eliminação dos defeitos, deve-se adotar a inspeção 100%. A inspeção por amostragem não é suficiente. Embora fundamentada pela ciência estatística, ela garante somente os melhores *métodos* de inspeção da qualidade; ela não pode garantir de fato a qualidade do produto – ou seja, o zero defeitos.

O exemplo a seguir demonstra as limitações da inspeção por amostragem:

Em uma prensa automática de alta velocidade realizando operações de lote, entre 50 e 100 partes pode haver acúmulo na calha de transporte. A primeira e a última peças são verificadas e se ambas estiverem sem defeito, o lote todo é transferido para a palete. Se a última peça estiver com defeito, contudo, todas as peças são checadas. As peças defeituosas são removidas e medidas são tomadas para evitar que o defeito volte a ocorrer. Esse é um tipo de inspeção 100%. Não podemos supor que a inspeção por amostragem seja o único tipo de inspeção que pode ser realizado em operações de alta velocidade. O exemplo nos diz ainda que a inspeção realizada unicamente por amostragem é imprópria para um fluxo contínuo de produtos.

Essa abordagem parece-me equivocada por dois motivos: defeitos podem ser de dois tipos, ocasionais e contínuos. Assim,

1. Quando defeitos ocasionais ocorrem entre 100 peças, eles estarão ocultos completamente entre as peças aceitáveis.
2. Se o defeito for contínuo, até 99 peças podem ser jogadas fora, se a segunda das 100, por exemplo, estiver defeituosa.

O descrito acima é essencialmente uma inspeção para *encontrar* defeitos. Mas se nosso objetivo for eliminar totalmente os produtos com defeito, temos que encontrar um dispositivo de inspeção barato e de alta velocidade, quando da utilização de prensas de alta velocidade – e ele deve fazer a inspeção não para *encontrar* defeitos e sim para *preveni-los*.

O Poka-yoke *É Apenas um Meio*

O Sistema Toyota de Produção recomenda o uso dos métodos *Poka-yoke*. Um dispositivo *Poka-yoke* é uma melhoria na forma de um dispositivo ou fixador que ajuda a atingir 100% de produtos aceitáveis, impedindo a ocorrência de defeitos. Entretanto, o *Poka-yoke* é apenas um meio e não um fim em si mesmo. Portanto, antes de projetar e instalar algum dispositivo, devemos primeiramente determinar se nos basearemos na autoinspeção, na inspeção na fonte ou na inspeção sucessiva. Uma vez que essa decisão tenha sido feita, o *Poka-yoke* é utilizável como uma medida prática *para atingir a inspeção 100%*. A seguir, alguns exemplos:

- Dispositivos que impedem uma peça de encaixar em um gabarito se algum erro operacional tiver sido feito
- Dispositivos que impedem uma máquina de iniciar o processamento se houver algo errado com a peça que está sendo trabalhada
- Dispositivos que impedem uma máquina de iniciar o processamento se algum erro operacional tiver sido feito
- Dispositivos que corrigem erros operacionais ou de movimento e permitem que o processamento prossiga
- Dispositivos que obstruem defeitos a partir da verificação de erros no processo precedente impedindo-os de seguirem ao próximo, em caso positivo
- Dispositivos que impedem o início de um processo se alguma peça do processo anterior tiver sido esquecida

Dos exemplos acima, os quatro primeiros são apropriados para a autoinspeção. Os dois últimos são adequados para inspeção sucessiva. Existem dois tipos de inspeção a serem considerados, quando da aplicação do *Poka-yoke*:

- Inspeção sensorial – depende da avaliação e dos sentidos humanos; por exemplo, concentração de cor, intensidade do brilho no recobrimento, etc.
- Inspeção física – não depende dos sentidos humanos e emprega diversos instrumentos de detecção

Se as medidas de inspeção física forem possíveis, elas podem ser incorporadas em um dispositivo *Poka-yoke,* ou, ainda melhor, em algumas formas de inspeção na fonte ou autoinspeção. A inspeção sucessiva deve ser reservada para casos onde apenas a inspeção sensorial seja possível, pelo fato de detectar defeitos somente após o primeiro ter ocorrido. Além disso, ela só deve ser adotada quando nem a autoinspeção e tampouco a inspeção na fonte forem viáveis por motivos técnicos ou econômicos.

Na determinação do tipo de medida prática a ser instalada, devemos considerar os diferentes tipos e funções dos dispositivos *Poka-yoke*.

Função corretiva { • adevertência ou
• controle

Função de ajuste { • contato
• conjunto
• método

Perceber a diferença entre estes dispositivos irá auxiliar na aplicação bem-sucedida do conceito de *Poka-yoke**. Finalmente, é importante compreender que a simples implementação de dispositivos *Poka-yoke* não irá garantir zero defeitos. As questões relativas ao tipo de inspeção e à forma de executá-la têm de ser decididas com cuidado, do contrário a eliminação absoluta dos defeitos (defeitos = 0) não poderá ser atingida.

Eliminação das Quebras de Máquinas

A eliminação das quebras de máquinas é, na verdade, parte da melhoria operacional e é discutida naquela seção do livro. Ela também é, no entanto, uma forma de melhoria de processo no Sistema Toyota de Produção, isto porque ela torna possível a produção sem estoque. Por isso, discutirei quebras de máquinas neste capítulo também.

Controle Visual

Na maioria das vezes, mantém-se um estoque de componentes para assegurar a continuidade da produção, caso haja alguma quebra. Pelo fato do Sistema Toyota de Produção ser um sistema sem estoque, ele não permite esse acúmulo de componentes. Quais são as soluções aplicadas na Toyota, quando há quebra de máquinas?

Se há algum problema com a operação de um trabalhador ou de uma máquina, interrompe-se a operação ou a máquina – todos os trabalhadores foram treinados para reagir dessa forma ao surgimento de algum problema. Dos supervisores, pelo contrário, é exigido que tentem manter as máquinas e as linhas de processamento funcionando. Assim, é criado um conflito entre trabalhadores e supervisores.

Ao surgirem problemas, controles visuais ou *andon* (luzes indicadoras) mostram aos supervisores e a todos onde está o problema. Os problemas serem de imediato visualmente comunicados a todos é uma característica notável do Sistema Toyota de Produção; mas, quando ocorrem, o mais importante são as soluções reais dadas a esses problemas.

---

* Meu livro *"Zero Quality Control: Source Inspection and the Poka-Yoke System* (Cambridge, MA: Productivity Press, 1986) traz uma discussão mais detalhada sobre as aplicações do *Poka-yoke*.

Soluções Reais: Evitar a Recorrência

Na maioria das vezes, tomamos apenas medidas emergenciais, quando ocorre um problema. As condições que o causaram continuam mascaradas até que ele volte a ocorrer, e o controle visual deixa de ser efetivo. Na Toyota, a regra é simples: a recorrência deve ser evitada. Essa regra é explicada com a seguinte analogia: se você tem uma apendicite, você pode colocar uma bolsa de gelo externamente para aliviar a dor, ou pode remover o apêndice cirurgicamente para prevenir a recorrência. As soluções irão variar de uma situação a outra, de maneira que a Toyota faz uma recomendação geral de que um tratamento similar ao da apendicectomia seja escolhido para prevenir a recorrência.

A imitação superficial, como a inclusão de *andon*, etc., não trará resultados objetivos. O controle visual é útil, mas a tomada de profundas medidas corretivas como resposta ao problema é essencial. Paralise as máquinas e linhas de processamento agora, assim não haverá necessidade de paralisá-las no futuro!

Uma pequena história pode ilustrar esse ponto: certa vez, um visitante da A Eletrônica recebeu explicações a respeito do Sistema Toyota de Produção. Ele ficou impressionado com os resultados obtidos e estava preparado para ir-se, quando o expositor concluiu:

"O senhor pode estar impressionado com o sucesso do Sistema Toyota de Produção, mas não o empregue a menos que realmente tenha necessidade dele. Nossos estoques são muito pequenos, a qualquer custo; assim, sempre que estamos no chão de fábrica procuramos por problemas: "Tem alguma máquina com funcionamento fora do normal?","Os trabalhadores estão realizando algum movimento estranho?". Estamos pensando em melhorias das oito da manhã às cinco da tarde."

O que mais impressionou nosso visitante foi o comentário de que "se a alta gerência não se comprometer a interromper as máquinas ou as linhas de produção quando houver problema, o Sistema Toyota de Produção não deve ser adotado e não se deve tentar executar a produção sem estoque".

Esse é o tipo de raciocínio que levou ao desenvolvimento do famoso conceito de autonomação da Toyota - automação com toque humano.

7

A Mecânica do Sistema Toyota de Produção: Melhoria do Processo, Balanceamento e Sistema *Nagara*

No passado, o controle de processo tinha duas importantes funções na produção:

1. Controle da programação — Quando será feito (ritmo da produção)
2. Equilíbrio da carga e controle da capacidade — O trabalho pode ser executado? (A capacidade e a carga estão equilibradas?)

É muito importante que a capacidade e a carga estejam equilibradas. Elas estão assim definidas: carga é o volume de trabalho que precisa ser executado, e capacidade é a habilidade da máquina e do operador em concluir o trabalho. A Toyota usa o termo "balanceamento" para descrever esse equilíbrio.

O QUE É BALANCEAMENTO?

O balanceamento da produção é um dos pilares do Sistema Toyota de Produção. Seu objetivo é fazer um processo produzir a mesma quantidade do processo precedente. Nesse sistema, os processos de produção estão dispostos de forma a facilitar a produção da quantidade necessária, no momento necessário. Também, os trabalhadores, equipamento e todos os outros fatores estão organizados para atingir esse fim.

Assim, o ajuste de tempo e o volume são críticos. Se um processo subsequente precisa ser abastecido a intervalos irregulares, o processo precedente precisará de equipamento e mão de obra extra. Quanto maior essa inconsistência, mais gente e equipamento serão necessários ao processo precedente para satisfazer suas necessidades de produção.

Além disso, a Toyota emprega o *Kanban* para sincronizar processos em suas próprias plantas e fornecedores de componentes. Logo, os efeitos negativos das inconsistências são transmitidos em cadeia do processo precedente aos fornecedores.

A fim de evitar esses círculos viciosos, o balanceamento deve ser feito no final da linha, onde os carros são montados. Para o balanceamento da demanda por capacidade do processo de montagem na Toyota Motors, os picos com demanda acima da capacidade produtiva devem ser movidos para períodos com capacidade superior à demanda produtiva.

Balanceamento da Carga e Capacidade

O excesso de capacidade demonstrado na fórmula abaixo, é determinado pela relação entre carga e capacidade.

$$\text{excesso de capacidade} = \frac{\text{capacidade} - \text{carga}}{\text{capacidade}}$$

Por exemplo, se a capacidade é igual a 320 horas (8 horas x 20 dias x 2 unidades) e a carga é de 280 horas, então

$$\text{excesso de capacidade} = \frac{320 - 280}{320} = \frac{40}{320} \text{ ou } 12,5\%$$

Se a capacidade é igual ou maior do que a carga, esta última pode ser processada, mesmo que seja grande. Por outro lado, mesmo que a carga seja muito pequena, sendo a capacidade correspondente também pequena, provavelmente a carga não pode ser processada. Nesses casos, algum excesso de capacidade deve estar disponível para equilibrar carga e capacidade.

Há duas considerações, relativas à dimensão temporal nesse equilíbrio entre carga e capacidade: de mês a mês, durante um ano (comentado anteriormente em "Flexibilidade da Capacidade"), e dia a dia no curso de um mês. Considerando o exemplo ilustrado na Figura 31: durante os 10 primeiros dias, 300 mil conjuntos do produto A são produzidos a 50% da capacidade; nos 10 dias seguintes, 600 mil conjuntos do produto B são produzidos a

100% da capacidade; nos 10 últimos dias, 900 mil conjuntos do produto C são produzidos a 150% da capacidade.

Se a produção é conduzida de acordo com esse plano, haverá tempo ocioso durante os 10 primeiros dias, porque o equipamento está carregado a apenas 50% da capacidade. O segundo período de 10 dias estará equilibrado, mas a capacidade terá de ser aumentada por meio de horas extras e trabalhadores temporários para absorver a sobrecarga do último período. Em outras palavras, a carga e a capacidade estão equilibradas para o mês inteiro, mas *não* dentro de cada período de 10 dias.

Obviamente, essa combinação de tempo ocioso com horas extras é irracional. Os métodos de controle tradicionais melhoram essa situação com a produção de 50% da carga do produto B durante os 10 primeiros dias e 50% da carga do produto C durante o segundo período de 10 dias. Essa solução realmente iguala os períodos, mas também resulta na geração de estoque. Mas, pelo fato de efetivamente eliminar tempo ocioso e horas extras, o acúmulo resultante de estoque é considerado razoável, um "mal necessário".

No entanto, a superprodução não é tolerada na Toyota, de forma que outra solução se faz necessária. Supondo que a demanda do mercado para o mês é de 300 mil unidades do produto A, 600 mil do produto B e 900 mil do produto C. Na prática, seria difícil produzir 300 mil unidades do produto A até o décimo dia do mês, 600 mil do produto B até o vigésimo e 900 mil do produto C até o trigésimo dia em três lotes grandes – afora o fato de que esse ritmo de produção não iria corresponder à demanda de consumo. Apenas uma parcela das 300 mil unidades do produto A seria vendida até o dia 10 do mês; o restante iria ficar como estoque em excesso.

Para que isso seja evitado, 1/3 das exigências mensais de produção para cada produto poderia ser produzido durante cada período de 10 dias – 100 mil A, 200 mil B e 300 mil C – em outras palavras, produzir A durante 1/6 do período de produção dos 10 primeiros dias, B durante 2/6 e C durante 3/6. Dessa maneira, o estoque dos produtos B e C produzidos durante os 10 primeiros dias pode ser reduzido a 1/3. Se houvesse uma redução ainda maior do período de tempo, para cinco, três, ou apenas um dia, os estoques seriam ainda menores.

Finalmente, se esse padrão estiver refletido na linha de processamento de forma que um produto A é seguido por duas unidades de produto B e três do produto C, e assim por diante, o estoque será mantido a níveis mínimos. Essa é a "produção mista" na forma em que é praticada na Toyota. A demanda real é determinada a partir de minuciosa pesquisa de mercado; carga e capacidade são então equilibradas sem recorrer à superprodução. Antigamente, ajustes de excesso de capacidade e a existência de estoque eram consideradas proposições contraditórias e excludentes. A genialidade do Sistema Toyota de Produção reside no fato de que ele transcendeu a esse conflito e abriu caminho para uma abordagem inteiramente nova para regular cargas e capacidades.

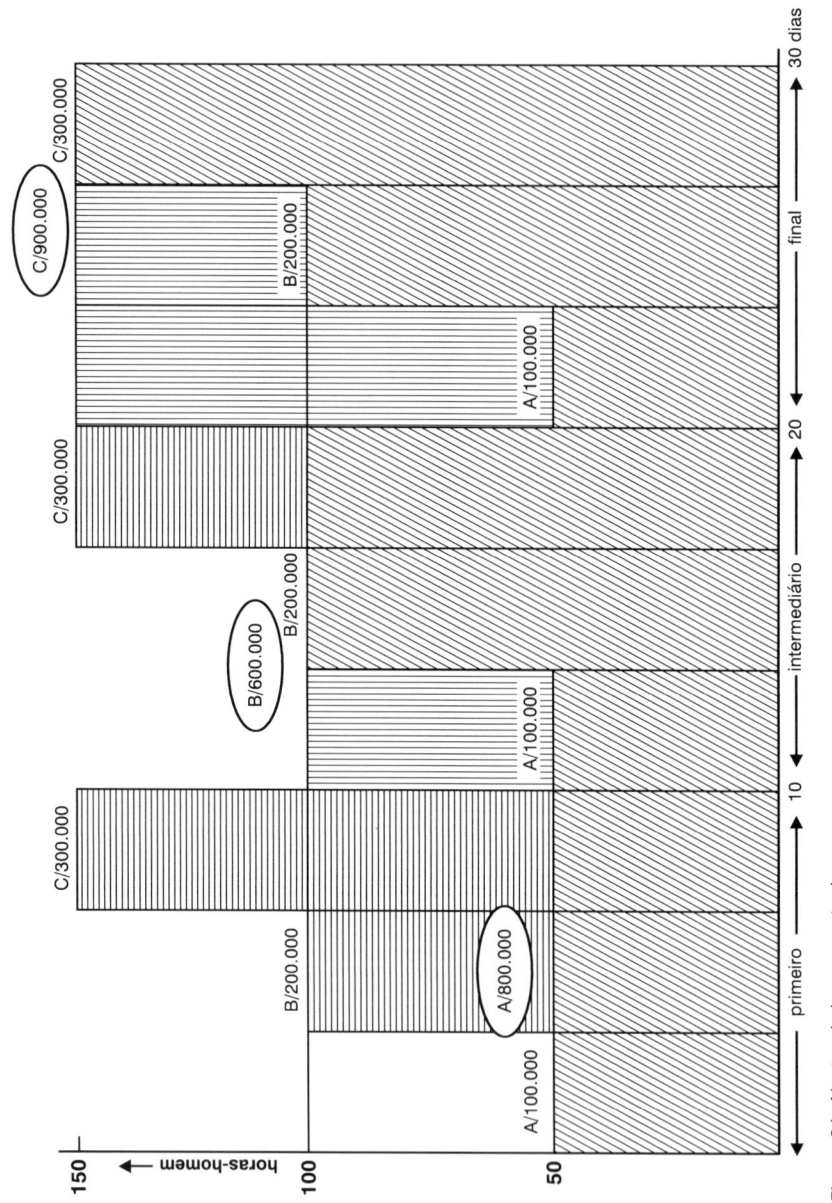

Figura 31. Ajuste e balanceamento da carga.

Produção Segmentada e Mista

Características de Planos de Carga

Em sistemas de controle de processo convencionais, a produção era frequentemente planejada em três estágios:

- Plano agregado de produção - plano de carga anual
- Plano mestre de produção - plano de carga mensal
- Plano detalhado - plano de carga para o prazo de um a três dias

Esses planos de carga podem ser utilizados tanto para as necessidades de produção antecipada como para produção confirmada, e são determinados pela relação entre o prazo de entrega (E) e o ciclo de produção (P).

Plano agregado de produção. Por abarcar um período longo, o plano agregado de produção é geralmente um plano pouco preciso, baseado nas previsões de demanda.

Plano mestre de produção. O plano mestre de produção pode ser um plano confirmado, se os pedidos definidos forem determinados antes do ciclo de produção; do contrário, será pouco preciso. Normalmente, um plano de um mês pode ser considerado como confirmado no início deste mês, mas se a demanda real for diferente, ele deixa de ser confirmado e torna-se pouco preciso. Haverá confusão na medida em que mais e mais mudanças na produção se fizerem necessárias.

Plano detalhado. Este plano é geralmente confirmado porque somente é feito para um período de tempo curto. Quando o ciclo de produção ou tempo de atravessamento (P) é maior que o período entre o pedido e a respectiva entrega (E), contudo, devemos basear-nos em um plano preditivo.

Produzir por previsão ou por demanda não está, na verdade, relacionado com a duração do período para o qual se fez o planejamento. Isso é determinado, mais exatamente, pela relação entre os pedidos e o tempo de atravessamento da produção e a antecedência com que são confirmados os pedidos.

Mesmo se uma fábrica estiver organizada para produzir em resposta à demanda, quando o seu prazo de pedido for mais curto que o período de produção, ela estará realizando uma produção antecipada.

Redução de Estoques de Produtos Acabados

Na produção antecipada, uma previsão com 100% de precisão é pouco provável. O inventário de produtos acabados é inevitável, assim como a possibilidade de estoques e perdas desnecessários. No passado, esforços eram feitos no sentido de antecipar a confirmação dos pedidos, isto é, aumentar o prazo de entrega (E). Mas os consumidores também dependem das suas próprias circunstâncias para tomar decisões, e a demanda do mercado é geralmente incerta no que diz respeito às quantidades ou tipos de produtos e quando eles serão necessários. Por essas razões, é impróprio aumentar o prazo de entrega. A produção por antecipação surge como única solução. Entretanto, a política da Toyota consiste em produzir em resposta aos pedidos recebidos, ou produzir em resposta à demanda. Isso está baseado na significativa redução do ciclo de produção, em vez de pressionar os consumidores a tomar suas decisões com antecedência. Isso pode acontecer em função de ações como:

- Utilização do sistema TRF para implementar a produção em pequenos lotes
- Adoção do balanceamento da produção, sincronização e operações em fluxo de peças unitárias
- Utilização da TRF, visando a permitir uma resposta rápida às mudanças nos pedidos

Se implementarmos essas inovações, poderemos iniciar a produção depois que um pedido tenha sido feito. E, devido ao fato da previsão ser necessária apenas para períodos muito curtos, o grau de precisão aumenta. Como resultado, obtém-se uma redução significativa nos estoques de produtos acabados.

Produção Segmentada e Unidades de Planejamento

Quanto mais longo o período de produção compreendido por um plano de produção, maior será a chance de que a produção se desvie dos pedidos reais. Por exemplo, quando o tempo de atravessamento é de três dias e a empresa produz em um plano mensal, o desvio ocorrido entre as ordens de fabricação planejadas e as ordens produzidas é dependente do tamanho do horizonte de planejamento.

Uma redução do ciclo de produção deve ser acompanhada por uma redução do segmento de produção adotado para o plano a fim de evitar estoque desnecessário.

Um sistema de produção segmentado (SPS) utiliza os seguintes segmentos:

- Plano H para uma quinzena
- Plano T para 10 dias
- Plano W para uma semana*
- Plano D para um dia

Com esse sistema, planos mensais são também utilizados para matérias-primas, capacidades de máquinas, necessidades de pessoal, etc. Uma vez feito o plano de produção mensal, planos finais ou confirmados para uma quinzena, 10 dias, uma semana e um dia são distribuídos com antecedência nos pontos apropriados. A antecedência com que o pedido é informado à produção depende do ciclo de produção ou do tempo de atravessamento.

Exemplo 7.1 – Planejamento de produção – o plano T, na Companhia Elétrica A, as programações de produção são distribuídas da seguinte maneira:
• A previsão para o mês seguinte no dia 15;
• O plano confirmado para os 10 primeiros dias, no dia 25;
• O plano confirmado para os 10 dias seguintes, no dia 5;
• O plano confirmado para os últimos 10 dias do mês, no dia 15, juntamente com a previsão para o próximo mês.

Originalmente, todos os produtos de A eram manufaturados juntos, uma vez por mês. Com o plano T:

1. A fabricação do produto A é dividida entre os três períodos de 10 dias.
2. Qualquer que seja a programação mensal, a produção é revisada de acordo com os pedidos reais antes que o plano seja concluído.
3. O resultado é que os estoques de produtos acabados na planta e nos distribuidores foram cortados pela metade.
4. Em vez das esperas anteriores de um mês, as mudanças nos pedidos podem agora refletir-se no próximo período de 10 dias, reduzindo os atrasos na entrega consideravelmente e proporcionando um maior giro de capital.

Assim como a Companhia Elétrica A, a Toyota adotou um plano T. Como muitos de nossos horizontes de planejamento são semanais, um sistema W é provavelmente, pela lógica, o próximo passo. Como, então, devemos ajustar a diferença entre as alocações mensais e semanais? Poderíamos também considerar uma unidade de planejamento diário, mas se o fizermos, devemos aprimorar bastante a flexiblidade de planejamento e a eficiência nos procedimentos de troca de ferramentas.

---

* N. de T.: Em inglês: plano H, de *half a month*, plano T, de *ten days*, plano W, de *one week*, plano D, de *one day*.

Sistemas de Produção Segmentada e Sistemas de Produção em Pequenos Lotes

Até agora, descrevi a produção segmentada como um sistema que divide o período ou ciclo especificado por um plano de produção assegurada. Todavia, a característica representativa do próximo tipo de sistema de produção segmentada que iremos analisar é a divisão dos lotes de produção.

Vamo-nos reportar ao exemplo que usamos na seção sobre a determinação da média da carga, onde a carga de produção mensal foi programada da seguinte maneira: para os primeiros 10 dias, 300 mil unidades do produto A; para os 10 dias intermediários, 600 mil unidades do produto B e para os últimos 10 dias, 900 mil unidades do produto C.

Se a capacidade de produção para cada período de 10 dias é de 600 mil unidades, a sobra de capacidade irá resultar em tempo ocioso, e a sobrecarga durante a última terça parte do mês irá requerer operações em horas extras. Normalmente, a criação de estoque possibilita determinar a média da carga e evitar esses problemas de programação. Em dado momento, porém, percebi que a produção do produto C poderia ser distribuída ao longo de todo o mês – não havia nada inerente à natureza na demanda requerendo que todas as 900 mil unidades do produto C fossem produzidas durante o último período de 10 dias. O mesmo se aplicava para os produtos A e B.

Assim, os estoques puderam ser cortados significativamente e as cargas ajustadas para produzir de acordo com o sequenciamento abaixo:

	Produto A	Produto B	Produto C
10 primeiros dias	100.000	200.000	300.000
10 dias intermediários	100.000	200.000	300.000
Últimos 10 dias	100.000	200.000	300.000

Reduções adicionais de estoque e melhores ajustes da carga poderiam ser obtidos com um ciclo de produção de cinco dias de 50 mil unidades de A, 100 mil unidades de B e 150 mil unidades de C.

Os benefícios se multiplicariam, avançando uma etapa, para um ciclo de produção de um dia de 10 mil unidades de A, 20 mil de B e 30 mil de C. A única coisa a ser feita seria dividir a produção em períodos de tempo específicos, e a partir daí executar a produção em pequenos lotes:

das 8:00 às 9:20	10.000 unidades	produto A
das 9:20 ao meio-dia	20.000 unidades	produto B
das 13:00 às 17:00	30.000 unidades	produto C

Contudo, pelo fato da produção ser subdividida e por serem produzidos lotes cada vez menores, as trocas de *setup* tornam-se mais frequentes, o que torna um método racionalizado para as trocas de *setup* – isto é, o sistema TRF – ser uma pré-condição essencial.

Muitas plantas chegaram a resultados admiráveis com um sistema de produção segmentada em pequenos lotes, e recomendo esse método enfaticamente. Para a máxima eficiência, entretanto, medidas adequadas têm de ser planejadas de antemão, como, por exemplo:

- Os trabalhadores devem ser treinados de maneira que se adaptem facilmente às novas operações
- As próximas peças a serem fixadas na máquina devem ser trazidas para a linha
- Dispositivos, ferramentas e máquinas devem ser preparados de forma que as trocas de *setup* possam ser executadas com a utilização de métodos de um único toque
- Erros de montagem e operação devem ser prevenidos com o uso de verificações sucessivas ou autoverificações e, especialmente, dispositivos *Poka-yoke*

Com esses métodos, as linhas de montagem em muitas plantas têm executado trocas de *setup* tão rapidamente que não há paletes vazios nas linhas de montagem.

Seja qual for a rapidez com que sejam feitas as trocas de ferramentas, as diferenças no tempo de fabricação unitário entre os produtos resultarão em perdas. Imagine o seguinte exemplo:

- Produto A: Tempo de fabricação unitário = 30 segundos
- Produto B: Tempo de fabricação unitário = 25 segundos

Neste caso, temos que esperar pelo tempo mais longo de 30 segundos até que uma troca de ferramentas completa seja executada. Quanto mais processos houver, mais tempo será perdido. O fenômeno existe tanto ao passar de um tempo de fabricação unitário rápido para um mais lento, assim como no sentido contrário. Em suma, as perdas de tempo aumentarão à medida que o tamanho de lote diminua e as trocas tornem-se mais frequentes.

O Complexo Sistema de Produção Mista da Toyota

Para superar esse problema, o Sistema Toyota de Produção combina o fluxo de produção dos produtos A e B. Este *sistema de produção mista* funciona da seguinte maneira:

- Os produtos A e B são combinados em um fluxo único, resultando em um tempo de fabricação unitário de 55 segundos (30 + 25). Nenhum tempo é perdido nas trocas entre os produtos.
- Ao mesmo tempo, a fabricação de um produto com um tempo de fabricação mais longo exige que os trabalhadores trabalhem com mais rapidez.

A solução é ainda mais refinada com o uso de um *sistema complexo de produção mista*, no qual veículos montados avançam na linha em diversas combinações (por exemplo, A-A-A-B-B-C), que estão sujeitas a mudanças. Perdas nas trocas são bastante reduzidas com o uso de trabalhadores extras para auxiliar nas operações que exijam tempos de fabricação maiores.

Vantagens e Desvantagens da Produção Mista

Como qualquer metodologia de manufatura, a produção mista tem tanto vantagens como desvantagens. Vamos considerar primeiramente as vantagens:

- Distribuição da carga, conhecida como balanceamento da produção na Toyota, irá atenuar as diferenças entre os picos e vales do processo de produção
- O balanceamento da produção resulta em cargas balanceadas tanto para os processos de fabricação de peças como para os fornecedores
- O estoque pode ser bastante reduzido
- A *taxa não ajustada* é melhorada porque o *duplo transporte* é eliminado, tornando desnecessário estocar produtos acabados na planta, para depois expedi-los aos revendedores
- A eficiência total aumenta pelo fato da divisão do trabalho ficar limitada com a produção de dois (ou mais) produtos por um grupo pequeno de trabalhadores

A maior desvantagem da produção mista é o aumento do número de *setup*. Do ponto de vista do operador, cada mudança do produto A para o produto B envolve um *setup*. Diversas contramedidas foram desenvolvidas para compensar essa desvantagem:

- Treinar trabalhadores em operações múltiplas
- Utilizar dispositivos, ferramentas e máquinas com múltiplas funções para facilitar as trocas rápidas de ferramenta ou projetar dispositivos múltiplos para o uso em produtos específicos

- Incorporar verificações sucessivas, autoverificações e dispositivos *Poka-yoke* para prevenir a falta de peças e a ocorrência de defeitos.
- Abastecer a linha de montagem em pequenos lotes e sem erros

Se medidas como essas não forem tomadas, defeitos e ineficiências irão surgir em abundância, tendo como resultado perdas consideráveis, apesar da instalação de dispositivos, ferramentas e máquinas novas.

A Escolha entre Sistemas de Produção Mista e Segmentada

Como vimos, o emprego da produção com pequenos lotes no sistema de produção mista ou no de produção segmentada pode proporcionar cargas balanceadas para os processos iniciais de fabricação e fornecedores de peças, assim como reduzir os estoques de produtos acabados. Embora seus impactos possam variar, pode-se esperar exatamente os mesmos resultados em ambos os sistemas.

Um sistema de produção mista tem a vantagem de absorver diferenças nos tempos de fabricação unitários da produção. Por outro lado, frequentes trocas operacionais e de ferramentas ou dispositivos, assim como problemas envolvendo o uso correto dos dispositivos e ferramentas constituem-se em grandes desvantagens que podem levar a perdas significativas, a menos que os trabalhadores sejam adequadamente preparados e treinados antes do início da produção.

A Toyota utiliza um sistema de produção mista devido aos altos custos de estocagem de produtos acabados grandes e de alto valor. O Sistema Toyota de Produção pode ser pensado, na sua essência, como um sistema de produção segmentada bastante avançado – ele é muito eficiente, mas também muito difícil de atingir. De fato, copiá-lo sem preparação adequada é extremamente arriscado. Aqueles que acreditam que o Sistema Toyota de Produção é simplesmente uma questão de produção mista estão seriamente equivocados.

Mesmo sem um sistema de produção mista, a maioria das plantas pode atingir resultados razoavelmente satisfatórios pela adoção de um sistema de produção segmentado.

Com ambas as produções, tanto a segmentada como a mista, é fundamental abandonar a noção de que toda a produção tem que ser prevista com antecedência e de que flutuações de mercado criam estoques de produtos não desejados. A produção deve ser vista, mais exatamente, como algo que se adequa natural e fielmente aos pedidos firmes. A gerência deve buscar reduções de custo pela diminuição da duração dos ciclos de produção e a superação de todas as outras dificuldades.

A essência desse processo é a avaliação correta da produção em pequenos lotes e, a um nível mais profundo, a redução drástica dos tempos de *setup*.

A Toyota, é claro, não é a única corporação a empregar um sistema de produção mista. Há outros exemplos:

Exemplo 7.2 – Produção mista de refrigeradores. A Companhia Elétrica T produz refrigeradores grandes e pequenos. Utilizando a produção mista, a empresa conseguiu reduzir o número de produtos acabados a quase zero. Anteriormente, os refrigeradores grandes eram fabricados na primeira metade do mês e os pequenos na segunda metade. Como as expedições aos revendedores eram compostas de ambos os modelos, grande e pequeno, uma área grande do almoxarifado era necessária para os modelos grandes.

Agora, a empresa alterna entre um refrigerador grande e um pequeno, em um esquema de produção mista, e os itens são expedidos na medida em que vão sendo produzidos. Os refrigeradores são enviados diretamente aos revendedores sem passar pelo almoxarifado. Uma outra vantagem é que os estoques podem ser reduzidos consideravelmente, uma vez que agora é possível responder às flutuações da demanda modificando a proporção de refrigeradores grandes e pequenos a serem produzidos.

Exemplo 7.3 – Produção segmentada de máquinas de lavar. Uma divisão da Companhia Elétrica A obteve bons resultados na eliminação da estocagem de produtos acabados de suas máquinas de lavar com o uso da produção segmentada, em que modelos para exportação com a mesma data de conclusão eram montados ao mesmo tempo. O percentual dos outros produtos enviados diretamente aos revendedores também aumentou com a ajuda da produção segmentada ou mista. Na Companhia Elétrica A, um aumento de 1% na taxa não ajustada chega a uma economia de $1.500 por mês, quando as máquinas são entregues diretamente aos revendedores, ao invés da produção de um dia ser estocada em um almoxarifado para ser depois novamente carregada para entrega aos revendedores.

Exemplo 7.4 – Produção mista com três produtos. Finalmente, considerando uma situação em que o trabalho necessário por peça, ou o tempo de fabricação unitário, para três produtos diferentes, requeria os seguintes tempos: 30 segundos para o produto X; 45 segundos para o produto Y e 60 segundos para o produto Z. Era inevitável a ocorrência de perdas com as trocas de ferramentas porque as mudanças na montagem exigiam que as trocas fossem realizadas pelo tempo de fabricação unitário mais longo. As perdas estavam normalmente na ordem dos 10 a 20% quando as trocas eram frequentes.

A produção mista, porém, permitiu que o fluxo de produtos seguisse um tempo de fabricação unitário médio, calculado da seguinte maneira:

tempo de fabricação unitário total: $X + Y + Z = 30 + 45 + 60 = 135$ segundos

tempo de fabricação unitário médio: $\dfrac{135 \text{ segundos}}{3} = 45$ segundos

O tempo de fabricação unitário total poderia ser constante quando as operações fossem executadas da seguinte forma:

- O operário pode fazer um ligeiro intervalo antes de trabalhar no produto X
- O trabalho com o produto Y prossegue normalmente
- O operário acelera o trabalho no produto Z

Assim, cada série dos três produtos poderia ser sincronizada, fazendo as perdas com as trocas caírem a zero.

Balanceamento e Estoque Zero

Como um sistema que ajusta capacidades excedentes e rejeita estoque, a produção mista é a chave para um novo conceito de balanceamento.

Enquanto alguns argumentam que a maior vantagem do Sistema Toyota de Produção é o fato de ele impedir que disparidades na capacidade sejam geradas por influência dos processos iniciais, sua real superioridade está na habilidade que tem em minimizar os estoques de produtos acabados.

O ajuste das capacidades excedentes sempre foi uma função importante do gerenciamento do processo. No passado, porém, ela era quase sempre realizada em um ambiente em que a existência de estoque era tolerada. Em contraste, o Sistema Toyota de Produção vê o estoque zero como um pré-requisito e pergunta o que pode ser feito para ajustar as capacidades excedentes e, ao mesmo tempo, satisfazer essa condição ideal. O balanceamento para ajustar as capacidades excedentes a partir de um sistema de produção mista é a característica que distingue o Sistema Toyota de Produção.

A discussão anterior deixa claro que a produção balanceada oferece as seguintes vantagens:

1. Estoques de produtos acabados podem ser minimizados
2. Cargas balanceadas podem ser obtidas para os processos iniciais

Como demonstram os exemplos 7.2 e 7.4, a produção mista não ocorre sem problemas. Na Toyota, os problemas mais comuns são:

- Erros nos movimentos de trabalho
- A fixação de peças incorretas na máquina ou a não fixação de peças

Como cada troca de ferramentas requer diferentes movimentos por parte do trabalhador, deve-se refletir sobre as seguintes questões:

- Em processos comuns, combinar as operações que exijam movimentos semelhantes

- Instalar dispositivos *Poka-yoke* que tornem impossível a realização de movimentos errados
- Instalar dispositivos *Poka-yoke* que previnam a má ou a não fixação de peças nas máquinas
- Combinar modelos que envolvam processos que poderiam empregar dispositivos e ferramentas comuns
- Utilizar ferramentas múltiplas e encontrar métodos de um único toque para trocar ferramentas e matrizes

O velho ditado "você não tem nada a temer a não ser você mesmo" é apropriado, apesar de tudo, porque, surpreendentemente, poucos problemas surgem com a produção mista quando se tem em mente as noções acima. Além disso, uma melhoria de 10 a 20% na produtividade e reduções consideráveis nos estoques de produtos acabados são geralmente atingidas já a partir da primeira experiência.

O SISTEMA *NAGARA*

Dentro do Sistema Toyota de Produção, tem-se dedicado ultimamente muita energia para promover algo chamado de *sistema Nagara*. O nome *Nagara* vem de uma expressão japonesa que indica a simultaneidade de duas ações. O sistema *Nagara* leva a produção mista um passo à frente, ao propiciar um fluxo de peças unitárias que transcende as divisões da fábrica na execução do processo de produção.

> Exemplo 7.5 — *Uso do sistema* Nagara *na montagem de automóveis.* Na K Veículos Automotores, está sendo executada uma solda por pontos para montagem de carrocerias de automóveis, e há uma prensa simples próxima a essa operação. Depois de terminar a soldagem por pontos, o trabalhador insere uma chapa cortada na prensa e aciona a chave. Um cilindro hidráulico, então, lentamente, baixa a matriz superior da prensa e estampa a chapa. Quando a operação de solda, de um minuto, é concluída e a próxima peça chega à prensa, a peça anterior já está pronta e o trabalhador a apanha e solda-a na carroceria.
> A prensa faz uso de um cilindro hidráulico para mover a matriz lentamente, um mecanismo que custa não mais que $500 para ser construído.

Observando essa disposição das operações, percebi que o sistema Nagara se caracteriza por três importantes aspectos:

- Até a menor fração de tempo é utilizada. Nesse exemplo, os aproximadamente 2 segundos que o trabalhador precisava para inserir

o material e acionar a chave foram tirados do tempo excedente da soldagem por pontos.
- Sincronização, e não velocidade, é a questão. Se há necessidade de apenas uma peça por minuto, não há razão para terminar o trabalho mais rapidamente. Nesse caso, uma prensa barata com um cilindro hidráulico lento foi suficiente.
- O sistema invalida a teoria de que produtos estampados devem ser manufaturados em uma estamparia. Nesse caso, o coerente fluxo de peças unitárias transcendeu às divisões da fábrica para seguir o curso do processo de produção.

Antigamente, a conformação teria sido realizada rapidamente em uma prensa comum, as peças teriam sido depositadas em uma palete, e, então, seria utilizada uma empilhadeira para fazer o transporte. Fica claro, no entanto, que não havia necessidade de tal equipamento de alta velocidade.

Exemplo 7.6 — O sistema *Nagara* em uma operação de pintura com *spray*. Na Indústria K, depois das máquinas terem realizado a furação e o rosqueamento interno na linha, as peças são colocadas em uma caixa de um metro cúbico que é, na verdade, um dispositivo para pintar as peças com *spray*. Ao fechar a tampa da caixa, uma chave é acionada, e a operação inicia. Pequenos acessórios e fios são colocados nas peças em um fluxo de peças unitárias, após elas serem retiradas das caixas. Mais de 100 dessas caixas foram integradas em linhas de processamento e montagem. Isso eliminou aproximadamente 80% da operação de pintura anteriormente exigida de que as peças fossem deslocadas até a seção de pintura.

Essa eliminação do transporte e da estocagem não só levou a uma diminuição considerável dos custos de mão de obra; pela significativa redução dos tempos de atravessamento, ela também propiciou drásticas reduções no estoque. Seria possível pensar que esse novo método requer mais tinta, mas, na verdade, os custos com tinta decresceram. Os *sprays* agora se limitam às partes específicas que estão sendo pintadas, enquanto que anteriormente a aspersão da tinta se dava indiscriminadamente sobre uma vasta área. E, de fato, estavam certos aqueles trabalhadores que me contaram que costumavam aspergir o ar dentro da cabina de pintura. Ao observar esse novo método, percebi que se havia atingido um amplo e coerente fluxo de peças unitárias — das máquinas à montagem, passando pela pintura.

Alguns anos atrás, quando viajava pela Europa em uma missão de estudos, visitei um fabricante de máquinas-ferramenta em Milão. O presidente da empresa contou-me que a criação da Comunidade Econômica Europeia (CEE) tornou viável seu negócio. Afirmou que a ausência de tarifas deixou a matéria-prima mais barata e os produtos acabados mais fáceis de serem vendidos. "Sem a CEE", dizia ele, "nossos negócios não teriam sobrevivido". Sua observação deixou-me profundamente impressionado com o poder da CEE.

Da mesma forma, o significado principal do sistema *Nagara* é o fato de derrubarmos as fronteiras entre forjamento, fundição, prensagem, usinagem, pintura e montagem. Em vez de fronteiras, estabelecemos processos de fluxo de peças unitárias amplos e coerentes que se adequam perfeitamente aos processos para determinado produto.

Ultimamente, tenho observado sistemas *Nagara* em plantas que implementaram o Sistema Toyota de Produção e, às vezes, parece-me que as pessoas, talvez impressionadas demais e com uma interpretação superficial do conceito, atentam para apenas um dos seus aspectos: a utilização eficiente do tempo. Todavia, essa perspectiva é limitada e, em última análise, pouco significativa. Precisamos compreender que a real importância do sistema *Nagara* consiste no fato de que as operações são realizadas a partir de um fluxo de peças unitárias, são amplas e integradas e não estão restritas por divisões dentro da planta.

Ao mesmo tempo que é possível o sistema *Nagara* continuar sendo uma das direções na qual pode se desenvolver o Sistema Toyota de Produção, ele já foi adotado por muitas organizações. Consequentemente, é importante que o verdadeiro significado e propósito do sistema seja claramente entendido.

Resumo dos Capítulos 6 e 7

Processos são compostos por quatro fenômenos: processamento em si, inspeção, transporte e esperas. Desses, apenas o processamento aumenta o valor agregado, enquanto os outros três – inspeção, transporte e esperas – não só não agregam valor como, na maior parte das vezes, apenas elevam os custos.

O Sistema Toyota de Produção está voltado para a incansável eliminação das "perdas". Tudo que não seja trabalho que agregue valor é considerado perda, de maneira que todo esforço deve ser feito no sentido de eliminar inspeções, transporte e esperas.

Várias estratégias foram adotadas a fim de atingir este objetivo:

- Inspeções: inspeções que não aceitam defeitos e inspeções 100% – incluindo o uso intenso de técnicas *Poka-yoke* específicas – objetivam eliminar todos os defeitos a um custo muito baixo. Além disso, os defeitos são prevenidos com a realização de melhorias nas condições que causam a sua ocorrência.
- Transporte: o transporte é eliminado ou reduzido a um mínimo absoluto via melhoria do *layout*, para que se adapte ao máximo ao fluxo de processo. Dispositivos eficientes de transporte são empregados, quando o transporte é inevitável.

Resta o problema das esperas. Por sua própria natureza, as esperas compensam deficiências no processamento, inspeção e transporte. Por exemplo, uma espera – a manutenção de estoque – pode evitar a confusão no fluxo de produção, quando ocorrem quebras de máquinas, defeitos, ou os itens sofrem atrasos de transporte. É por isso que a gerência da produção tende a tratar o estoque como um lubrificante que assegura o fluxo suave da produção. Na realidade, o estoque é como um narcótico – aceite-o uma vez e você irá logo cair em um estado de dependência e precisar de doses cada vez maiores para sentir-se seguro.

O Sistema Toyota de Produção rejeita completamente essa visão de estoque. E, de fato, ele tem como princípio a busca incessante da melhoria, questionando, em primeiro lugar, por que são necessários estoques e, então, efetuando melhorias nas áreas que criam a necessidade de estoques.

Ao aprofundar a análise da filosofia do Sistema Toyota de Produção, será constantemente encontrada a noção fundamental de estoque zero – a ideia de acabar com as esperas e as perdas por superprodução. Se bem compreendido, o Sistema Toyota de Produção é uma visão inovadora da produção que está fundamentada no *insight* revolucionário de que o estoque deve ser rejeitado completamente.

Como se chegou a isso?

- A demanda de mercado requer alta diversidade, produção de pequeno volume em resposta aos pedidos do consumidor.
- Isso requer continuados esforços para executar a produção em pequenos lotes. Compreendido isso, fica aparente a necessidade de reduzir drasticamente os tempos de *setup* e trocas de ferramentas. O sistema TRF apareceu como resposta a essa necessidade.
- Os ciclos de produção também tinham que ser reduzidos. Fluxos de peça unitária foram utilizados para que isso fosse possível, trabalhando-se nos processos a montante dos processos de montagem para construir fluxos coerentes, do processamento de peças à montagem.
- As tentativas de desenvolver tal sistema sob a rigorosa condição de não haver estoque obtiveram sucesso – essa foi a genialidade do Sistema Toyota de Produção e a razão fundamental dos altos lucros da empresa.

Um claro entendimento desses conceitos é essencial. Se você simplesmente reproduzir os aspectos superficiais do Sistema Toyota de Produção e aplicar precipitadamente o que você vê como um sistema para obter peças *just-in-time*, terminará por obter o oposto ao resultado desejado. Isso não só causará estragos na sua planta como trará também uma grande dose de estresse aos seus fornecedores.

Tenho enfatizado repetidamente que a característica fundamental do Sistema Toyota de Produção é a eliminação implacável do estoque. Na verdade, porém, esse não é, em si mesmo, o objetivo final. O alvo real é reduzir custos, e a eliminação do estoque não é nada mais do que um meio para atingir esse fim.

A seguinte história deixa claro esse ponto crucial. Há alguns anos, reuni cerca de 50 alunos do curso de Engenharia de Produção que ministrava na Toyota Motors. Apesar de ser um homem muito ocupado, o Sr. Ohno, gentilmente, concordou em fazer uma palestra ao grupo.

Na reunião, diversas pessoas falavam dos bons velhos tempos. Durante a refeição, ouvi a voz do Sr. Ohno dizer ao seu vizinho, o Sr. Takimura, presidente da Tsuda Ironworks e a uma aluna da segunda turma do treinamento:

"Tudo bem, senhor Takimura! Continue mantendo um pouco de estoque. Afinal de contas, o principal é que a empresa ganhe dinheiro."

Sabendo que para o Sr. Ohno o estoque era seu arqui-inimigo fiquei chocado ao ouvi-lo dizer a alguém que estava tudo bem manter algum estoque disponível. Seguindo-se à minha surpresa, no entanto, veio o impacto das reais intenções do Sr. Ohno, reveladas na frase seguinte:

"Mas não pense, porém, que está tudo bem em manter estoque para sempre!"

Com muita frequência, toleramos estoque desde que estejamos ganhando dinheiro e, em algum momento, acabamos por aceitá-lo como um fato da vida. O que me impressionou nas palavras de Ohno, em contrapartida, foi sua atitude agressiva em relação à realização de melhorias fundamentais:

"As condições existentes podem fazer os estoques serem necessários no momento; mas mantê-los é basicamente um desperdício e você terá, em algum momento, de encontrar formas de ganhar dinheiro sem manter estoque."

Essa história exemplifica que a eliminação do estoque não é nada mais que um meio para atingir um fim e esse fim é a redução dos custos. Em determinadas circunstâncias, pode-se permitir a existência dos estoques. Mas não se deve ficar acomodado e esquecer que o estoque é, por natureza, uma perda.

Uma característica importante do Sistema Toyota de Produção é que ele está continuamente buscando meios de cortar custos, sem acumular estoque. Esta é a linha de pensamento que leva ao verdadeiro entendimento do Sistema Toyota de Produção.

8

A Mecânica do Sistema Toyota de Produção: Melhoria das Operações

As operações são o segundo pilar de sustentação das atividades de produção. Como observado anteriormente, as operações dizem respeito ao acompanhamento dos equipamentos e operadores no tempo e no espaço. No Sistema Toyota de Produção, há bastante tempo, é dada ênfase às melhorias nas operações.

Nesta seção, discutiremos os seguintes tópicos: os componentes das operações, operações-padrão, a interação homem-máquina e a "Inteligência humana" e, por fim, a redução do custo das operações manuais. Cada um deles é analisado tendo como referência o Sistema Toyota de Produção.

COMPONENTES DAS OPERAÇÕES

Como explicado em capítulos anteriores, as operações têm três componentes básicos: preparação e pós-ajuste, operações básicas e folgas marginais. As melhorias operacionais devem ser desenvolvidas em cada uma dessas categorias.

Preparação e Pós-ajuste

Essas são as chamadas operações de preparação, que normalmente ocorrem antes e depois da produção de cada lote. Elas são operações consideradas úteis. Antigamente, a maior parte da produção era feita em grandes lotes, porque os tempos de preparação eram muito grandes. Sob essas condições, a produção em grandes lotes resultava em custos de mão de obra mais baixos, mas também causava um aumento indesejável nos estoques intermediários. Os lotes econômicos eram determinados para contrabalançar esses dois efeitos.

Contudo, o pressuposto básico por trás do lote econômico, é o fato de que reduções drásticas nos tempos de preparação são impossíveis. O desenvolvimento dos *setups* com Troca Rápida de Ferramenta eliminou esse pressuposto e, por conseguinte, a necessidade da utilização dos lotes econômicos.

O uso da TRF para reduzir os tempos de *setup* é frequentemente considerado apenas uma maneira de melhorar as taxas operacionais das máquinas, e não há dúvida de que o faz. Mas não se deve esquecer que lucros ainda maiores podem ser obtidos com a aplicação da TRF às melhorias de processo, tais como a produção em pequenos lotes para eliminar os estoques ou a utilização de trocas rápidas para produção contrapedido a fim de eliminar com os estoques de produtos acabados.

A adoção dos *setups* TRF é o elemento decisivo do Sistema Toyota de Produção e foi discutido detalhadamente no Capítulo 3.

Operações Principais

As operações principais são aquelas operações úteis que são repetidas para cada item. Elas podem ser subdivididas em duas categorias:

Operações essenciais: são as operações diretas de transformação, como por exemplo, corte, conformação, soldagem, etc. Em relação ao processo, elas são as únicas tarefas que desempenham de fato estas funções essenciais:

- Processamento – Operações executando diretamente corte, conformação, soldagem, etc.
- Inspeção – Operações nas quais são feitas comparações com padrões, tais como a medição de um item com um calibre
- Transporte – Operações que mudam a localização dos itens
- Espera – Operações nas quais os itens são mantidos no estado em que se encontram

Operações auxiliares: são as operações nas quais interruptores são operados ou itens são fixados ou removidos para processamento. Essas operações complementam as operações essenciais.

Folgas Marginais

Essas operações ocorrem com frequência irregular e são de dois tipos: relativas ao pessoal ou folgas não relativas ao pessoal.

Folgas relativas ao pessoal. Essas folgas estão relacionadas às necessidades fisiológicas e psicológicas humanas e englobam:

- Folgas por fadiga – Intervalos que permitem o descanso dos trabalhadores
- Folgas para higiene pessoal – Intervalos que permitem aos trabalhadores beber água, lavar-se, ir ao toalete, etc.

Folgas não relativas ao pessoal. Essas folgas estão relacionadas com os aspectos não humanos das tarefas e englobam:

- Folgas operacionais – Folgas da própria operação, incluindo lubrificação, remoção de cavacos, etc.
- Folgas entre operações – Folgas por ocasião de peças atrasadas, quebras de máquinas, etc.

OPERAÇÕES-PADRÃO

O segundo aspecto da melhoria operacional encontra-se na compreensão do conceito de operações-padrão. Nesta seção, iremos explorar a fundo essa ideia no contexto do Sistema Toyota de Produção e seus três aspectos temporais.

Operações-padrão e o Sistema Toyota de Produção

O Sr. Taiichi Ohno apresentou um excelente resumo das operações-padrão e o Sistema Toyota de Produção. Nesse livro, ele escreve:

> Cartões de produção-padrão e a informação neles contida são elementos importantes do Sistema Toyota de Produção. Para que uma pessoa da produção seja capaz de escrever um cartão de produção-padrão que outros trabalhadores possam entender, deve estar convicto da sua importância.
> Eliminamos o desperdício a partir do exame dos recursos disponíveis, modificando a disposição das máquinas, instalando sistemas autônomos, aperfeiçoando ferramentas, analisando métodos de transporte e otimizando a quantidade de material disponível para usinagem. A alta eficiência da produção tem sido man-

tida também com a prevenção da recorrência de produtos com defeito, erros operacionais e acidentes, além da aceitação e das ideias dos trabalhadores. Tudo isso é possível devido ao quase imperceptível cartão de produção-padrão.

O cartão de produção-padrão combina de forma efetiva materiais, trabalhadores e máquinas para que produzam com eficiência. Na Toyota, esse procedimento é chamado de combinação do trabalho. O resultado é o procedimento padronizado do trabalho.

O cartão de produção-padrão mudou pouco desde que me foi solicitado preparar um, há 40 anos na planta têxtil. Contudo, ele é totalmente fundamentado e tem um importante papel no sistema de controle visual da Toyota. Ele registra claramente os três elementos do procedimento padronizado de trabalho:

1. Tempo de ciclo
2. Sequência do trabalho
3. Estoque-padrão

O tempo de ciclo é o tempo alocado para fazer uma peça ou unidade. Ele é determinado pela quantidade de produção; ou seja, a quantidade necessária e o tempo de operação. A quantidade necessária por dia é a quantidade necessária por mês dividida pelo número de dias de trabalho do mês. O tempo de ciclo é calculado dividindo-se as horas de operação pela quantidade necessária por dia. Mesmo quando o tempo de ciclo é determinado dessa forma, os tempos individuais podem ser diferentes.

No Japão, diz-se que "o tempo é a sombra do movimento". Na maioria dos casos, a espera é gerada pelas diferenças nos movimentos e sequência do operador. O trabalho dos supervisores, dos chefes de seção, etc., é treinar os trabalhadores. Sempre afirmei que em apenas 3 horas é possível treinar os trabalhadores nos procedimentos de trabalho corretos. Quando a instrução na sequência e movimentos essenciais é clara, os trabalhadores aprendem rapidamente a evitar a necessidade de refazer um trabalho ou produzir peças com defeito.

Para isso, no entanto, o instrutor deve literalmente pegar as mãos dos trabalhadores e ensiná-los. Isso gera confiança no supervisor. Ao mesmo tempo, os trabalhadores devem ser ensinados a ajudar um ao outro. Por serem pessoas executando o trabalho, em vez de máquinas, haverá diferenças nos tempos de trabalho, derivadas de condições físicas de cada um. Essas diferenças serão absorvidas pelo primeiro trabalhador no processo, assim como a zona de troca do bastão, em uma corrida de revezamento. A execução dos métodos de trabalho padronizados no tempo de ciclo ajuda a desenvolver a regularidade do trabalhador.

O termo "sequência do trabalho" refere-se somente ao que diz. Não se refere à ordem dos processos pelos quais os produtos atravessam. Refere-se, mais precisamente, à sequência das operações, ou à ordem das operações nas quais um trabalhador processa os itens: transportando-os, fixando-os às máquinas, removendo-os e assim por diante.

Estoque-padrão refere-se ao mínimo estoque intermediário entre processos necessário para que as operações prossigam. Isso inclui os itens fixados nas máquinas.

Mesmo sem mudança no *layout* das máquinas, o estoque-padrão entre processos é geralmente desnecessário, se o trabalho for realizado na ordem dos processos de usinagem. Somente os itens fixados nas máquinas são necessários. Por outro lado, o estoque-padrão será dimensionado em termos do valor do item instalado na máquina (ou de dois itens, se for o caso) se o trabalho for estabelecido pela função da máquina ao invés do fluxo do processo.

No Sistema Toyota de Produção, o fato de que as peças tenham chegado *just-in-time* significa que os estoques-padrão têm de ser seguidos muito mais rigorosamente.

Três Aspectos Temporais das Operações-padrão

No passado, os tempos de operação-padrão eram geralmente estabelecidos pela observação das operações existentes e a exclusão de qualquer elemento anormal, ou pelo uso de um tempo menor do que o observado. Creio que esse método tem duas falhas. A primeira diz respeito às diferenças no tempo: elas irão indicar diferenças importantes nos movimentos, já que o tempo não é mais que um reflexo dos movimentos. Além disso, é possível que os movimentos sejam diferentes, mesmo que os tempos sejam iguais; estabelecer tempos fixos não garante movimentos de trabalho idênticos. A segunda falha está no fato de que mesmo que todos os valores anormais sejam excluídos, os tempos obtidos, medindo-se o *status quo* não passam de valores médios que dificilmente podem ser qualificados como padrão.

O que são então tempos-padrão? E o que são as operações-padrão nas quais eles estão baseados? Para responder a essas questões, devemos levar em conta o que poderíamos chamar de "os três aspectos temporais das operações-padrão: passado, presente e futuro".

O Passado

Como observado acima, os tempos-padrão não são iguais aos tempos-médios de operação com valores anormais excluídos. Da mesma forma, operações-padrão não são a mesma coisa que operações médias.

Evidentemente, as diferenças nos tempos são causadas pelas diferenças nos movimentos. Por sua vez, os movimentos diferem porque as condições de trabalho variam consideravelmente.

Uma verdadeira operação-padrão, em consequência, é executada em um cenário onde as condições de trabalho tenham sido otimizadas por meio da busca contínua dos objetivos por trás de cada uma das questões abaixo:

- O quê – o objeto da produção. Que produto?
- Quem – o sujeito da produção. Que pessoas e que máquinas?
- Como – o método. Como fazer?

- Onde – o espaço. Onde devem ser colocados os itens? Por que método de transporte?
- Quando – Em que janela de tempo? Em que momento?

Essa é a explicação para o aspecto passado, ou preexistente, das operações-padrão. No Sistema Toyota de Produção, a expressão "Engenharia de Produção para obter lucros"* reflete essa busca.

Quando visitei a Y Carrocerias de Automóveis, o Sr. Yamaguchi, um chefe de departamento, contou-me a seguinte história:

"Recentemente, compramos uma câmera de vídeo e começamos a filmar as operações no chão de fábrica. Depois de cada sessão de gravação, convidávamos o trabalhador que havíamos filmado, a equipe de melhoria envolvida e o supervisor imediato do trabalhador para mostrar-lhe o filme. Os trabalhadores após observarem a si mesmos realizando a operação em questão, geralmente, apresentavam várias sugestões de melhoria, muitas das quais bastante boas, e implementávamos algumas imediatamente. Como resultado, o percentual de sugestões integradas à produção aumentou muito. Era comum que as pessoas não concordassem com as sugestões feitas pelas equipes de melhoria; agora, os trabalhadores estavam expondo suas próprias ideias e em seguida colocando-as em prática. Depois de terem suas ideias iniciais implementadas, eles continuavam a relatar problemas assim que eles ocorriam, mesmo que pequenos, e davam sugestões para melhorias adicionais. Antigamente, muitos problemas eram simplesmente ignorados".

"Assistindo aos vídeos", continuou Yamaguchi, "repentinamente percebi que as pessoas, normalmente, não têm a chance de ver a si mesmas por um outro ângulo". Essa foi uma descoberta importante; o fato é que raramente podemos ver a nós mesmos por trás – para que nos vejamos objetivamente. O Sistema Toyota de Produção insiste que os trabalhadores do chão de fábrica copiem, eles próprios, as operações-padrão, porque essa é uma forma de ver objetivamente um processo que vai além da mera observação das tarefas em questão. Descrever as operações no papel dessa maneira, torna possíveis observações objetivas e facilita as melhorias nas operações.

O Presente

Essa é a fase da operação-padrão, na qual uma carta de operações-padrão é usada para treinar os novos trabalhadores. O uso de uma carta de operação-padrão é mais eficiente e menos sujeita a omissões inadvertidas que um supervisor, ensinando diretamente pela sua própria experiência.

---

* N. de T.: *Industrial Engineering for profits.*

Ela é especialmente eficaz ao ensinar aos novos trabalhadores as dicas e truques-chave envolvidos em uma tarefa.

O Sistema Toyota de Produção treina os funcionários novos para trabalhar de forma independente em três dias; os roteiros de operação-padrão desempenham um papel muito importante para que isso seja possível. O método também aumenta a eficiência do aprendizado, porque os trabalhadores continuam utilizando os roteiros de operação-padrão como referência até que estejam familiarizados com as técnicas.

O Futuro

A inspeção está definida em relação a um padrão. A comparação das condições vigentes com padrões nos diz se os resultados são aceitáveis ou não e revelam qualquer anormalidade.

O Sistema Toyota de Produção exige que todo o trabalho seja efetuado dentro dos tempos-padrão e os supervisores são encarregados de manter os trabalhadores dentro daqueles padrões. O aspecto futuro das operações-padrão está na melhoria constante desses critérios. Os supervisores são levados a sentir-se constrangidos quando os mesmos roteiros de operação-padrão são utilizados por muito tempo, pois as melhorias nas operações de chão de fábrica devem ocorrer continuamente.

Se uma tarefa não é executada dentro do tempo-padrão estabelecido para ela, deve-se determinar se o problema está em movimentos fora do padrão. O roteiro de operação-padrão é extremamente significativo nesse momento, pelo fato de facilitar a coleta de informação necessária para melhorias. Dessa maneira, o aspecto passado reaparece e os três aspectos da operação padronizada evoluem em um ciclo sem fim.

Tipos de Roteiros de Operação-padrão

Até o momento, limitei-me a usar o termo "roteiro de operação-padrão". Há várias versões da carta. Estes são alguns exemplos específicos:

- *Roteiros de capacidade por peça* registram a ordem do processo, os nomes do processo, os números das máquinas, os tempos básicos, os tempos de troca de ferramenta, o número de itens e a capacidade de processamento.
- *Folhas de combinação de tarefas-padrão* determinam a ordem na qual devem ser executadas as operações de cada trabalhador.

- *Manuais de tarefa* determinam os procedimentos para os elementos das operações que requerem atenção especial, como por exemplo, operação de máquinas, troca de ferramenta, trocas de *setup*, processamento de peças e montagem. Indicações acompanham cada processo.
- *Manuais de instrução de tarefa* para os responsáveis pelo treinamento dos trabalhadores, esses manuais fornecem um roteiro para o ensinamento correto das operações-padrão. Eles descrevem em linhas gerais as tarefas de cada trabalhador no tocante à produção de cada linha e indica os pontos-chave de segurança e qualidade de acordo com a sequência das operações. Eles também esquematizam *layouts* de equipamento para operações realizadas por cada trabalhador e indicam os métodos de verificação da qualidade, tempos de ciclo, procedimentos operacionais, ordem das operações, estoques-padrão disponíveis, tempos de trabalho efetivo e verificações de segurança e da qualidade.
- *Folhas de operação-padrão* são os diagramas do *layout* dos equipamentos do manual de instrução de tarefa somados com dados de chão de fábrica relativos ao processamento ou às linhas de montagem. Elas indicam: tempo de ciclos, ordem das operações, padrão dos estoques, tempos líquidos de trabalho e controles da qualidade e segurança.

DO TRABALHADOR À MÁQUINA

Como já discutimos, a utilização da força de trabalho humana na produção evoluiu por meio de vários estágios:

1. A fixação e a remoção das peças nas máquinas, a alimentação das ferramentas e a execução de corte eram feitas manualmente.
2. O corte foi mecanizado, mas a fixação e a remoção das peças e a alimentação de ferramentas eram ainda feitas manualmente.
3. O corte e a alimentação de ferramentas foram mecanizados e a fixação e remoção das peças era ainda manual. Nesse momento, o processamento tornou-se independente dos trabalhadores. Pelo fato do equipamento não ser 100% confiável, contudo, os trabalhadores executavam o trabalho de monitorar as máquinas.
4. Os responsáveis pelo desenvolvimento do Sistema Toyota de Produção, percebendo que era necessário o monitoramento das máquinas ser feito por homens, apenas porque as máquinas não tinham capacidade de detectar anormalidades na produção, incorporaram a "inteligência humana" no projeto da máquina. Isso eliminou a necessidade do monitoramento das máquinas por parte dos trabalhadores.

Nesse estágio, a maior parte das plantas precisou passar por um longo período no qual:

- "Automação" significava a mecanização do processamento, assim como a fixação e remoção da peça sendo trabalhada. Mesmo assim, máquinas "automatizadas" não estavam dotadas das funções do cérebro humano. Isso significa que os trabalhadores tinham de estar próximos, até mesmo daquelas máquinas que haviam sido automatizadas.
- Autonomação real foi atingida quando as máquinas foram providas de uma função de cérebro humano, ou seja, a capacidade de detectar anormalidades de forma autônoma.

Em resumo, a transferência do trabalho dos homens às máquinas abrange duas questões: como transferir o trabalho físico humano às máquinas e como transferir o trabalho intelectual (inteligente) humano às máquinas. O sucesso inicial ao efetuar essa importante mudança é uma característica significativa do Sistema Toyota de Produção.

REDUÇÃO DO CUSTO DA MÃO DE OBRA

Para melhorar as operações, o Sistema Toyota de Produção dá ênfase nas reduções do custo da força de trabalho. Em comparação, atenção relativamente pequena é dada no aumento das taxas de operação mesmo que elas sejam, juntamente com o homem, os agentes primeiros da produção.

A razão para isso é fácil de compreender: por um determinado período de tempo, a perda será cerca de cinco vezes maior com trabalhadores ociosos do que com máquinas ociosas. Além disso, a Toyota percebeu que não importa quão baixas sejam as taxas de operação dos equipamentos porque, para os propósitos de redução de custo, era muito mais eficaz concentrar-se nos custos da mão de obra humana. Deve-se entender claramente esse ponto e tê-lo em mente; do contrário, a interpretação do exato papel desempenhado pela redução do custo das operações manuais no Sistema Toyota de Produção será feita de forma equivocada.

Melhoria dos Métodos de Operação

Quase todas as nossas operações atuais podem ser pensadas como um esforço combinado de homens e máquinas. A melhoria dos métodos de operação, todavia, toma três formas, descritas a seguir.

Melhorias nos Movimentos Humanos

São melhorias do estudo de movimentos envolvendo fatores como o arranjo das peças e procedimentos operacionais. No caso típico, podemos reduzir os tempos de operação de 10 a 20% com esses meios.

As caixas têm um papel fundamental na melhoria dos movimentos humanos. Embora geralmente se faça uso de caixas para transportar e estocar quantidades grandes de produto, pouca atenção tem sido dada à sua utilidade no processamento. Muitas condições têm de ser satisfeitas em relação a este último ponto:

- Os itens devem ser dispostos ordenadamente
- Os itens devem ser alinhados uniformemente
- Os itens devem permitir acesso fácil em uma localização fixa

Esse tema irá requerer considerável estudo adicional.

Melhorias nos Movimentos das Máquinas

São melhorias que envolvem o desenvolvimento de máquinas e métodos de trabalho superiores para aumentar a eficiência. Como exemplo, pode-se citar o aumento da produção a partir do aumento de velocidades de corte das máquinas, a redução de tempos a partir de corte simultâneo em máquinas com eixos múltiplos e o uso de cabeçotes de múltiplas ferramentas para reduzir os tempos de substituição de ferramentas. Outro método seria aumentar a eficiência por meio de fresamento, em vez de usar um processo de conformação.

Mecanização dos Movimentos Humanos

A mecanização dos movimentos humanos envolve a eliminação dos movimentos humanos e inclui: fixação e remoção de peças mecanizadas (e não manual) e a adoção de dispositivos de lubrificação automáticos.

No Sistema Toyota de Produção, a mecanização só é considerada depois de todos os movimentos humanos terem sido melhorados. Por quê? Seria possível gastar não mais que $500 para mecanizar os movimentos humanos existentes e atingir um aumento de 20% na eficiência. Supondo, porém, que se poderia atingir o mesmo ganho de 20% analisando o arranjo físico dos itens e a modificação dos procedimentos operacionais. O investimento de $500 teria que ser considerado uma perda.

Há muitos engenheiros que ignoram o desperdício de movimentos bem à frente de seus olhos, porque sua preocupação está em mecanizar tudo o que veem. Por exemplo, eles terão prazer em aumentar a eficiência com um dispositivo para alimentar um processo automaticamente, quando teria sido possível alcançar o mesmo resultado pela simples mudança na posição das máquinas: colocando as máquinas do processo precedente mais próximas, de forma que os produtos passassem diretamente de um processo a outro; seria, assim, eliminada a necessidade de um alimentador de peças.

Outro exemplo envolvendo um processo de montagem de componentes de automóveis com diversos tipos de modelos ilustra bem essa questão. Nesse caso, a ideia original era colocar paletes sobre uma mesa giratória e trazer a parte necessária para a frente com um toque de botão. Ao invés disso, as peças foram redispostas para adequar-se à frequência com que eram utilizadas, fazendo as peças mais usadas terem acesso mais fácil. Isso facilitou os movimentos e atingiu o desejado aumento na eficiência.

Há duas lições neste caso: em primeiro lugar, fazer o máximo de melhorias nos movimentos de trabalho antes de pensar em mecanização. Depois, não confundir melhoria de equipamentos com melhoria de operações. Em vez de diminuir custos, a melhoria no equipamento tende, a princípio, a aumentá-los.

Economia de Mão de Obra, Cortes no Número de Trabalhadores e Uso Mínimo de Operações Manuais

O livro de Taiichi Ohno contém a seguinte discussão sobre a economia de mão de obra:

> Em nossa empresa, usamos a expressão "economia de trabalhadores" em vez de "economia de mão de obra". A expressão "economia de mão de obra" é, de certa forma, empregada de forma incorreta em um estabelecimento industrial. Equipamentos para economia de mão de obra como o elevador e a escavadeira, por exemplo, usados principalmente na construção, estão diretamente ligados à redução da força de trabalho.
>
> Em fábricas de automóveis, no entanto, um problema mais relevante é a automação parcial e localizada. Por exemplo, em um trabalho que envolva várias etapas, um dispositivo automático é instalado somente no último estágio. Em outros pontos na operação, o trabalho continua sendo feito manualmente. Penso que esse tipo de economia de mão de obra está completamente errado. Se a automação está funcionando bem, ótimo. Mas se está sendo usada simplesmente para permitir que alguém trabalhe menos, o custo é muito alto[*].

---

[*] Ohno, T. *O Sistema Toyota de Produção: Além da Produção em Larga Escala*, publicado pela Bookman Editora, 1996.

O Sr. Ohno continua a explicação do conceito em termos de mínima força de trabalho:

> O jornal da empresa publicou uma palestra minha sobre economia de trabalhadores. No artigo, o termo "economia de mão de obra" foi impresso erradamente como "utilizar menos trabalhadores". Mas quando li isso, pensei: "É isso". "Utilizar menos trabalhadores" atinge o ponto central da questão mais objetivamente que "economia de mão de obra".
>
> Dizer "economia de mão de obra" não soa bem, porque implica descartar um trabalhador. Economia de mão de obra significa, por exemplo, que um trabalho que antes requeria 10 trabalhadores agora é feito com oito – eliminando duas pessoas.
>
> "Utilizar menos trabalhadores" pode significar a utilização de cinco ou mesmo três trabalhadores, dependendo da quantidade de produção – não há número fixo. A "economia de mão de obra" sugere que um gerente contrata muitos trabalhadores para começar o trabalho, reduzindo o número quando eles não são necessários. "Utilizar menos trabalhadores", em contraste, pode também significar trabalhar com menos trabalhadores desde o início.
>
> A Toyota, em 1950, teve uma questão trabalhista em consequência da redução no seu quadro funcional. Logo após a solução dessa questão, irrompeu a Guerra da Coreia e, com ela, demandas especiais. Satisfizemos essas demandas com aquele mesmo número de pessoas e ainda aumentamos a produção. Essa experiência foi valiosa e, desde então, vimos produzindo a mesma quantidade de outras empresas, mas com 20 a 30% menos trabalhadores.
>
> Como isso foi possível? Resumindo, foram o esforço, a criatividade e a energia dessas pessoas os fatores que permitiram à Toyota colocar em prática os métodos que vieram a tornar-se o Sistema Toyota de Produção.

À primeira vista, o que está exposto acima parece sugerir que a força de trabalho não deve ser reduzida para tornar o trabalho mais fácil. Não acho que seja essa a ideia que está sendo definida.

Redução Qualitativa versus Quantitativa da Força de Trabalho

Considerando alguns exemplos de redução qualitativa da força de trabalho:

- A energia mecânica é utilizada quando os itens são muito pesados para homens carregarem
- A mecanização é utilizada quando o transporte de cargas a longas distâncias é difícil
- Mecanização é utilizada onde houver necessidade de realizar um esforço (mesmo que mínimo) em uma posição difícil, o qual possa provocar danos físicos, como a cifose, por exemplo

O Sistema Toyota de Produção aceita sem restrições casos como os citados acima, em que a mecanização é usada para tornar mais fácil o trabalho.

Consideremos, agora, um caso de redução quantitativa da força de trabalho em que não seja necessário um esforço grande, mas a mecanização é usada para fazer uma tarefa muito demorada ser realizada mais rapidamente do que feita à mão. Os cálculos teóricos do Departamento de Engenharia de Produção irão mostrar que a força de trabalho foi reduzida, e que uma economia de tempo de 30% foi alcançada. Todavia, em muitos casos, a redução no tempo irá simplesmente aumentar o tempo de espera não tendo qualquer efeito no número de pessoas envolvidas. O Sistema Toyota de Produção demonstra que tal prática é inútil a menos que o número de pessoas possa ser, de fato, reduzido – seja qual for a importância dada a valores calculados – mesmo que tenha havido economia de "mão de obra".

A mecanização tem outras armadilhas, como veremos a seguir. O Sistema Toyota de Produção dá prioridade a melhorias contínuas porque a mecanização, com frequência, implica o seguinte cenário:

- Há uma grande probabilidade de que as operações essenciais (por exemplo, corte e conformação) e outras operações que contribuem para agregar valor estejam fortemente vinculadas aos lucros.
- A mecanização das operações auxiliares (como a fixação e remoção de peças de trabalho ou a operação de interruptores) proporciona apenas melhoria passiva, pois tais operações aumentam custos mas não aumentam diretamente valor agregado.

Quando nosso objetivo é a melhoria, procuramos maneiras de tornar as coisas mais fáceis, mais rápidas, mais baratas e melhores; a prioridade inicial está geralmente vinculada a como tornar as coisas mais fáceis. O motivo é simples; o trabalho é uma tensão, e a sua manifestação mais clara é a fadiga. Esse é um desejo humano instintivo, o de fazer com que as coisas sejam mais fáceis, e não há nada de errado nisso.

Uma revisão da longa história do progresso humano mostra que toda melhoria sempre foi acompanhada por economia de mão de obra. Assim como a semana de trabalho de seis dias foi reduzida para cinco e a semana de 45 horas é agora de 40, a semana de trabalho será provavelmente reduzida para 35 horas e até mesmo 30 no futuro. Em qualquer ponto ao longo da história, no entanto, teremos de admitir que as reduções de tempo chamadas de "economia de mão de obra" são inúteis, se elas resultam apenas em esperas maiores.

Existe uma forma melhor de evitar o desperdício. Em vez de iniciar um trabalho com um número excessivo de pessoas para depois diminuir este número gradualmente, é melhor iniciar o trabalho com o mínimo de pessoas e administrar os aumentos na produção, não com o acréscimo de trabalhadores, mas por meio de ideias criativas de melhoria e racionalização. Em outras palavras, é mais eficaz tentar efetuar melhorias, antes que você se veja em um estado absolutamente crítico.

Muitas empresas contratam um grande número de trabalhadores. Quando há queda no volume de trabalho, eles continuam a operar à plena capacidade, porque não querem que os operários fiquem ociosos. Isso provoca perda por superprodução, a qual, por sua vez, causa outros tipos de perdas. Como demonstra o Sistema Toyota de Produção, isso pode ser evitado com a produção somente das quantidades necessárias e com a construção de um sistema no qual as tarefas são sempre realizadas pelo número mínimo de trabalhadores. Dessa maneira, itens não necessários não são produzidos.

O Sistema Toyota de Produção também faz livre uso de empilhadeiras e transportadores de correia e de corrente.

Em resumo, de acordo com o Sistema Toyota de Produção:

- Medidas efetivas de economia de mão de obra devem ser empregadas
- Deve ser evitado iniciar com um número excessivo de trabalhadores porque mais tarde haverá necessidade de cortes na força de trabalho
- Mudanças na produção devem ser tratadas, utilizando o mínimo de trabalhadores desde o princípio
- Reduções de força de trabalho baseadas em cálculos abstratos devem ser evitadas, porque não têm sentido. Os custos não irão cair se não houver cortes no número de trabalhadores

Integração da Espera e das Folgas Marginais

Obviamente, o tempo de espera é visto como perda em qualquer planta de produção. No Sistema Toyota de Produção, contudo, os papéis de homens e máquinas são totalmente distintos. O termo *espera*, por exemplo, é usado em situações onde homens monitoram máquinas mesmo que as máquinas façam o trabalho automaticamente.

Tomemos o caso de uma máquina, que era ativada por um botão. Por razões de "segurança", o botão deve agora ser pressionado durante todo o tempo em que a máquina estiver funcionando. Na Toyota, isso também é considerado espera. Para eles, deve-se dar partida à máquina com um simples toque de botão e tratar do problema da segurança como uma questão à parte.

O Sistema Toyota de Produção também coloca todo o esforço no sentido de liberar os operários das tarefas de folga operacional, como adicionar óleo de corte ou remover cavacos. Além disso, a rotina consiste em manter as folgas por fadiga e folgas entre operações (tais como esperas devido ao atraso na chegada de peças ou quebras de máquinas) à parte dos tempos de ciclo regulares.

As folgas por fadiga estão consolidadas na forma de intervalos no meio da manhã e meio da tarde, além de um intervalo para almoço de meia hora. Quando ocorre atraso de peças ou uma máquina quebra, o problema é atacado com paralisação da linha ou do equipamento, para, então, tomar as medidas essenciais para garantir que isso não irá acontecer novamente.

É inútil simplesmente eliminar as folgas marginais e de espera dos tempos-padrão. Essas ações não irão contribuir para a redução do custo a menos que estejam ligadas à redução da força de trabalho. É por isso que o Sistema Toyota de Produção enfatiza a necessidade de evitar "ilhas isoladas". Ohno explica o termo da seguinte maneira:

> Se os trabalhadores estão isolados em vários pontos da planta, eles não podem ajudar uns aos outros. Mas, se as combinações de trabalho são estudadas e a distribuição do trabalho ou posicionamento do trabalho são feitas de forma a permitir que os trabalhadores deem assistência um ao outro, o número de trabalhadores pode ser reduzido. Quando o fluxo de trabalho é convenientemente projetado, não se formarão ilhas isoladas*.

Layout de Máquina e Eficiência do Trabalhador

Seres humanos e máquinas estão completamente separados um do outro no Sistema Toyota de Produção. O *layout* das máquinas, portanto, segue o fluxo de processo do produto. O "fluxo de pessoas", no entanto, é inteiramente independente das máquinas e não tem necessidade de seguir o fluxo do produto; na verdade, precisa apenas ter em conta tempos variáveis dos processamentos automáticos e projetar operações para maximizar a eficiência do operador e evitar ilhas isoladas.

Isso significa que *layouts* abrangentes, tais como os *layouts* V, L ou U, são necessários, porque eles estão direcionados tanto para o fluxo de pessoas como para o de produtos. Tanto quanto possível, o equipamento deve ser disposto à volta, pelo lado externo do padrão escolhido e os trabalhadores posicionados do lado interno, para reduzir o isolamento e também facilitar a assistência mútua.

Podemos dizer que uma das maneiras mais importantes de aumentar a produtividade no Sistema Toyota de Produção é consolidar o excesso de capacidade gerado e conjugá-lo à minimização da força de trabalho.

---

* Ohno, T. *O Sistema Toyota de Produção: Além da Produção em Larga Escala*, publicado pela Bookman Editora, 1996.

Similarmente, quando há uma certa variabilidade nas operações reais como, por exemplo, as operações conjuntas implicadas nas tarefas de montagem, essa abordagem incentiva que trabalhadores próximos um ao outro se auxiliem. Como discutido anteriormente, há dois modelos de realização de um revezamento entre os membros de uma equipe: o modelo de revezamento na natação e na corrida.

No modelo da natação, o nadador subsequente – não importa se rápido ou não – não pode iniciar sua participação antes do nadador precedente tocar na borda da piscina.

As corridas, por outro lado, usam uma "zona de revezamento", que permite aos corredores se ajudarem. Se o primeiro corredor é mais rápido, ele irá passar o bastão no final da zona de revezamento. Do contrário, se o segundo corredor for mais rápido, ele pode passar o bastão no início dessa zona.

Aplicando esse conceito no ambiente fabril, poderíamos dizer:

- Se o trabalhador A é rápido, ele começa a trabalhar nas peças excedentes recebidas do processo precedente.
- Se o trabalhador A é lento, o trabalhador B apanha uma das peças entre A e B, sem haver confusão no fluxo.

Buffers desse tipo significam que o número de itens na linha é quase sempre um múltiplo do número de trabalhadores na linha. Se você pedir aos trabalhadores que descrevam esses itens entre processos, a resposta mais frequente será de que são produtos sendo montados.

Como o Sistema Toyota de Produção não permite a acumulação de itens entre estações de trabalho, todas as mercadorias que não estão sendo manipuladas são chamadas de estoque. E como o estoque não é tolerado, o sistema exige que cada trabalhador aprenda as operações realizadas nos dois processos adjacentes ao seu próprio. Como em qualquer boa equipe, quando um trabalhador fica para trás na sua tarefa, o trabalhador da tarefa seguinte irá ajudá-lo. De um trabalhador que termina cedo, pelo contrário, pede-se que aguarde. O trabalho do supervisor é redividir as tarefas com base nesses fenômenos. Isso, na verdade, constitui um tipo de controle visual.

Essas situações refletem claramente os conceitos de produção com estoque zero e a total eliminação da perda no Sistema Toyota de Produção.

Uso de Operações Multimáquinas

Quando visitei pela primeira vez a Toyota Motors, em 1955, uma das coisas que mais me surpreendeu foi o emprego das operações multimáquinas. Naquela época, a Toyota operava 3.500 máquinas com apenas 700 trabalhadores, numa proporção de um trabalhador para cinco máquinas. A prática aceita na maioria das plantas daquele tempo era ter cada trabalhador responsável por uma máquina; não era incomum, na verdade, haver máquinas operadas por dois ou até mais trabalhadores.

As operações multimáquinas designam um único trabalhador para operar mais de uma máquina. Esse trabalhador fixa ou remove peças em uma máquina enquanto outra realiza processamento automático. Com esse tipo de operação, é possível que uma máquina conclua o processamento antes que o operador tenha chegado até ela. Se isso diminuir a taxa de operação da máquina, o número de máquinas pelas quais o operador é responsável poderia ser diminuído. Mas o mais provável é que esse procedimento resulte em espera por parte do trabalhador. Em situações como essa, o Sistema Toyota de Produção irá quase sempre optar por uma queda nas taxas de operação de máquina, ao invés de um aumento no tempo de espera do operador. A depreciação contábil do equipamento posteriormente propiciará à empresa o uso gratuito de uma máquina, mas os homens têm de receber salário indefinidamente – e os salários tendem a subir com o tempo. Além disso, as perdas por hora para trabalhadores são geralmente cinco vezes mais altas que as perdas para as máquinas.

Nos últimos anos, o Sistema Toyota de Produção vem proclamando enfaticamente o que chama de "operação multiprocessos", que pode ser definida como a execução da operação simultânea de várias máquinas de acordo com o fluxo de operações. Essa operação multiprocessos contrasta com a operação multimáquinas, que se refere a um trabalhador encarregado de várias máquinas sem relação com o fluxo de operações. Esses dois tipos de operações multimáquinas podem ser também assim diferenciados:

- Operações multimáquinas verticais equivalem às operações multiprocessos
- Operações multimáquinas horizontais equivalem às operações multimáquinas

O uso de operações multiprocessos, nas quais o trabalhador administra várias máquinas de acordo com o fluxo de processo, traz duas vantagens. A primeira é melhorar o fluxo dos processos. A segunda é elevar a produtividade do trabalhador.

A Figura 32 ilustra esses princípios. Neste caso, o tempo real de processamento por peça é: processo 1 = 30 segundos, processo 2 = 40 segundos, processo 3 = 25 segundos.

Quando há um trabalhador em cada processo, pode-se produzir no máximo uma peça a cada 40 segundos, ou 90 peças por hora, para uma produção horária média por trabalhador de 30 peças (90 peças divididas por três trabalhadores).

Operações individuais (1)   (2)   (3)

30 segundos   40 segundos   25 segundos

operações individuais
40 seg/pç
90 pç/hr
30 pç/trabalhador

Operações multiprocessos (1)   (2)   (3)

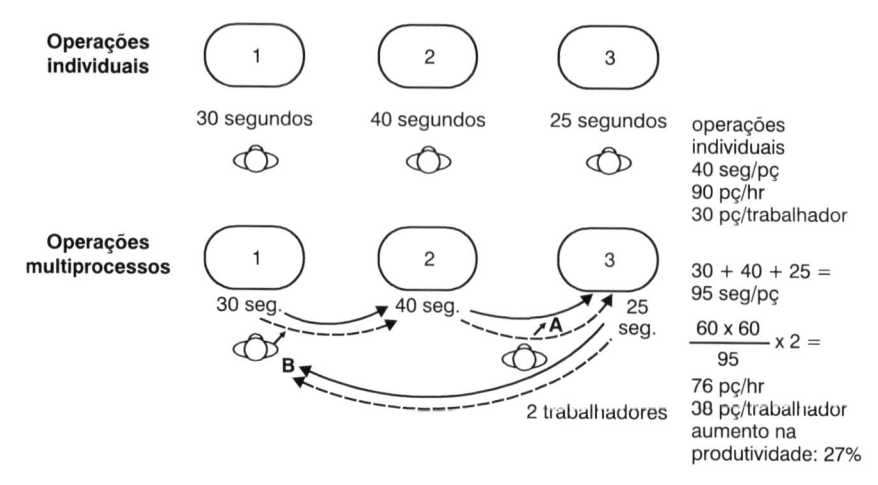

30 seg.   40 seg.   25 seg.

B   A

2 trabalhadores

30 + 40 + 25 = 95 seg/pç

$$\frac{60 \times 60}{95} \times 2 =$$

76 pç/hr
38 pç/trabalhador
aumento na produtividade: 27%

FIGURA 32. Melhorias de produtividade a partir de operações multiprocessos.

Supondo, porém, que utilizamos operações multiprocessos com dois trabalhadores em operações paralelas, cada um trabalhando em todos os três processos: a produção de cada trabalhador seria de uma peça por 95 segundos (30 + 40 + 25). Com dois trabalhadores, o tempo seria de 47,5 segundos (95 : 2). É quase o mesmo tempo daquele obtido com três trabalhadores, representando uma melhoria de produtividade de 27%.

Assim, as operações multiprocessos têm a capacidade de absorver disparidades entre os tempos de processamento. O trabalho de prensagem, por exemplo, pode compreender três processos: puncionamento, embutimento e dobramento.

As operações multiprocessos podem ser extremamente eficazes em casos em que os tempos para processos individuais diferem inevitavelmente um do outro.

Exemplo 8.1 — Operações multiprocessos. Na San'ei Metal Industries, as operações eram normalmente realizadas por quatro trabalhadores envolvidos em quatro processos, cada um operando uma prensa. Estoques do produto eram gerados entre processos, porque não havia como equalizar todos os tempos de processamento. O trabalhador apanhava um produto desses estoques e conformava-o na prensa. Por motivos de segurança, ele tinha que manter as chaves pressionadas com as duas mãos durante a conformação. Quando essa estava concluída, o produto era enviado ao processo seguinte por meio de uma calha de transporte próxima.

No sistema aperfeiçoado, dois trabalhadores executam operações multiprocessos, deslocando-se de uma máquina a outra, sucessivamente. Foram instalados dispositivos de segurança de uma maneira tal que a prensa é operada com um simples toque de botão. Essa mudança representou um aumento de 82% na produtividade:

- Antes da melhoria, quatro trabalhadores produziam diariamente 550 unidades
- Depois da melhoria, dois trabalhadores produziam diariamente 500 unidades

    Obviamente que a simples absorção de disparidades nos tempos de processamento não foi a única vantagem obtida. Os movimentos envolvidos no ato de apanhar os produtos armazenados e guardá-los novamente foram eliminados. O trabalhador agora já tem o produto na sua mão esquerda, vindo do processo precedente. Ele o insere na matriz logo após retirar o produto anterior com sua mão direita. A melhoria, então, eliminou tanto os movimentos supérfluos envolvidos na colocação e retirada de produtos da estocagem como o tempo de espera gasto para manter pressionados os botões de segurança durante o funcionamento da máquina.

As operações multiprocessos podem impulsionar a produtividade de forma significativa em dois aspectos:

- Ela absorve diferenças nos tempos de processamento entre processos
- Elimina a estocagem temporária entre processos

    Operações multiprocessos "no contrafluxo", nas quais as operações são realizadas na ordem contrária ao fluxo de processo, irão, em alguns casos, tornar até mais fácil a eliminação da estocagem temporária.

    Em tais casos, pode haver estocagem temporária se as máquinas não estiverem posicionadas bastante próximas umas das outras. Embora haja opiniões de que as operações no contrafluxo aumentam a espera entre processos, o problema não está na direção do fluxo e sim na proximidade com que estão dispostas as máquinas. Assim, apesar de ser possível que as operações multiprocessos possam reduzir a produção de um determinado dia, em alguns casos, elas irão sempre aumentar a produtividade. A produção de um dia é importante, claro, para o cumprimento de prazos.

    Ao mesmo tempo, a única maneira de uma empresa poder aumentar seus lucros é por meio de incrementos reais na produtividade, ao passo que o simples produzir mais não atingirá esse objetivo. Os números da produção podem crescer com a inclusão de mais pessoas, mas isso não levará automaticamente a lucros maiores. Se a produção tem de ser mantida, a simples adição de uma hora extra pode ser suficiente. Por outro lado, a planta será capaz de aumentar a produção total, encarregando dois trabalhadores ociosos da produção de um produto diferente em quatro prensas por meio das operações multiprocessos. Não há dúvida de que esse método é efetivo para aumentar os lucros da fábrica.

Tempo de Mão de Obra, Tempo de Máquina

Para maior compreensão do papel das operações multiprocessos na melhoria das operações, é importante considerar elementos de tempo de mão de obra e de máquina.

Uma operação típica pode ser dividida da seguinte forma:

1. Remover produto processado	tempo de mão de obra
2. Colocar produto removido em uma bancada	tempo de mão de obra
3. Fixar o próximo produto na máquina	tempo de mão de obra
4. Operar interruptor	tempo de mão de obra
5. O processamento é feito automaticamente	tempo de máquina
6. O processamento termina; breve espera	tempo de máquina

Em procedimentos como esse, o número de máquinas que um trabalhador pode operar aumenta na medida em que o tempo de máquina for maior em relação ao tempo de mão de obra. Como consequência, se o volume necessário puder ser produzido sem que as máquinas estejam funcionando 100% do tempo, será possível aumentar o número de máquinas designadas a um único trabalhador, prolongando o tempo de espera da máquina (item 6 acima). Isso ocorre com qualquer capacidade de processamento, mesmo que a mesma seja alta.

De forma inversa, o número de máquinas operadas por um único trabalhador pode ser aumentado com a redução dos elementos do tempo de mão de obra (de 1 a 5). Com relação a isso, as restrições de segurança fazem, frequentemente, o tempo de operação de interruptor (item 4) ser mais longo. Esse tempo pode ser diminuído com a utilização de interruptores que necessitem de apenas um toque ou com a operação de interruptores à distância através de controle remoto. Nas operações multimáquinas, então, o número de máquinas operadas por um trabalhador é controlado normalmente pela proporção entre o tempo de mão de obra e o tempo de máquina. As operações multiprocessos, além disso, são mais vantajosas que as operações multimáquinas na eliminação da estocagem temporária, como demonstra esta comparação:

- Operações multimáquinas – requerem operações do tipo 2 (colocar produto removido em uma bancada).
- Operações multiprocessos – o fato de que um trabalhador remove os produtos (item 1) um após o outro e, logo depois, coloca o próximo na máquina (item 3) dá a possibilidade de acabar com a operação elementar 2 (colocar produto removido em uma bancada). Isso pode ser obtido ao posicionar-se as máquinas o mais próximo possível umas das outras.

Como já visto, as operações multimáquinas são fortemente influenciadas pela proporção entre o tempo de mão de obra e o tempo de máquina. De modo geral, as vantagens esperadas em relação a operações em que um trabalhador esteja encarregado por uma máquina são da seguinte ordem:

- Operações multimáquinas – 30-50% de melhoria na produtividade
- Operações multiprocessos – 50-100% de melhoria na produtividade

Até agora, enfatizei a extrema eficácia das operações verticais multimáquinas, ou multiprocessos. Não quis com isso negar a importância das operações horizontais multimáquinas (ou simplesmente multimáquinas). Mesmo em uma operação isolada que não envolva qualquer fluxo de processo, um trabalhador que fixe e remova produtos em uma máquina enquanto outra esteja funcionando automaticamente continua sendo um eficiente método para reduzir os custos.

Podemos concluir dizendo que se deve procurar continuamente maneiras de empregar as operações multimáquinas ou multiprocessos, dependendo da natureza das operações envolvidas.

A Tabela 8 compara as vantagens e desvantagens das operações multimáquinas e multiprocessos.

Autonomação: Automação com Toque Humano

Frequentemente, tem-se afirmado que a autonomação (ou automação com toque humano) é um dos aspectos que distinguem o Sistema Toyota de Produção, mas eu não concordo com essa afirmação. O Sistema Toyota de Produção tem duas características básicas:

- Produção com estoque zero
- Reduções do custo de mão de obra

A autonomação é um dos muitos meios disponíveis para atingir as reduções do custo de mão de obra. Defendo, no entanto, que a autonomação deve ser vista como o principal meio para o atingimento desse fim.

Muitas das funções executadas manualmente pelo homem foram, com sucesso, transferidas para as máquinas. Temos visto uma evolução gradual, desde a mecanização das operações essenciais (processamento ou usinagem) até a mecanização das operações auxiliares (fixação e remoção de peças nas máquinas ou operação de interruptores). Contudo, não importa até onde pode chegar esse processo, pois tais esforços jamais serão mais do que a mecanização das funções da mão humana.

Tabela 8. Prós e contras das Operações Multimáquina e Multiprocessos.

Questões	Vantagem				Desvantagem		
Categoria	Os tempos de processamento automático podem ser usados?	As esperas resultantes da variabilidade dos tempos de processamento podem ser absorvidos	A estocagem fluxo entre processos?	Velocidade do fluxo entre processos?	As taxas de operação das máquinas caem?	Existem perdas devido ao deslocamento dos operários entre processos?	Aumento da produtividade
Operações multimáquinas	sim	possivelmente sim	sim	normal	sim	sim	30-50%
Operações multiprocessos	sim	em grande parte	sim	aumenta	sim	sim	50-100%

Em comparação, o Sistema Toyota de Produção desenvolveu muito cedo máquinas com inteligência humana ou com a capacidade de detectar situações anormais. Ele é de fato o primeiro tipo de autonomação digno do nome.

O passo dado pela Toyota em direção à autonomação foi, sem dúvida, promovido por Toyoda Sakichi, um homem de grande visão, que já havia inventado um tear que interrompia o funcionamento sempre que se rompesse uma linha.

A introdução de inteligência humana nas máquinas tornou possível a clara separação entre o trabalhador e a máquina. Essa noção, por sua vez, evoluiu até as operações multimáquinas e ajudou a elevar a produtividade humana.

Quando esses avanços são combinados com a mecanização das operações auxiliares, as máquinas tornam-se cada vez mais independentes do homem. Isso é o que levou a reduções jamais vistas nos custos de mão de obra por meio de real autonomação.

Rumo à Pré-automação

A ideia de *pré-automação* data de 1969, quando o Sr. Hachiya, gerente de fabricação da Saga Iron Works, dirigiu-me a seguinte pergunta: "Por que as pessoas têm de ficar ao lado das máquinas se as máquinas são automatizadas?". Por quê? Boa pergunta!

Após alguma reflexão, respondi: "A razão é que as máquinas não têm a inteligência necessária para detectar anormalidades". Éramos capazes de obter operações não supervisionadas, acoplando vários dispositivos às máquinas para detectar anormalidades nas próprias máquinas, assim como nos produtos. Isso eu entendia como sendo a "autonomação" da qual havia ouvido falar em relação ao Sistema Toyota de Produção.

O que distinguia a mecanização da pré-automação, percebi, era o fato de as máquinas ou outros aparelhos terem ou não a capacidade de detectar anormalidades. A pré-automação permite essa capacidade a partir de todo o espectro de operações:

- Operações essenciais (automação de usinagem, processamento, etc.)
- Operações auxiliares (automação da fixação e remoção de peças nas máquinas, operação de interruptores, etc.)
- Folgas operacionais (automação do fornecimento do óleo de corte, remoção de retalhos ou cavacos, etc.)
- Folgas entre as operações (automação do fornecimento de materiais, estocagem do produto, etc.)

Podemos, além disso, fazer a distinção entre dois tipos de funções de detecção de anormalidades:

- Tipo S (detecta as causas das anormalidades)
- Tipo R (detecta os resultados das anormalidades)

Assim, a pré-automação apresenta-se como um sistema coerente. Na verdade, afirmar que a pré-automação se desenvolveu como um sistema baseado na evolução e expansão da ideia da autonomação é uma colocação que tem sua razão de ser. Num futuro próximo, provavelmente veremos a automação (incluindo a detecção de anormalidades) nas trocas de ferramentas.

A Utilização do Sistema TRF

Uma explicação do sistema TRF é mais apropriada na seção onde se discute a respeito das melhorias operacionais (Capítulo 3) porque ele eleva as taxas de operação dos trabalhadores e máquinas de forma significativa.

Ao invés de concentrar-se em taxas de operação mais altas, no entanto, o Sistema Toyota de Produção encara as duas formas de reduzir estoques de produto acabado e estoques entre processos – a produção em pequenos lotes e a resposta rápida a variações na demanda – como o valor maior da TRF. Em consequência disso, optei por explicar o conceito de TRF na seção sobre as melhorias do processo.

O objetivo da TRF é reduzir os tempos de troca ao ponto em que esses sejam efetuados em menos de 10 minutos. O próximo passo é, certamente, reduzir ainda mais esses tempos para menos de 1 minuto, por meio do uso de *setups* em um único toque. Na verdade, poderia citar muitos exemplos nos quais esse estágio já foi atingido.

A ESTRUTURA DA PRODUÇÃO E O SISTEMA TOYOTA DE PRODUÇÃO

O seguinte esquema representa as características básicas do Sistema Toyota de Produção baseado na estrutura da produção:

Características Básicas do Sistema Toyota de Produção

- Visa à redução de custo por meio da eliminação total das perdas
- Elimina a superprodução a partir da noção de não estoque e obtém a redução do custo de mão de obra via utilização mínima da força de

trabalho humana – os dois aspectos da produção nos quais ocorrem a maior parte das perdas
- Reduz drasticamente os ciclos de produção por meio do sistema de TRF para atingir o estoque zero, ao praticar a produção em pequenos lotes, a equalização, a sincronização e os fluxos de peças unitárias
- Pensa a demanda em termos de produção contrapedido. Para que isso seja possível em condições de estoque zero, os problemas são vistos de uma perspectiva baseada nos princípios fundamentais do sistema
- Adere firmemente à ideia de que a quantidade produzida deve ser igual à quantidade demandada

Características do Processo

O Sistema Toyota de Produção vê o processo da seguinte maneira:

1. Processamento – Utiliza ativamente a Engenharia de valor (EV) e a Análise de valor (AV) e faz uso efetivo da divisão do trabalho
2. Inspeção – Realiza inspeções para eliminar defeitos por meio do uso de dispositivos tipo *Poka-yoke*
3. Transporte – Sempre que possível, usa *layouts* das máquinas em função do fluxo de processo visando a abolir o transporte
4. Espera – Persegue inexoravelmente o ideal do estoque zero
   - Elimina as *esperas do processo* via equalização e sincronização; de forma alternativa, faz uso de sistemas de controle total
   - Elimina as *esperas do lote* com fluxos de peças unitárias; isso também requer *layouts* melhorados
5. *Nagara* – Desenvolve o sistema *Nagara* (Capítulo 7)

Características da Operação

1. Preparação e pós-ajuste (operações de troca de ferramenta)
   - Utiliza *setups* TRF, ou *setups* em um único toque
2. Operações principais (operações essenciais e auxiliares)
   - Utiliza operações simultâneas de várias máquinas, especialmente operações multiprocessos
   - Utiliza autonomação
3. Folgas marginais – Implementa força de trabalho mínima por meios, tais como a eliminação de ilhas isoladas de trabalhadores

4. Persegue continuamente o mínimo de força de trabalho, ao invés de economias de mão de obra, porque o objetivo principal é reduzir os custos de mão de obra

Ao mesmo tempo em que desenvolvia essas ideias, o Sistema Toyota de Produção deu dois saltos na forma de pensar a natureza da produção.

Inicialmente, a Toyota abandonou o princípio de custo adotado por muitas fábricas em favor do princípio da subtração dos custos. Com a redução do custo como diretriz principal de administração, a empresa continuou buscando implacavelmente a eliminação do desperdício.

A seguir, a Toyota reconsiderou a velha pressuposição de que a forma ideal de produção é a produção em massa, em grandes lotes, baseada na demanda estimada ao estilo americano. Considerando as características peculiares do mercado japonês, a companhia percebeu que a demanda seria melhor satisfeita a partir do uso da produção contrapedido. Concentrando-se na noção de *estoque zero*, a empresa tratou da questão da produção em pequenos lotes e resolveu uma série de problemas anteriormente insolúveis, na medida em que criava um novo sistema de produção.

Portanto, considerando o exposto, é razoável afirmar que o Sistema Toyota de Produção representa uma revolução na filosofia da produção.

9

A Evolução do Sistema *Kanban*

Além de ser um método de controle, projetado para maximizar o potencial do "Sistema Toyota de Produção", o sistema *Kanban* também é um sistema com suas próprias funções independentes.

No livro O Sistema Toyota de Produção, Taiichi Ohno afirma:

> Os dois pilares do "Sistema Toyota de Produção" são o *just-in-time* e a automação com toque humano, ou autonomação. A ferramenta empregada para operar o sistema é o *Kanban*[*].

Ohno segue argumentando contra a visão simplista de que o Sistema Toyota seja meramente um sistema *Kanban*.

MEU PRIMEIRO ENCONTRO COM O SISTEMA *KANBAN*

Por volta de 1960, visitei a Toyota porque tinha trabalho a fazer no escritório da planta de máquinas. Lá, encontrei-me casualmente com o Sr. Ohno, naquela época gerente de fabricação. Ele manifestou sua vontade de discutir comigo a respeito de um "sistema *Kanban*", que ele pensava pôr em funcionamento. Eu jamais havia ouvido aquele termo antes, de forma que respondi apenas que a ideia parecia extremamente interessante. Contei a ele que tinha experiência no ramo das ferrovias e aquilo que ele estava descrevendo me parecia o chamado "sistema-tabuleta" que utilizávamos.

---

[*] Ohno, T. *O Sistema Toyota de Produção: Além da Produção em Larga Escala,* publicado pela Bookman Editora, 1996.

Quando um trem é operado em uma linha em que, em determinado trecho, a linha é composta de apenas uma via, o maquinista entrega ao agente ferroviário uma "tabuleta" com furos previamente determinados. O agente ferroviário encaixa essa tabuleta sobre as chaves de desvio; assim, de acordo com a disposição dos furos, ele opera apenas aquelas chaves que abrem a seção correta dos trilhos. O agente ferroviário então passa ao maquinista a tabuleta para a próxima seção dos trilhos. Dessa maneira, apenas um trem pode ser operado de cada vez naquela determinada seção da via férrea.

Disse ao Sr. Ohno que o sistema *Kanban* por ele descrito parecia ter a mesma função dessas tabuletas. Senti que essa era uma boa ideia e instei-o a experimentá-la.

Quando nos despedimos, ele comentou que os seus trabalhadores do chão de fábrica produziam em excesso. Sua observação permaneceu comigo; até hoje acredito que o verdadeiro objetivo do sistema *Kanban* é tratar exatamente desse problema.

DESENVOLVIMENTO DO MÉTODO DO PONTO DE PEDIDO

A Relação entre Ponto de Pedido e Estoque

Entre as técnicas de controle disponíveis para execução de produção temos o método do ponto de pedido, ponto de reposição ou ponto de encomenda. Nesta seção, o método do ponto de pedido é explicado com detalhe, referindo-se à Tabela 9. Consulte a Tabela ao estudar os cálculos:

$ⓐ$ = quantidade diária consumida
P = o ciclo de produção para as peças a serem fornecidas
α = a quantidade mínima estocada
Q = o tamanho de um lote de produção de peças a ser fornecido

O ponto de pedido (PP), ou seja, a quantidade na qual se deve realizar o pedido por peças, é determinado pela fórmula:

$$P.P. = ⓐ \times P + \alpha^*$$

---

* N. de T.: O raciocínio do ponto de pedido é válido tanto do ponto de vista da fabricação quanto do ponto de vista do processo de compra.

Os elementos da fórmula do ponto de pedido estão assim definidos:

1. ⓐ = quantidade diária consumida. Esse valor é determinado pelas tendências da demanda e idealmente deve ser balanceado tanto quanto possível.

2. P = ciclo de produção para as peças a serem fornecidas*. Esse não é simplesmente o tempo requerido para produzir as peças; inclui também as esperas e o transporte. O transporte deve ser reconhecido como um importante fator quando as peças vêm de fornecedores distantes.
   Uma variação significativa pode ser causada pelo método de processamento, a partir dos seguintes pontos:
   • Os lotes de processamento individuais são grandes ou pequenos?
   • Quanto tempo duram as esperas de processo?
   • Os processos estão bem sincronizados?
   • Qual o tamanho dos lotes de transferência que são usados entre processos? São utilizados fluxos de peças unitárias?
   • Quanto tempo é empregado no transporte?

3. α = Quantidade mínima na estocagem. Esse estoque funciona como uma válvula de segurança no caso de rupturas imprevistas na produção:

   • Amortece as flutuações no consumo de peças e, principalmente, previne a falta de peças quando o consumo aumenta.
   • Funciona como um amortecedor quando as entregas estão atrasadas devido a quebras de máquinas, ausências de trabalhadores, defeitos ou qualquer outro problema imprevisto que venha a ocorrer na planta do fornecedor.

4. Q = Tamanho de um lote de produção de peças a serem fornecidas. Geralmente, o tempo necessário para trocas de ferramentas é o maior fator de controle neste caso. Tempos de *setup* mais curtos, pelo contrário, possibilitam que os lotes sejam menores.

A frequência dos pedidos diminui quando o tamanho do lote aumenta; da mesma forma, lotes pequenos significam pedidos mais frequentes.

---
* N. de T.: Na literatura de produção o ciclo de produção ou de compra é usualmente denominado de tempo de reposição.

O tamanho dos lotes de produção exercem significativa influência no tamanho dos estoques.

Visto de outro modo, reduzir o ciclo de produção, ou as quantidades mínimas estocadas, devido ao fato de que a quantidade do lote de compra ou fabricação deve ser maior ou igual à quantidade de ressuprimento, pode tornar possível diminuir o limite inferior do tamanho do lote de compra ou fabricação. (Se Q ⊓ PP, então, diminuir P ou α irá diminuir Q.)

São as inter-relações entre ponto de pedido, estoque máximo e número de paletes (em um lote de ressuprimento) que determinam o grau de eficiência da produção. Elas são discutidas nos sete casos a seguir, cada um dos quais representando uma melhoria no uso do método do ponto de pedido (Tabela 9 e Figura 33).

Primeiro Caso

Nesse caso, é realizado controle de produção comum. A relação entre os três elementos é mostrada abaixo:

Ponto de Pedido	2.000 peças
Estoque máximo	5.500 peças
Número de paletes	110 (50 por palete)

Segundo Caso

O método utilizado no primeiro caso é agora aprimorado, segundo alguma sincronização entre processos. Como resultado, o ciclo de produção (P) é reduzido para 12 dias.

Ponto de pedido	1.700 peças
Estoque máximo	5.500 peças
Número de paletes	110

A única mudança, então, é a diminuição do ponto de pedido. O estoque máximo e o número de paletes mantêm-se os mesmos do primeiro caso.

Terceiro Caso

Melhorias na troca de ferramentas reduziram o tamanho dos lotes de peças para 1/5 do valor anterior, reduzindo o ciclo de produção de ressuprimento.

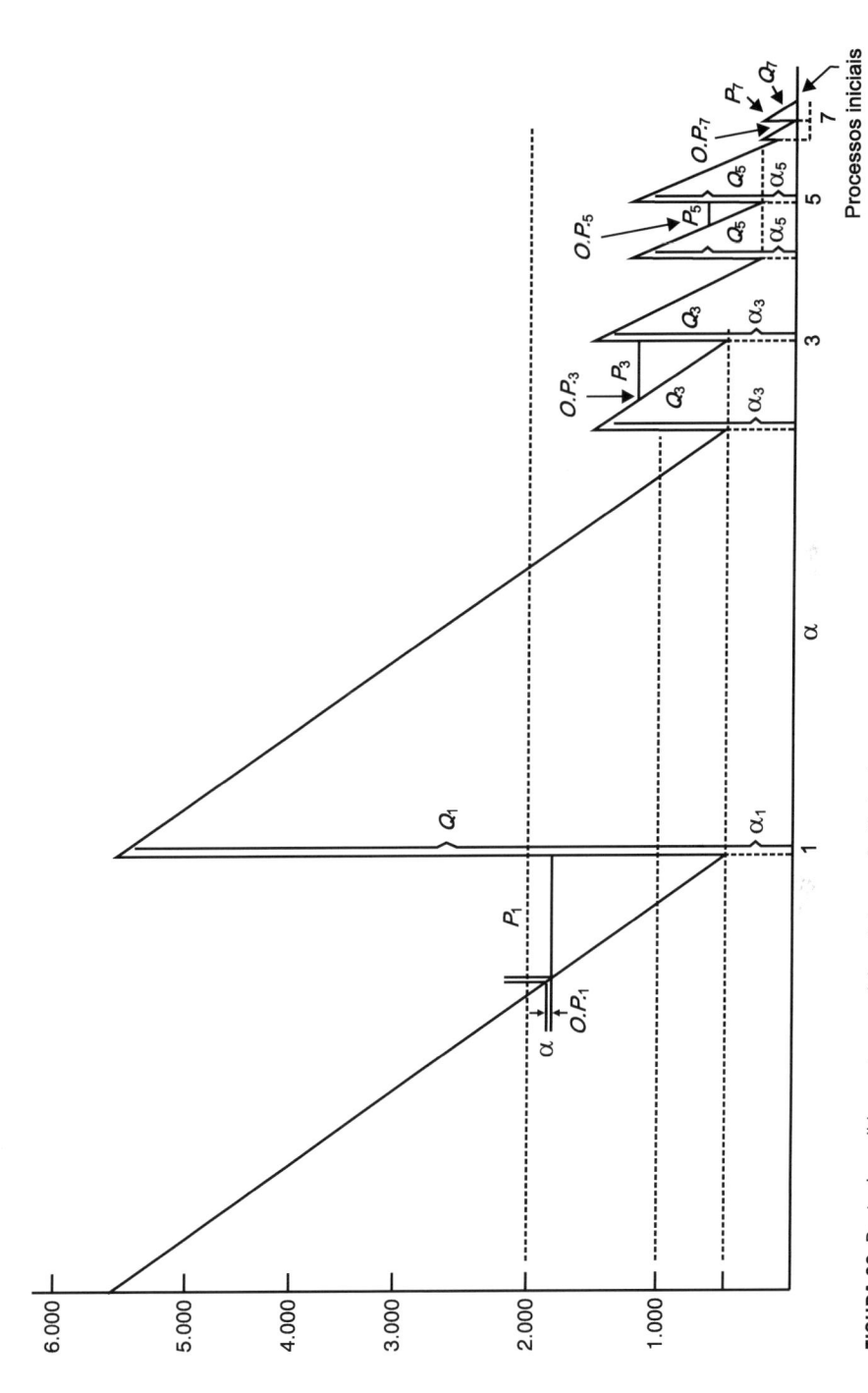

FIGURA 33. Ponto de pedido e estoque máximo (número de *Kanban*)

TABELA 9. Evolução de um Sistema de Ponto de Pedido

Estágio	Sistema de produção	Consumo diário* ⓐ	Ciclo de produção para peças fornecidas (P)	ⓐ × P	Estocagem mínima	Ponto de pedido ⓐ × P + α	Tamanho do lote de compra** (Q)	Estocagem máxima (Q) + α	Número de paletes @ 50 peças/ palete (n)
1	Sistema convencional	100	15	1.500	500	2.000	5.000	5.500	110
2	Melhoria na eliminação das esperas de processo reduzem o ciclo de produção (sincronização)	100	12	1.200	500	1.700	5.000	5.500	110
3	Melhorias nas trocas de ferramentas diminuem os tamanhos de lote de compra (e reduzem ciclos de produção)	100	6	600	500	1.100	1.000	1.500	30
4	Melhorias na eliminação das esperas de lote reduzem o ciclo de produção (fluxos de peças unitárias)	100	3	300	500	800	1.000	1.500	30

TABELA 9. Evolução de um Sistema de Ponto de Pedido *(continuação)*

Estágio	Sistema de produção	Consumo diário* ⓐ	Ciclo de produção para peças fornecidas (P)	ⓐ × P	Estocagem mínima	Ponto de pedido ⓐ × P + α	Tamanho do lote de compra** (Q)	Estocagem máxima (Q) + α	Número de palets @ 50 peças/palete (n)
5	Minimizar estoques pela análise das instabilidades da produção	100	3	300	200	500	1.000	1.200	24
6	Melhorias secundárias completas na troca de ferramentas fazem redução adicional dos tamanhos de lote de compra	100	2	200	200	400	400	600	12
7	Abolir valores mínimos de estoque	100	1	100	0	100	200	200	4

* Para permitir uma visão clara das melhorias alcançadas, assume-se um valor de consumo diário padrão de 100 peças para cada estágio.
** Devido ao fato de que tamanhos diferentes de lote de compra alteram a duração do ciclo de produção, mas o transporte e a estocagem entre processos não necessariamente se ajustariam à taxa de redução da quantidade por lote, os dados usados foram tirados de casos reais.

Ponto de Pedido   1.100 peças
Estoque máximo   1.500 peças
Número de paletes   30

A redução dos lotes de compra individuais com as melhorias na troca de ferramentas provocou um impacto extraordinário nas quantidades em estoque. O ponto de pedido cai um pouco, mas o efeito sobre ele não é tão forte.

Quarto Caso

Melhorias no *layout* permitem a adoção de fluxos de peças unitárias e reduzem as esperas de lote. Como resultado, o ciclo de produção encolhe radicalmente e o ponto de pedido cai.

Ponto de pedido   800 peças
Estoque máximo   1.500 peças
Número de paletes   30

Assim, o ponto de pedido cai mas não há mudança no tamanho dos estoques.

Quinto Caso

Um estoque mínimo será estabelecido a partir da diminuição da instabilidade* da produção (causada por ausências de trabalhadores, quebras de máquinas, defeitos nos produtos, etc.) e das flutuações no tamanho da demanda. Vários estudos mostraram que não há necessidade de manter grandes estoques; portanto, as quantidades em estoque são cortadas ao mínimo necessário para a situação de controle vigente. Os tamanhos de lote de suprimento, contudo, permanecem os mesmos do quarto caso.

Ponto de pedido   500 peças
Estoque máximo   1.200 peças
Número de paletes   24

Essa medida diminui um pouco o estoque e, ao mesmo tempo, reduz, proporcionalmente, o ponto de pedido.

---

* N. de T.: Em linguagem mais genérica pode-se dizer que essas instabilidades da produção correspondem ao que é usualmente denominado de variabilidade dos sistemas produtivos.

Sexto Caso

Uma segunda rodada de melhorias na troca de ferramentas reduz consideravelmente os tempos de *setup* e diminui os tamanhos de lote de suprimento, substancialmente. Disso resulta uma redução significativa no estoque máximo. Além disso, a produção em lotes pequenos reduz os ciclos de produção e o ponto de pedido cai na mesma proporção.

Ponto de pedido	400 peças
Estoque máximo	600 peças
Número de paletes	12

Nesse caso, embora seja possível diminuir ainda mais os tamanhos dos lotes de suprimento, essa redução é limitada porque os tamanhos de lotes de suprimento não podem ficar abaixo do ponto de pedido.

Sétimo Caso

O estoque α é eliminado e as instabilidades da produção são tratadas em rígida conformidade com as medidas preventivas. Isso leva a uma grande redução nas quebras de máquinas e defeitos nos produtos. Um ponto de pedido mais baixo minimiza o tamanho dos lotes de compra no geral. Isso, por sua vez, possibilita reduzir ainda mais os lotes de compra ou fabricação individuais.

Ponto de pedido	100 peças
Estoque máximo	200 peças
Número de paletes	4

Por conseguinte, como vimos, o tamanho do lote de compra deve ser maior que o ponto de pedido. A diminuição dos tamanhos de lote de compra reduz o ciclo de produção e isso, necessariamente, baixa o ponto de pedido. O ciclo de inter-relações recomeça, porque esses fatores possibilitam tornar os tamanhos de lotes de compra ainda menores. Desse modo, as implicações para o processo são:

- Melhorias na troca de ferramentas reduzem o tamanho dos lotes de fabricação
- O resultado é um ciclo de produção menor
- Isso provoca a queda do ponto de pedido
- O que possibilita diminuir ainda mais os lotes de fabricação

Assim, a ação que dá início a esse ciclo de crescimento é o aprimoramento das trocas de ferramentas.

Além disso, baixar os estoques mínimos irá reduzir o tamanho dos lotes de suprimento, assim como afetar fortemente as quantidades globais de estoque.

A produção em lotes pequenos, por outro lado, é problemática porque ela aumenta a frequência do transporte. Estratégias apropriadas (como melhorias de *layout*) devem ser desenvolvidas para tratar da questão.

Tenho a impressão que muitos acreditam que reduzir o ciclo de produção (tempo de atravessamento) é uma medida efetiva para reduzir o estoque máximo. Na verdade, embora isso realmente acarrete no abaixamento do ponto de pedido, essa medida não tem qualquer relação direta com as reduções no estoque máximo. No entanto, ela determina o menor limite para os tamanhos de lote de suprimento e permite reduções até aquele limite e, por isso, pode ter um efeito indireto na redução dos estoques a valores mínimos. Por conseguinte, devemos deixar claro que há dois fatores que afetam diretamente os níveis máximos de estoque:

- Reduções no tamanho do lote, resultantes das melhorias na troca de ferramentas
- Reduções no estoque mínimo, mantidas para lidar com a instabilidade na produção

O Impacto de Mudanças no Consumo

Para que a discussão desses sete casos seja de mais fácil compreensão, mantive a quantidade diária consumida (ⓐ), constante. Sob condições reais de manufatura, evidentemente, esse valor também flutua. Precisamos considerar dois tipos de casos:

Flutuações antes que o Ponto de Pedido Seja Atingido

Quando o consumo aumenta. Nesse caso, o ponto de pedido é atingido antes do previsto. Se a situação persistir, o tempo entre dois pontos de pedido se torna menor. Em tal situação, o estoque mínimo (α) funciona como um amortecedor e, embora o tamanho do ponto de pedido tenha algum efeito, aumentos de até cerca de 30% podem ser administrados com o aumento na frequência do pedido. Obviamente, a capacidade teria de ser aumentada via horas extras e outras ações devem ser tomadas para melhorar a performance nesse período.

Quando o consumo cai. Nessa situação, chega-se ao ponto de pedido mais tarde que o previsto. Se a situação persistir, o tempo entre os dois pedidos se torna maior. Isso significa manter estoques por muito tempo.

Aumentos no estoque anulam o efeito amortecedor do estoque mínimo (α).

Essa situação envolve um ligeiro excedente de capacidade, de forma que será problemático fazer uso efetivo da força de trabalho e das horas de mão de obra.

Aumento das Flutuações Depois do Ponto de Pedido

Aqui, as flutuações no consumo podem exercer influência considerável.

Quando o consumo aumenta. Uma maneira de tratar das flutuações que surgem depois que os pedidos tenham sido feitos é reduzir o ciclo de produção. Se isso for possível, tudo bem. Mas existe muito mais probabilidade de surgirem problemas quando os ciclos de produção têm sua duração usual ou mesmo mais longa. Em tais casos, pode ser possível que um grande estoque absorva essas flutuações. Como salientado anteriormente, isso resultaria em estoques maiores e a geração de perdas adicionais.

Por outro lado, os efeitos do maior consumo são sentidos muito rapidamente, quando o ponto de pedido é baixo, de forma que a redução do ciclo da produção ampliaria a flexibilidade e até certo ponto atenuaria esses efeitos.

Nesse sentido, reduzir o ciclo de produção, ou reduzir o tempo de atravessamento, podem ser medidas extremamente eficazes para contrapor-se às flutuações na produção.

Quando o consumo cai. Nesse caso, o tempo que os produtos ficam em estoque aumentará, mas as perdas podem ser mantidas em níveis baixos por meio da redução dos tempos de atravessamento.

Entretanto, como já explicado, uma maneira efetiva de reduzir o estoque máximo é diminuir:

- O tamanho do lote de suprimento (Q)
- O estoque mínimo (α)

Com relação ao estoque mínimo, uma política de prevenção de quedas na capacidade é necessária devido a:

- Ausências de trabalhadores e falhas na máquina
- Surgimento de defeitos

Um outro método considera os fatores de fornecimento e demanda separadamente: problemas de *fornecimento* são resolvidos com a paralisação da linha pelo lado da demanda e tomada de medidas para prevenir qualquer retorno da instabilidade pelo lado do fornecimento.

As técnicas seguintes podem ser usadas para diminuir o tamanho dos lotes de suprimento:

- Trocas Rápidas de Ferramentas (TRF) para reduzir drasticamente tempos de *setup* e facilitar a produção em lotes pequenos
- A produção em lotes pequenos, equalização, sincronização e operações de fluxo de peças unitárias para efetivar reduções acentuadas no ciclo de produção. Feito isso, para baixar o ponto de pedido basta baixar o limite inferior dos tamanhos dos lotes de suprimento

A redução dos tempos de atravessamento apenas baixa o limite inferior dos tamanhos de lote de compra ou de fabricação a partir de uma queda no ponto de pedido; portanto, todo esforço deve ser feito para progressivamente melhorar a produção com a redução dos tempos de troca. Até que isso aconteça, existe sempre a ameaça de que as taxas de operação sejam mais baixas e ocorram atrasos de entrega, entre outros problemas. Isso significa que a adoção do sistema TRF é a principal medida na direção de um sistema de produção com estoque zero.

O Sistema Toyota de Produção emprega o método do ponto de pedido para levar a produção até o sétimo caso acima e realiza profundas melhorias em cada elemento da produção para minimizar estoques. O Kanban é essencialmente um meio de controle visual usado para manter o sistema funcionando.

SUPERMERCADOS E O SISTEMA *KANBAN*

É dito que o sistema *Kanban* foi inspirado pelo sistema do supermercado. Os supermercados têm várias características que também são evidentes no sistema *Kanban*:

1. Os consumidores escolhem diretamente as mercadorias e compram as suas favoritas.
2. O trabalho dos empregados é menor, pois os próprios consumidores levam suas compras às caixas registradoras.
3. Em vez de utilizar um sistema de reabastecimento estimado, o estabelecimento repõe somente o que foi vendido, reduzindo, dessa forma, os estoques.

Os itens 2 e 3 permitem baixar os preços; as vendas sobem e os lucros crescem.

A principal característica adotada pelo sistema *Kanban* é a terceira: em vez de utilizar um sistema de reabastecimento estimado, a loja repõe somente o que foi vendido, reduzindo, assim, os estoques.

Isso pode também ser chamado de "pedido de substituição". Somente aqueles itens que foram vendidos são reabastecidos. Não obstante, há alguma garantia de que o que foi vendido hoje será vendido amanhã? O que temos, na minha opinião, é não mais do que uma alta probabilidade de que itens que foram populares e venderam hoje irão também vender amanhã.

Em última análise, é nosso desejo acabar com os estoques de produtos acabados, buscando produzir somente em resposta aos pedidos. Dessa forma, os únicos itens produzidos são aqueles que irão vender. O melhor método, então, seria ir à procura de encomendas antecipadas e vender apenas o que for pedido. No entanto, isso seria muito dispendioso, e, por isso, foi adotada a lógica do supermercado. O problema foi discutido a partir da relação entre o prazo de entrega (E) e o ciclo de produção (P).

Novamente, apenas o que o consumidor adquiriu é reabastecido; os pedidos percorrem a cadeia de processos, do final ao início, de um processo a outro: "(cliente) ▯ produtor primário (cliente) ▯ produtor secundário (cliente) ▯ terceiro produtor". O resultado natural é um sistema de produção "puxar". Mas ao invés de discutir a questão trivial sobre se os sistemas são de "puxar" ou "empurrar", o Sistema Toyota de Produção pode ser melhor entendido quando seus conceitos fundamentais são explicados e, então, percebe-se que um sistema de "puxar" é o mais apropriado.

Como vimos no exemplo da produção do Celica, apresentado no Capítulo 6, a situação mais desejável para os fabricantes seria aquela em que seus clientes tolerassem uma espera razoavelmente longa, desde a data do pedido até a entrega – após passar pela produção e distribuição. No entanto, essa situação não corresponde à realidade, pois as pessoas querem ver seus desejos realizados rapidamente.

O *KANBAN* E O SISTEMA *KANBAN*

As funções do *Kanban* e do sistema *Kanban* são confundidas com frequência. Um exame mais detalhado dos dois estabelecerá mais claramente as diferenças.

Funções Gerais do *Kanban*

No controle de processo comum, três rótulos cumprem as principais funções do sistema:

- Etiqueta de identificação – indica o que é o produto
- Etiqueta de instrução da tarefa – indica o que deve ser feito, em quanto tempo e em que quantidades
- Etiqueta de transferência – indica de onde e para onde o item deve ser transportado

Os *Kanban* usados no Sistema Toyota de Produção são similares àquele mostrado na Figura 34, e as funções que eles desempenham são exatamente aquelas enumeradas acima. Duas etiquetas são usadas:

- *Kanban* de produção – serve como etiqueta de identificação e de instrução de tarefa
- *Kanban* de movimentação – serve como etiqueta de identificação e de transferência

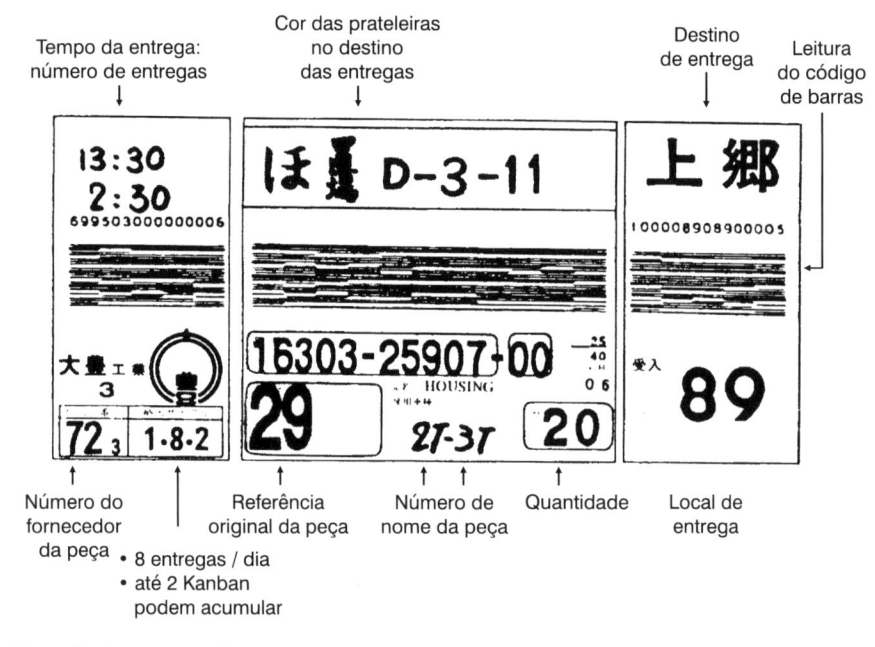

Figura 34. *Kanban* (para fornecedor de componentes).

A natureza repetitiva da produção de automóveis desenvolveu dois aspectos característicos – aspectos verdadeiramente próprios de um sistema *Kanban*:

- Os *Kanban* são usados repetidamente.
- O número de *Kanban* está restrito a limitar fluxos de produto, eliminar perdas e manter o estoque a um nível mínimo.

O próprio *Kanban* detém a função de instrução da tarefa, de forma que, em uma produção não repetitiva, ele serve simplesmente para fornecer instruções de tarefa e transferência. Nesse segundo tipo de produção, no entanto, o *Kanban* deve ser retirado da área de produção após a conclusão da produção.

Quantos *Kanban*?

A questão de quantos *Kanban* usar é uma questão básica ao administrar um sistema *Kanban*. A resposta corresponde ao número de paletes no sistema do ponto de pedido descrito anteriormente. Assim, o número de *Kanban* pode ser calculado da seguinte maneira:

$$\text{número de } Kanban \text{ (N)} = \frac{\text{estoque máximo } (Q + \alpha)}{\text{capacidade de 1 palete } (n)}$$

No Sistema Toyota de Produção, a determinação de N está muito longe de ser tão importante quanto o aperfeiçoamento do sistema de produção para *minimizar* N. Em outras palavras:

- Executar a produção em lotes extremamente pequenos e minimizar o tamanho de cada lote de produção (Q) a partir da redução total dos tempos de *setup*
- Utilizar essas medidas para reduzir os tempos de atravessamento ao mínimo
- Eliminar os estoques mínimos (α) que são mantidos como segurança contra a instabilidade na produção

O significado desse processo é duplo. Em primeiro lugar, ele baseia-se no emprego das medidas acima para baixar o ponto de pedido e o limite inferior de Q; em segundo lugar, baseia-se na redução do número de *Kanban* (N) pelo uso de menores tempos de *setup* para baixar o valor absoluto de Q.

Tempos curtos de trocas de ferramentas fazem com que seja possível responder rapidamente a mudanças. Além disso, um ciclo de produção curto permite que se consiga operar com um mínimo de *Kanban* já que informações confiáveis sobre mudanças estarão facilmente acessíveis e o sistema pode responder prontamente.

A esse respeito, o processo de melhoria descrito nos sete casos, na seção sobre o método do ponto de pedido, deve estar perfeitamente entendido.

Além disso, enquanto um ponto de pedido baixo determinaria o limite mínimo do tamanho do lote de compra (Q), o ponto de pedido é bastante afetado pelo ciclo de produção (P).

A relação entre E (prazo de entrega) e P (ciclo de produção) é também relevante no sistema *Kanban*.

1. Prazo de entrega – Quanto consomem os processos de montagem e em que quantidade de tempo?
2. Ciclo de produção – O ciclo de produção deve ser compreendido para incluir:
   - O tempo necessário para enviar o *Kanban* de movimentação ao processo precedente após a remoção do *Kanban*
   - O lapso de tempo após a troca do *Kanban* de movimentação por *Kanban* de produção até que o processamento seja iniciado
   - O tempo necessário para produzir os lotes de fabricação
   - O tempo necessário para estocar o lote a ser processado
   - O tempo necessário para transportar os itens processados até a linha de montagem

O transporte em pequenos lotes do *Kanban* e dos produtos tende a tomar uma considerável parcela do tempo total de processamento, e há necessidade de medidas que tratem o problema. Isso é especialmente importante quando o processamento é realizado fora da empresa.

Com relação a esse ponto, a Toyota Motors tem uma vantagem: as plantas de seus fornecedores e as suas próprias estão todas localizadas na região ao redor de *Toyota City*.

As questões seguintes devem ser respondidas quando da determinação do número de *Kanban* a ser utilizado:

- Quantos produtos podem ser carregados em uma palete?
- Quantos lotes de transferência são necessários dada a frequência relativa de transporte?
- O transporte será dedicado a um produto único ou será utilizado transporte misto?

Como Circulam os *Kanban*

Para minimizar os estoques de bens acabados, o Sistema Toyota de Produção está basicamente orientado rumo à produção contrapedido. Por essa razão é utilizado um sistema de puxar, no qual os processos se sucedem;

os posteriores alimentam-se dos itens de que necessitam, a partir dos anteriores. Assim, o fluxo dos *Kanban* tem a forma mostrada na Figura 35.

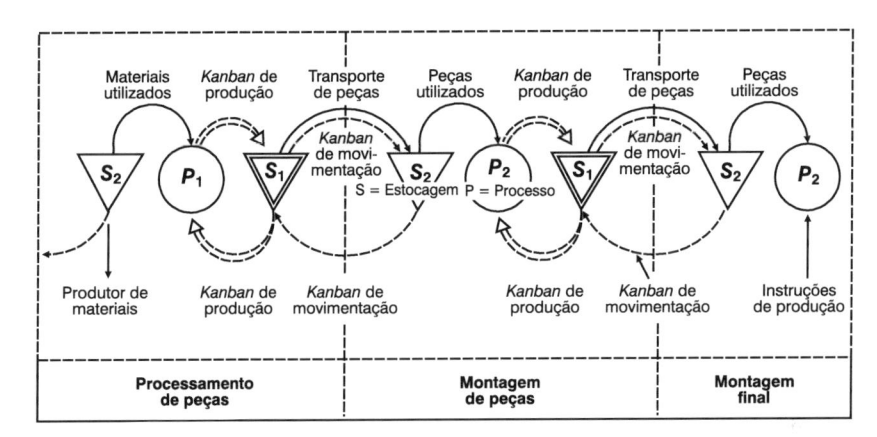

Figura 35. Como circulam os *Kanban*.

1. Quando as peças ao lado da linha de montagem são usadas pela primeira vez, um *Kanban* de movimentação é removido e colocado em um local específico.
2. Um trabalhador leva esse *Kanban* de movimentação ao processo precedente para apanhar itens processados. Ele retira um *Kanban* de produção da palete e coloca-o em um local determinado. O *Kanban* de movimentação é colocado na palete e esse é transportada até a linha.
3. O *Kanban* de produção retirado da palete no processo anterior serve como etiqueta de instrução de tarefa para que se execute o processamento dos itens semiprocessados, alimentados pelo processo imediatamente precedente.
4. Quando isso acontece, a etiqueta de estoque intermediário do processo anterior ao precedente é retirada e substituída por um *Kanban* de movimentação.

Assim, uma reação em cadeia de trocas de *Kanban* de movimentação e de produção desenvolve-se no sentido inverso da sequência de processamento. Com esse sistema, somente no final da linha de montagem, uma mudança de planos precisará ser indicada. A notícia dessa mudança correrá automática, simples e confiavelmente aos processos a montante.

Esse arranjo tem a vantagem adicional de simplificar o trabalho administrativo.

Quando na produção contrapedido ocorrerem flutuações na demanda, as instruções são dadas somente no processo final e atravessam os processos anteriores, fácil e claramente. De modo inverso, quando as instruções são dadas em cada processo, alguns podem sofrer atrasos ou uma produção por projeção pode gerar estoque desnecessário. O sistema *Kanban* previne esse tipo de desperdício.

O Sistema Toyota de Produção objetiva minimizar a geração de estoques intermediários, assim como de bens acabados. Por essa razão, ele requer produção com lotes pequenos, com numerosas entregas e transporte frequente. As etiquetas de tarefa e de transferência do controle convencional de processo não são utilizadas. Em vez disso, os tempos e locais de entregas são especificados detalhadamente. O sistema é estabelecido da seguinte maneira:

- As entregas acontecem várias vezes ao dia.
- Pontos físicos de entrega são especificados com detalhe para evitar a colocação de peças em área de armazenagem e depois ter de procurá-las para retornar à linha.
- O espaço disponível para estocar itens entregues é limitado de forma a impossibilitar a geração de estoque em excesso.

O movimento dos *Kanban* regula o movimento dos produtos. Ao mesmo tempo, o número de *Kanban* restringe o número de produtos em circulação. Assim, uma condição decisiva para o sistema expressa-se na frase "o *Kanban* deve sempre se deslocar com os produtos". A grande importância dada ao problema de cartões *Kanban* perdidos deve ser compreendida dentro desse contexto.

Ao processar muitos e diferentes tipos de peças, é extremamente importante, para que o estoque seja mantido a um mínimo, que o processamento seja iniciado com as peças cujos *Kanban* circularam rapidamente e, então, prosseguir em ordem.

Circulação do *Kanban* e o Ponto de Pedido

A circulação do *Kanban* dos processos finais aos iniciais será determinada, por sua vez, pela relação entre o ponto de pedido e o tamanho dos lotes de suprimento da produção. Considerando estas duas situações (Figura 36):

Quando o ponto de pedido e o tamanho do lote de suprimento são iguais. Nesse caso, o ponto de pedido já foi atingido quando o *Kanban* chega, de modo que a produção deve ser iniciada imediatamente. No Sistema Toyota de Produção, em que o chamado "estoque mínimo" (α) foi eliminado, podem vir a faltar peças na linha de montagem se houver algum atraso para o início da produção.

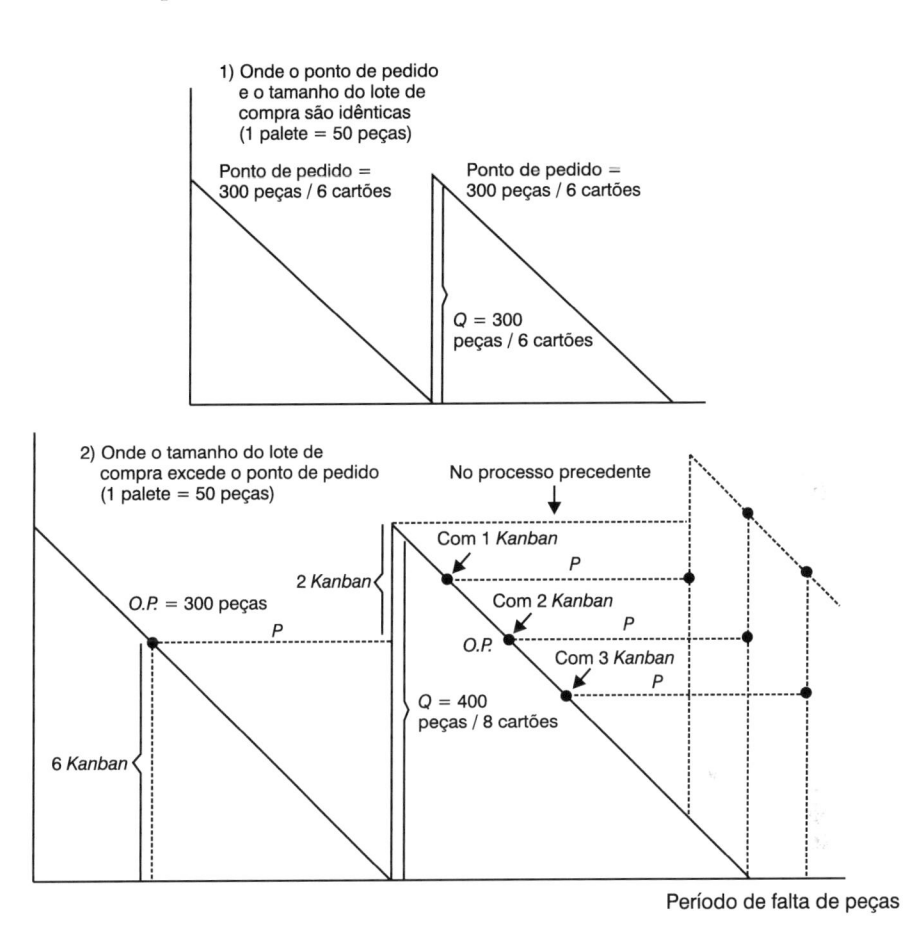

1) Onde o ponto de pedido e o tamanho do lote de compra são idênticas (1 palete = 50 peças)

Ponto de pedido = 300 peças / 6 cartões

Ponto de pedido = 300 peças / 6 cartões

Q = 300 peças / 6 cartões

2) Onde o tamanho do lote de compra excede o ponto de pedido (1 palete = 50 peças)

O.P. = 300 peças

2 Kanban

6 Kanban

No processo precedente

Com 1 Kanban
P

Com 2 Kanban
O.P.

Com 3 Kanban
P

Q = 400 peças / 8 cartões

Período de falta de peças

1. Supondo que 1 Kanban indique a produção de 800 peças (Q). Quando a produção para, no processo precedente, um Kanban permanece na linha de montagem e a frequência total dos fluxos aumenta. A situação não muda, se somente as 50 peças correspondentes a um único Kanban são produzidas.
2. Supondo que 2 Kanbans indiquem a produção de 800 peças (Q). As peças seriam entregues assim que o estoque se esgotasse na linha de montagem.
3. Supondo que a produção de 800 peças (Q) não comece no processo precedente até que 3 Kanbans se acumulem. Faltarão peças na linha de montagem quando a produção for feita de acordo com o ciclo usual de produção P.
4. Ao implementar na prática o sistema Kanban, é extremamente importante levar em consideração a relação apropriada entre o ponto de pedido e o tamanho do lote de suprimentos (Q).

Figura 36. Casos onde o Kanban acumula nos processos a montante.

Quando o tamanho do lote de suprimento excede o ponto de pedido. Supondo que um único palete contenha 50 peças e as condições são as seguintes:

- Ponto de pedido – 300 peças (6 *Kanbans*)
- Tamanho do lote de suprimento – 400 peças (8 *Kanbans*)

Obtemos então:

- Se *um Kanban* para no processo precedente, há ainda 7 *Kanbans* (8-1) e 350 peças (50x7) no processo subsequente. Esse valor é maior que o ponto de pedido de 300, de modo que não há qualquer motivo especial para iniciar a produção imediatamente.
- Se *dois Kanbans* acumulam no processo precedente, há 6 *Kanbans* (8-2) e 300 peças (50x6) no processo subsequente. Isso significa que há um número de peças igual ao do ponto de pedido, apenas, de forma que a produção deve começar imediatamente.
- Se *três Kanbans* acumulam no processo precedente, há 5 *Kanbans* (8-3) e apenas 250 peças (50x5) – menos que as 300 do ponto de pedido – no processo subsequente. Em um sistema convencional, o início da produção já estaria atrasado e faltas de peças poderiam ter ocorrido no processo subsequente, de maneira que operações especiais devem ser executadas imediatamente.

Vemos, então, que estabelecer o número de *Kanbans* indiretamente determina o ponto de pedido do processo subsequente, de acordo com o número de *Kanbans* acumulados no processo precedente, o que, por sua vez, possibilita saber o prazo final para iniciar a produção. Consequentemente, o número de *Kanbans* que se permite acumular em um processo a montante deve ser identificado claramente. No exemplo acima, a indicação "1, 8, 2" mostraria que a cada dia (1), haverá 8 entregas e até 2 *Kanbans* podem ser acumulados.

Devemos lembrar, porém, que:

- Tempos longos de *setup* irão significar inevitavelmente lotes maiores se o sistema TRF não tiver sido ainda aplicado.
- Há uma grande probabilidade de que esperas ou outros eventos interfiram na pontualidade do transporte das peças provenientes dos fornecedores.

Assim, parece razoável considerar a manutenção do tamanho do lote de suprimento maior que o ponto de pedido como compensação para tempos de troca e como segurança contra elementos instáveis na produção, uma função desempenhada pelo valor do estoque mínimo determinada pelo sistema do ponto de pedido.

Funções Reguladoras do Sistema *Kanban*

Um sistema *Kanban* ajuda na sintonia fina das flutuações diárias na carga.

Quando as Cargas não Flutuam Diariamente

Nesse caso, fazem-se necessárias a substituição periódica dos novos modelos de carros, novas datas de entrega e novas quantidades. Instruções de produção dadas no final da linha de montagem permitem ao sistema *Kanban* fazer as correções necessárias, automática e facilmente, provendo os processos precedentes de instruções de tarefa. Nesse aspecto, o sistema *Kanban* é bastante conveniente.

Entretanto, é importante lembrar que o sistema *Kanban* não faz nada mais que transmitir a informação fácil e imediata. Ele quase não tem sentido se o sistema de produção em si não tiver sido melhorado a partir da adoção do sistema TRF ou fluxos de peças unitárias. Portanto, a alegação de que um sistema *Kanban* pode fazer ajustes finos deve ser entendida em dois contextos: o do próprio sistema *Kanban* e o de todo o Sistema Toyota de Produção. Uma visão meramente superficial levará a mal-entendidos.

Quando as Cargas Flutuam Diariamente

Embora as cargas possam permanecer iguais um mês após outro, elas podem flutuar no curto prazo. Uma forma de resolver essa questão é elevar a frequência dos pontos de pedido. Um sistema *Kanban* possui a mesma capacidade: aumentar o número de vezes que o *Kanban* circula não significa necessariamente mudar o número de cartões *Kanban*. Mesmo assim, essas flutuações locais de carga podem originar esperas e aumentos de estoque.

Em sistemas de ponto de pedido comuns, o estoque mínimo (α) serve para absorver essas flutuações. Um sistema *Kanban*, porém, não tem esse amortecedor porque o estoque foi eliminado. No sistema *Kanban*, peças semiprocessadas esperando entre processos podem propiciar um efeito amortecedor em lugar do estoque mínimo. Flutuações muito grandes, no entanto, não podem ser absorvidas dessa forma, sendo necessário, para isso, a produção balanceada.

Além disso, se a carga mensal excede as previsões, ou se a produção aumenta de um mês a outro, o número de *Kanban* talvez tenha de ser aumentado. Outras medidas a serem consideradas incluem o aumento da capacidade a partir de horas extras e contratação de trabalhadores temporários.

No caso oposto, quando a carga é menor que o esperado, talvez seja suficiente diminuir a frequência de circulação do *Kanban* e, talvez, não haja necessidade de alterar o número de *Kanban*. Medidas adequadas terão que ser planejadas, quando capacidade excedente for gerada. Quando a diminuição da carga é grande, uma redução no número de *Kanban* terá também que ser considerada.

A experiência nos ensina que flutuações na ordem de 10 a 30% podem ser administradas sem alterar o número de *Kanban* em circulação. A implementação real é o guia mais confiável, e esses valores irão variar de acordo com a natureza da fábrica. Obviamente, todo esforço deve ser feito no sentido de balancear a produção, para que essas flutuações sejam evitadas.

Funções de Melhoria do Sistema *Kanban*

Um sistema *Kanban* promove melhoria sob dois aspectos:

- Os *Kanbans* evidenciam situações anormais, quando eles são retidos por falhas nas máquinas e defeitos nos produtos.
- Uma diminuição gradual no número de *Kanban* leva a reduções no estoque, o que acaba com a função do estoque, relativo ao amortecimento contra a instabilidade da produção. Em consequência disso, destacam-se aqueles processos com capacidade subutilizada e processos, gerando anormalidades, e a descoberta dos principais pontos que necessitam de melhorias torna-se mais simples. A eficiência total pode ser elevada, concentrando-se nos pontos mais fracos.

Como pode ser visto na Figura 37, a metáfora do açude ilustra bem o papel do *Kanban* na redução do estoque: quando o nível da água (estoque) do lago é rebaixado, o ponto mais alto do leito do açude surge à tona. Quando o ponto alto é removido, o açude fica mais fundo e, baixando o nível da água continuamente, todo o fundo, planificado, ficará exposto.

Assim, a redução do número de *Kanbans* é importante não apenas pelo que representa, mas também por possibilitar que se produza com estoque reduzido.

A essência dessa abordagem é a redução do estoque através da redução do número de *Kanban*. O *Kanban* não é nada mais que um meio para atingir um fim.

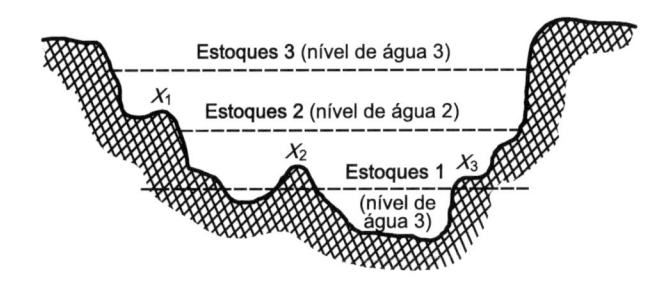

Figura 37. A função de melhoria contínua (Kaizen) do *Kanban*.

Resumo

Os *Kanban* e os sistemas *Kanban* não são nada mais do que um *meio* e sua característica fundamental está na melhoria total e contínua dos sistemas de produção.

Os *Kanban* e os sistemas *Kanban* realmente têm uma grande importância: estabelecem o número de *Kanban* para regular o fluxo de itens globais, mantêm o estoque a um mínimo e proporcionam controle visual, a fim de executar essas funções com precisão.

Os sistemas *Kanban* são extremamente eficientes na simplificação do trabalho administrativo e em dar autonomia ao chão de fábrica, o que possibilita responder a mudanças com maior flexibilidade. Uma das vantagens dos sistemas *Kanban* é que, ao dar instruções no processo final, eles permitem que a informação seja transmitida de forma organizada e rápida.

Os sistemas *Kanban* podem ser aplicados somente em fábricas com produção repetitiva. A natureza repetitiva da produção pode não exercer muita influência, contudo, se houver instabilidades temporais ou quantitativas.

Os sistemas *Kanban* não são aplicáveis em empresas com produção sob projeto não repetitivo, em que os pedidos são infrequentes e imprevisíveis.

O tipo de produção que com maior probabilidade se beneficiaria do *Kanban*, é aquele que utiliza processos comuns de transformação dos materiais.

Levando em consideração somente suas características, o sistema *Kanban* poderia ser aplicado amanhã. Contudo, atrasos, esperas e outras perdas de vulto serão o resultado, se um *Kanban* for simplesmente copiado ou se o número de *Kanban* for reduzido sem que qualquer melhoria profunda tenha sido feita no sistema de produção em si.

Há dois aspectos do sistema *Kanban* que precisam ser diferenciados: por um lado, seus efeitos na melhoria do Sistema Toyota de Produção e, por outro, suas funções inerentes.

10

Algumas Questões Periféricas porém Importantes

O SISTEMA TOYOTA DE PRODUÇÃO: UMA EXPLANAÇÃO

Eliminação dos Sete Tipos de Perda

Este capítulo trata de três questões que, embora parecendo secundárias, são essenciais para o completo entendimento do Sistema Toyota de Produção: as perdas, a extensão do sistema aos fornecedores e o Planejamento das Necessidades de Materiais (MRP).

O Sistema Toyota de Produção identifica sete tipos de perda:

1. Superprodução
2. Espera
3. Transporte
4. Processamento
5. Estoque
6. Desperdício nos movimentos
7. O desperdício na elaboração de produtos defeituosos

Essas diversas perdas não são iguais em *status* ou efeito. Iremos discuti-las com relação à estrutura da produção.

Processos

Processamento. Nesse caso, melhorias voltadas à Engenharia de Valor e à Análise de Valor devem ser realizadas em primeiro lugar. Em vez de tentar fazer com que aumentos da velocidade de corte sejam mais eficientes, por exemplo, devemos perguntar por que fazemos determinado produto e usamos um determinado método de processamento (perda no processamento – perda 4).

Inspeção. As inspeções devem eliminar defeitos mais do que descobri-los. Inspeções 100% são, portanto, mais efetivas do que inspeções por amostragem. Controle na fonte, autoinspeção e verificações sucessivas são extremamente eficazes nesse caso, assim como dispositivos *Poka-yoke* (perda devido à elaboração de produtos defeituosos – perda 7).

Transporte. Os procedimentos de transporte nunca aumentam o valor agregado. Devemos, portanto, começar com a redução da necessidade de transporte a partir da melhoria do *layout* da planta. O próximo passo é tornar os meios de transporte mais racionais (perda no transporte – perda 3).

Espera. Antigamente, o estoque era considerado útil porque a ênfase era colocada na sua função de amortecimento contra instabilidades na produção. Era tolerado porque as trocas de *setup* levavam muito tempo. A adoção do sistema TRF certamente elimina esse problema. Desde o desenvolvimento do sistema TRF, a desculpa para manter estoques porque as trocas de ferramenta demandam muito tempo, não serve mais. Estoques claramente significam desperdício, e as perdas devido ao estoque e o desperdício a ele relacionado são consideráveis. Devemos, portanto, eliminar estoques por meio da eliminação das condições que geram variabilidade.

A equalização e sincronização entre processos pode reduzir ou eliminar as esperas de processo, e operações de fluxo de peças unitárias podem acabar com as esperas de lote. No entanto, como essas medidas aumentam a frequência do transporte, a melhoria do *layout* é uma pré-condição básica para o seu uso.

É dessa forma que podemos atingir o objetivo número 1 do Sistema Toyota de Produção (eliminação da perda por superprodução – perda 1).

Estoque de produto. A relação entre o período do prazo de entrega (E) e o ciclo de produção (P) exerce grande influência nos estoques de produto. Se E é substancialmente maior que P, a produção será dirigida pela especulação, o que torna inevitável o crescimento dos estoques de produto. Todavia, a produção contrapedido não tolera que o prazo de entrega seja muito longo, de forma que o ciclo da produção deve ser reduzido

O Sistema Toyota de Produção **227**

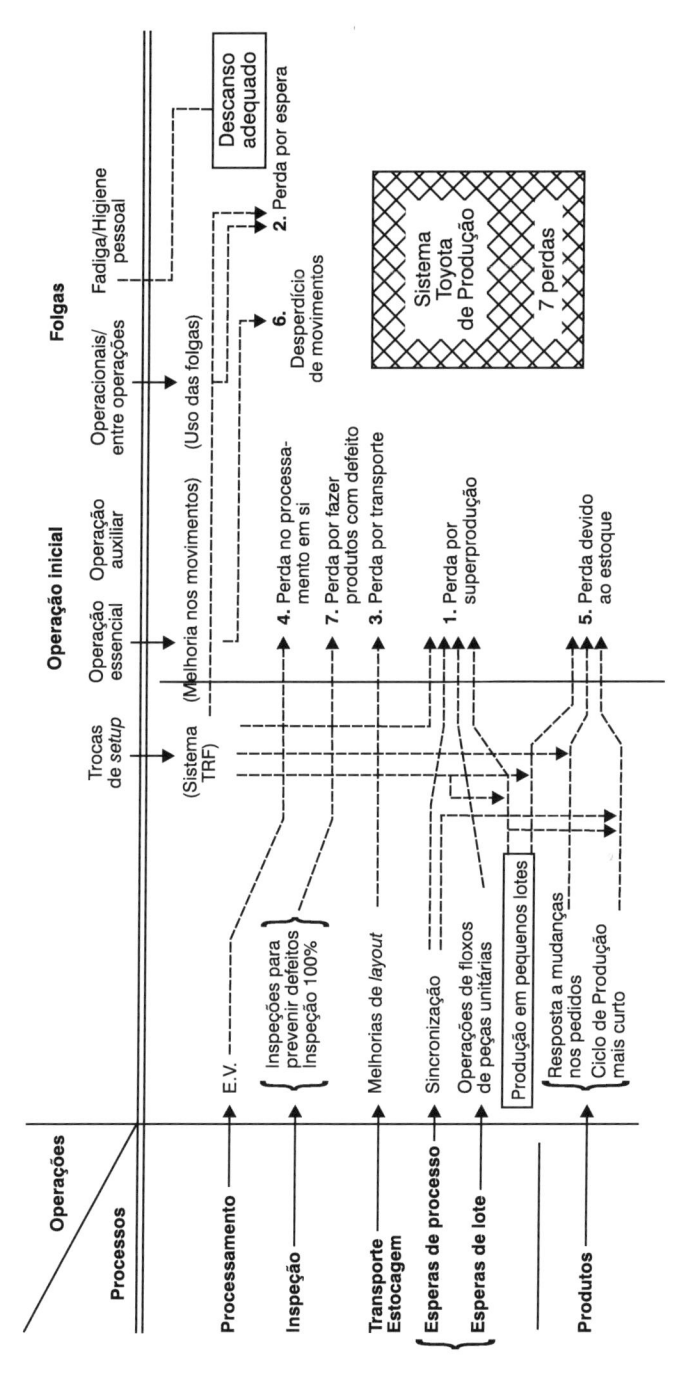

Figura 38. O Sistema Toyota de Produção e os sete tipos de perdas.

drasticamente por meio de equalização, sincronização e fluxos de peças unitárias. A produção em pequenos lotes é outra medida bastante efetiva, mas que só pode ser alcançada a partir do sistema TRF. Essa sequência de ações pode reduzir consideravelmente os estoques de produto (perda pela geração de estoque – perda 5).

Operações

Preparação, pós-ajuste (operações de troca de ferramentas). Tempos muito longos de *setup* diminuem as taxas de produtividade dos operários e de utilização das máquinas. Infelizmente, a necessidade de baixar os custos de mão de obra necessita de produção em grandes lotes, o que, por sua vez, gera estoque desnecessário. Também nesse caso, a melhoria nas trocas de ferramentas pode ter um enorme impacto na eliminação das esperas desnecessárias, assim como na necessidade de produção em grandes lotes (perda por superprodução – perda 1; perda por esperas – perda 2, perda devido ao estoque – perda 5).

Operações principais. Os movimentos dos trabalhadores precisam ser aperfeiçoados ao máximo e deve-se estabelecer operações-padrão mais efetivas. Temos a tendência de ver apenas os aspectos temporais que estão na superfície das operações. Porém, o tempo é meramente um reflexo do movimento e, portanto, devemos direcionar nossos esforços, antes de tudo, ao aprimoramento dos movimentos básicos das operações, em vez de realizar precipitadamente melhorias nos equipamentos. Quando os equipamentos são aperfeiçoados antes das melhorias nos movimentos básicos das operações, o resultado, frequentemente, é a mera mecanização de operações geradoras de desperdício.

As caixas de peças também têm um papel importante nas operações principais, e é necessário prestar mais atenção na sua função de ferramentas úteis no processamento. Precisamos preocupar-nos mais com:

- A clara separação e disposição das peças
- O alinhamento mais uniforme das peças
- Permitir que as peças fiquem ao alcance uma de cada vez

Devemos considerar também a utilização das caixas de peças sobre mesas giratórias para deixar as peças requeridas em posição. Caixas de peças móveis, que entregam as peças requeridas quando necessário, uma de cada vez, são bastante efetivas. Em geral, devemos dar grande importância a esse princípio de entregar as peças requeridas na operação somente quando elas forem necessárias, uma de cada vez (desperdício no movimento – perda 6).

Integração dos Sistemas Toyota de Produção e *Kanban*

Taiichi Ohno afirmou claramente que o Sistema Toyota de Produção é um método de manufatura, ao passo que o sistema *Kanban* é apenas um meio para aplicar esse método. Na prática, no entanto, os dois sistemas são integrados e há muitas análises que não fazem distinção entre os dois.

A integração dos dois sistemas estende-se às seis regras do *Kanban* listadas abaixo. Por uma questão de clareza, iremos explicar cada regra separadamente, estabelecendo a diferença entre as regras do sistema *Kanban* e as regras do Sistema Toyota de Produção. Esperamos que isto proporcione ao leitor melhor compreensão da interdependência dos dois sistemas.

Regra Um

Um processo retira peças do processo precedente quando cartões *Kanban* são removidos. (Os *Kanban* dão instruções de transporte ou retirada.)

Essa regra é composta de dois elementos:

- Retirar apenas o número de peças especificado pelo *Kanban* removido
- Partir de um processo para retirar peças do imediatamente precedente

Obviamente, se o processo subsequente é alimentado por peças provenientes do processo precedente sem que haja remoção do *Kanban*, surgirão estoques desnecessários.

Como o Sistema Toyota de Produção é dirigido para a produção contrapedido e não para uma produção por projeção, o motivo para que processos posteriores tomem peças dos processos anteriores é fazer com que se produza apenas o que já foi vendido. Consequentemente, a regra apresentada acima não é uma regra *Kanban*, mas uma regra do Sistema Toyota de Produção.

Regra Dois

O processo anterior produz as peças nas quantidades e na ordem ditadas pelo *Kanban* removido. (O *Kanban* fornece instruções de produção.)

Os *Kanban* previnem a perda por superprodução restringindo o fluxo total de peças. Portanto, nenhuma peça deve ser feita sem referência ao *Kanban*. O *Kanban* também mantém o estoque interprocessos a um nível mínimo, de maneira que produzir peças em qualquer ordem que não seja a especificada pelo *Kanban* pode provocar a falta de peças. Assim, essa também é uma regra do Sistema Toyota de Produção que estipula o uso do *Kanban* como meio de controle visual. Quando existir um estoque considerável entre processos, essa regra torna-se desnecessária.

Regra Três

Nada é transportado e nada é feito sem o *Kanban*. (O *Kanban* previne a superprodução e o transporte excessivo.)

Visto que o *Kanban* previne a superprodução, o Sistema Toyota de Produção iria desmoronar se a Regra 3 não fosse obedecida. A esse respeito, essa é, indubitavelmente, a regra mais importante do sistema *Kanban* para executar a produção com estoque zero, a partir do Sistema Toyota de Produção.

Regra Quatro

Os *Kanban* acompanham sempre as próprias peças. (Os cartões *Kanban* são etiquetas de identificação atestando a necessidade de peças.)

O sistema não poderia funcionar se os *Kanban* se extraviassem das peças. Consequentemente, essa é uma regra crucial do sistema *Kanban*.

Regra Cinco

Toda peça deve ser de qualidade aceitável. (O sistema previne os defeitos por meio da garantia de que qualquer processo gerador de defeitos seja identificado.)

A circulação de muitos *Kanban* não trará grandes problemas a um processo. Isso deve-se ao fato de que o Sistema Toyota de Produção comprime o estoque ao mínimo e estabelece apenas um número correspondente de cartões *Kanban*. Portanto, a Regra Cinco não é uma regra *Kanban,* mas uma regra do Sistema Toyota de Produção.

Regra Seis

O número de *Kanban* cai ao longo do tempo. (Os *Kanban* são ferramentas para identificar problemas e para controle de estoque.)

O uso do *Kanban* pode limitar os estoques a quantidades adequadas a partir do controle do que deve e do que não deve ser produzido; vista desse modo, a Regra Seis é, certamente, uma regra *Kanban*. Por outro lado, essa regra envolve uma aplicação do *Kanban* que coloca as atividades de melhoria continuamente em ação por meio da redução do estoque no sistema de produção. Na verdade, ela impossibilita que se abandone a prática das melhorias. Isso significa que esse princípio é considerado, mais apropriadamente, como sendo uma regra do Sistema Toyota de Produção.

Nessa discussão, fizemos uma clara distinção entre o sistema *Kanban e* o Sistema Toyota de Produção, embora, na prática, os dois sejam frequentemente considerados sinônimos. No entanto, se essas rigorosas distinções não forem mantidas, os esforços para melhorar os princípios citados podem resultar em políticas equivocadas ou medidas superficiais.

A EXTENSÃO DO SISTEMA AOS FORNECEDORES

O Sistema Toyota de Produção foi certa vez criticado, tendo sido chamado de "sistema maquiavélico". Por quê? Muitos pensavam que sua base conceitual se fundamentava na noção do *just-in-time*. O *just-in-time*, por sua vez, era superficialmente visto como um sistema de minimização de estoque, no qual os itens desejados eram tomados no momento desejado e nas quantidades desejadas. Com essa concepção, os fornecedores de peças e matérias-primas imaginavam que se esperava deles que provessem a Toyota com itens desejados no momento desejado e nas quantidades desejadas; tudo à conveniência da Toyota. Além disso, eles imaginavam que seriam forçados a manter grandes estoques à disposição, já que não teriam a possibilidade de saber o quê, quando e quanto teriam que fornecer.

Se essa fosse realmente a maneira que as coisas deveriam funcionar no Sistema Toyota de Produção, a designação "sistema maquiavélico" teria sido merecida. Na verdade, os planos mensais de produção da Toyota são anunciados com antecedência, e a empresa recebe dos fornecedores quantidades balanceadas de peças e materiais. Ao mesmo tempo, lotes extremamente pequenos e a demanda por entregas frequentes, combinados com mudanças inevitáveis, indicam que afiliados e fornecedores de materiais devem melhorar seus próprios sistemas de produção para serem capazes de responder rapidamente às necessidades da Toyota. Isso explica porque, depois de 20 anos de implementação real nas suas próprias plantas, a Toyota levou ainda quase 10 anos para criar um sistema amplo que abrangesse a Toyota Motors e os seus fornecedores. Fornecedores e afiliadas passaram a perceber lucros significativamente mais altos devido às melhorias nos seus próprios sistemas de produção. Fica claro que a acusação de que o Sistema Toyota de Produção é maquiavélico é completamente infundada.

De qualquer modo, o problema está na expansão desordenada do sistema e não no Sistema Toyota em si.

Não obstante, algumas pessoas ficam satisfeitas com uma compreensão superficial do Sistema Toyota de Produção. Sugerem que a insistência da Toyota em receber o que quer, quando quer e nas quantidades que quer simplesmente transfere a responsabilidade de uma empresa por um serviço malfeito aos seus fornecedores. Se examinada com cuidado, essa visão revela total falta de compreensão do que seja o Sistema Toyota de Produção.

O SISTEMA TOYOTA DE PRODUÇÃO E O MRP

Nos últimos anos, o Planejamento das Necessidades de Materiais tem sido adotado entusiasticamente pelas companhias americanas como sendo a última inovação em termos de técnicas gerenciais. Muitas empresas japonesas também o estão utilizando.

O teor do sistema MRP é o "uso efetivo dos recursos limitados de produção – pessoas, materiais e capital". A esse nível, o objetivo procurado pelo MRP não tem diferença de qualquer outro método de controle ou gerenciamento.

A característica que o distingue é o extensivo uso de computadores para melhorar a produção, por meio da procura das condições ótimas entre muitos competidores.

Devido ao fato de o MRP ser um sistema que surgiu no Japão e nos Estados Unidos, aproximadamente na mesma época que o Sistema Toyota de Produção, ele é frequentemente comparado com o STP. Mas serão os dois sistemas, de fato, mutuamente incompatíveis?

Não estudei o sistema MRP detalhadamente e talvez não tenha adquirido uma sólida noção do seu real significado. Não posso deixar de pensar, no entanto, que o MRP seja um *sistema de gerenciamento* que visa a encontrar condições ótimas, previamente desconhecidas, a partir da aplicação de processamento computacional aos sistemas de controle de produção convencionais. Até certo ponto, creio que seja realmente uma técnica inovadora.

Como prova disso, não acredito que o MRP esteja voltado à melhoria do sistema básico de produção da mesma maneira que está o Sistema Toyota de Produção, o qual realiza melhorias fundamentais no sistema de controle e gerenciamento por meio das seguintes medidas:

- Redução drástica dos tempos de preparação
- Uso destes *setups* reduzidos na busca constante da produção em pequenos lotes

- Execução de operações de fluxos de peças unitárias, do processamento de peças ao processo de montagem
- Ter como meta a produção contrapedido por meio de um sistema de puxar

Duvido que o MRP esteja comprometido com melhorias fundamentais como essas. Portanto, tenho a impressão que o MRP e o Sistema Toyota de Produção não são comparáveis. As organizações podem aplicar os métodos sistemáticos do MRP somados a um sistema de produção fundamental e revolucionário como o Sistema Toyota de Produção.

O MRP não é a única forma nova de controle computadorizado de processo. Outro conceito já mencionado neste livro é o de lote econômico, afirmando que tempos de *setup* longos podem ser administrados a partir da utilização de lotes maiores. Como essa prática aumentaria os estoques, deve-se buscar uma posição entre os extremos – tamanho do lote e tamanho do estoque. Não obstante, o conceito de lotes econômicos tem uma pressuposição básica de que os tempos de *setup* são longos. De qualquer modo, o desenvolvimento do sistema TRF tornou obsoleto o conceito de lote econômico.

Considerando ainda um outro ponto: a teoria conceitual básica do controle estatístico da qualidade era, de fato, excelente; na prática, no entanto, a supervalorização dos computadores e da ciência estatística (ambos nada mais do que meios para atingir um fim) impediu a total eliminação dos defeitos.

Em cada um desses exemplos, tem-se dependido excessivamente dos computadores – que são apenas um meio – uma verdadeira inovação nos sistemas convencionais de produção tem sido negligenciada. Sinceramente, tenho a esperança de que essa tendência possa ser revertida.

11

O Rumo do Sistema Toyota de Produção

O futuro do Sistema Toyota de Produção envolve a eliminação total da perda com o objetivo de reduzir os custos ao máximo.

EM DIREÇÃO AO *JUST-IN-TIME*

Just-in-time, segundo me dizem, significa simplesmente "a tempo", ao passo que, para transmitir o sentido de "no momento exato", dever-se-ia dizer apenas *just on time*. Qualquer que seja a diferença entre os dois significados, a meta do Sistema Toyota de Produção é clara: efetuar as entregas no momento exato, com o propósito de eliminar o estoque.

Esse objetivo é controlado em grande parte pela relação entre o prazo de entrega (E) e o ciclo de produção (P). Como mencionado anteriormente, se o prazo de entrega é maior que o ciclo de produção ($E>P$), a produção iniciada após um pedido firme será recebida exatamente no prazo marcado, sem geração de estoque.

A pesquisa de mercado pode tornar as previsões de demanda mais precisas, mas também necessitamos de políticas para estender o prazo de entrega. Algumas estratégias para prolongar esse período são explicadas a seguir. Elas podem ser usadas não só na fabricação de automóveis como também em bens de consumo comuns tais como, por exemplo, eletrodomésticos:

- Solicitar uma análise dos clientes, visando viabilizar encomendas iguais às anteriores com base na expectativa de vida dos itens adquiridos no passado

- Identificar pessoas que estejam aprendendo a dirigir, ou que tenham recém obtido carteira de habilitação
- Sugerir compras de aparelhos elétricos a quem esteja construindo casa nova
- Ler anúncios de casamento e noivado para identificar pessoas que poderiam interessar-se por novos aparelhos eletrodomésticos

Existem outras estratégias além dessas. O objetivo é identificar os eventos que antecedem a demanda real como uma forma de prolongar o prazo de entrega.

Obviamente, devemos empenhar-nos, ao mesmo tempo, em reduzir o ciclo de produção. Algumas sugestões para atingir esse objetivo:

- Explorar a produção em pequenos lotes ao máximo
- Cortar, radicalmente, os tempos de preparação (além de possibilitar a produção em pequenos lotes, isso traz mais flexibilidade na resposta a mudanças)
- Estender a equalização, a sincronização e fluxos de peças unitárias a todo o processo para atingir uma produção com prazos extremamente curtos

DA TRF AOS *SETUPS* EM UM ÚNICO TOQUE

O Sistema Toyota de Produção enfatiza repetidamente a necessidade de eliminar a perda por superprodução. Somente a produção com pequenos lotes é capaz de lidar com demanda de alta diversidade e pequeno volume, e a adoção de *setups* TRF é um pré-requisito essencial. Os *setups* TRF são duplamente efetivos porque também facilitam a resposta rápida a mudanças na demanda.

Por conseguinte, tempos de *setup* precisam ser reduzidos ainda mais. As trocas de ferramenta, cujos tempos, com a TRF, duram menos de 10 minutos, terão de ser reduzidos para apenas alguns segundos com métodos de um toque. A seguir, discutimos duas formas de tomar esse caminho.

Setups Automáticos

A melhor maneira de se chegar aos *setups* automáticos é empregar o método do mínimo múltiplo comum descrito no Capítulo 3. Analisando três exemplos de *setups* automatizados:

Primeiro caso. As larguras das guias tinham de ser mudadas para acomodar produtos de diferentes tamanhos em um transportador alimentador. Atingiam-se trocas de um toque para várias posições através da retração das guias por um lado por meio de molas, inserindo espaçadores de quatro estágios em forma de cunha e utilizando eletroímãs para elevar e baixar os espaçadores.

Segundo caso. As posições de interruptores de fim de curso tinham que ser mudadas para acomodar diferentes distâncias de impacto para matrizes de conformação móveis. Anteriormente, as matrizes, na verdade, tinham que ser movidas com repetidos ajustes para localizar com precisão a posição correta das chaves. A solução foi a instalação de interruptores de fim de curso em cinco posições fixas e instalar outras chaves para mandar corrente a cada um dos interruptores de fim de curso. Chegou-se assim a um *setup* de um toque com a simples operação do interruptor de fim de curso apropriado. Assim também foi eliminada a necessidade de ajustes na posição das chaves.

Terceiro caso. Em uma fábrica de máquinas de lavar, matrizes de estampagem para dois modelos tinham que ser trocadas completamente, apesar das dimensões externas serem idênticas, porque:

- Os furos para encaixe do remate nos cantos estavam em posições diferentes em cada modelo
- As posições dos furos também eram diferentes nos modelos direito e esquerdo

Para melhorar a operação, todas as funções foram montadas em uma matriz e a inserção de uma "placa de encaixe" entre o pistão e a matriz permitiu que os furos fossem estampados nos dois modelos. Quando a placa era retirada, o pistão daria os golpes sem estampar qualquer furo. Trocas da posição do furo com um toque poderiam ser executadas, ativando-se uma chave para inserir a placa de encaixe, e as carcaças das máquinas poderiam ser produzidas continuamente, a uma taxa de dois modelos *standard* para um modelo *deluxe*.

Assim, um método bastante eficaz para trocas de *setup* com um toque é a identificação de quais partes das matrizes envolvidas são idênticas e quais são diferentes, para, então, elaborar algum método simples de trocar somente as partes que são diferentes.

Métodos sem Toque

Há um provérbio que diz que "a maneira mais fácil de mudar alguma coisa é não mudar absolutamente nada." Essa é uma forma de descrever os métodos sem toque para melhorar os tempos de *setup*. O método mais efetivo é o método "de grupo", no qual as trocas são eliminadas com a produção de peças em grupos de dois ou mais.

Primeiro caso. Eram necessários quatro tipos diferentes de blocos de isopor como amortecedores para proteção das máquinas de lavar, quando em transporte. Antigamente, os moldes tinham que ser trocados quatro vezes, mas esse método foi aperfeiçoado. Todos os moldes necessários para os produtos A, B, C e D são agora introduzidos em um grande molde, de maneira que um conjunto de blocos pode ser moldado com uma única matriz. Isso elimina as trocas de *setup* para os quatro blocos.

Segundo caso. Dois botões de televisão bastante parecidos, A e B, eram produzidos em uma máquina injetora de plástico. As matrizes tinham que ser trocadas, porque diferentes resinas eram usadas para os dois tipos de botão. Na versão melhorada, os moldes de A e B são cortados em uma única matriz, formando um ângulo reto. Agora, os canais de injeção da resina podem ser girados 90°, o que elimina a necessidade de fixação e remoção de matrizes (Figura 39).

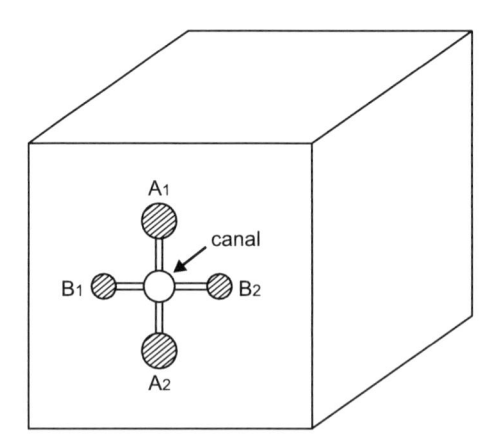

Nesse exemplo, o fluxo de resina está direcionado para A1 e A2

Figura 39. Troca de *setup* sem toque para a produção de um botão de televisão.

Terceiro caso. Uma única matriz de estampagem está dotada de moldes para as peças A e B, usados num mesmo modelo de um certo produto, de maneira que as peças podem ser produzidas em grupos, continuamente, e separadas após a operação de prensagem. Isso torna desnecessária a troca de matrizes.

Esses exemplos demonstram que a produção de peças em grupos pode eliminar completamente as trocas, se forem identificados elementos comuns e se eles forem combinados com habilidade. Alguns pontos importantes a considerar seriam:

- As peças em questão são comuns ao mesmo produto ou produtos similares?
- Os materiais são os mesmos?

Em vez de supor que as trocas sejam inevitáveis, procure maneiras de produzir peças múltiplas sem efetuar trocas. Tais esforços irão resultar em um sistema sem toque que não irá exigir absolutamente troca alguma.

Se as trocas de ferramentas ou matrizes forem realmente inevitáveis, os esforços devem ser voltados para desenvolver trocas automáticas com botões simples de um toque.

O DESENVOLVIMENTO DE UM AMPLO SISTEMA DE FLUXO

A tarefa de reduzir a perda por superprodução implica a eliminação dos estoques de produto acabado e dos estoques intermediários.

O uso da equalização da produção, da sincronização e de fluxos de peças unitárias para acabar com as esperas interprocessos (esperas de processo e de lote) representa um avanço formidável do Sistema Toyota de Produção em relação ao Sistema Fordista. O Sistema Fordista era um método no qual apenas o processo de montagem utilizava um fluxo de "carro unitário" sincronizado. Em comparação, o Sistema Toyota de Produção conecta o processo de montagem a processos de usinagem e pintura a montante por meio da aplicação da equalização, sincronização e operações de fluxo unitárias. Esse avanço reduziu o ciclo de produção drasticamente e possibilitou responder prontamente a flutuações na demanda e os pedidos que requerem entrega rápida.

A próxima tarefa do Sistema Toyota de Produção é interligar e executar a equalização, a sincronização e as operações de fluxo de peças unitárias para processos localizados bem mais no início da linha de produção, tais como processos de prensagem, soldagem, forjamento, fundição e trabalhos com chapas de metal. Eles podem ser ligados aos processos existentes de usinagem, pintura e montagem para formar um complexo sistema integrado de fluxo.

As linhas gerais de um sistema desse tipo podem ser vistas nas operações *Nagara*. Temos a seguir alguns exemplos:

Primeiro caso. Fazer com que operações de puncionamento e de rosqueamento afluam a uma pequena caixa de pintura onde as peças são pintadas. Dessa caixa, elas são imediatamente enviadas à próxima operação de montagem das peças. Isso elimina a necessidade de transportar as peças a uma seção de pintura.

Segundo caso. Entre processos de usinagem estão disponíveis pequenos equipamentos de recobrimento, de forma que essa operação possa ser executada durante o fluxo da produção. Isso possibilita que as peças sejam enviadas imediatamente ao próximo processo de montagem.

Terceiro caso. Uma prensa simples, equipada com um cilindro hidráulico, está colocada próxima a um processo de montagem de carcaça por solda ponto. Isso permite ao trabalhador que executa a soldagem realizar a operação de prensagem e, logo após, soldar a peça à carcaça.

Estas operações *Nagara* refutam a suposição convencional e inconsciente de que o forjamento deve ser feito em uma forjaria, a pintura em uma seção de pintura e o recobrimento em uma seção de recobrimento. Não precisamos necessariamente de máquinas de alta capacidade. Pelo contrário, em alguns casos a sincronização geral requer máquinas de capacidade menor do que aquelas hoje em uso. Esse método representa um grande avanço, conquistado ao vincular-se a disposição dos equipamentos fielmente à sequência dos processos das peças.

Acredito que expandir o domínio das operações de fluxo de peças unitárias cada vez mais para o início da linha de produção será assunto de grande importância no desenvolvimento do Sistema Toyota de Produção.

EXPANSÃO E EXTENSÃO DA PRODUÇÃO MISTA

O Sistema Toyota de Produção dá ênfase à produção em pequenos lotes. Seu limite inferior é a produção mista, a qual é bastante efetiva por duas razões:

- Estoques de produtos podem ser reduzidos a um mínimo
- Cargas balanceadas podem ser estabelecidas nos processos a montante

A produção mista desse tipo terá cada vez mais aplicações no Sistema Toyota de Produção, não apenas nas linhas de montagem, mas também nos processos iniciais, tais como processos de usinagem, prensagem, soldagem, forjamento e fundição. Ela já está sendo usada em linhas de pintura vinculadas ao processo de montagem e já está programada para breve sua expansão a outros processos a montante na linha.

Atualmente, a maior parte da produção é repetitiva, baseada em taxas de produção diária de vários modelos de carros relativamente fixas. Estou certo de que a produção mista permitirá que essas combinações ocorram fácil e fluentemente no futuro. A adoção de trocas de ferramentas sem toque, do balanceamento, de um sistema efetivo de inspeções para prevenir defeitos e a adoção de dispositivos *Poka-yoke* serão elementos cruciais nessa evolução.

AS EVOLUÇÕES DO SISTEMA *KANBAN*

Também o sistema *Kanban* irá evoluir para acompanhar o ritmo das melhorias no sistema de produção mencionadas. Já posso antecipar certos progressos:

- Haverá uma drástica queda no número de *Kanban* entre processos.
- O sistema existente, no qual os *Kanban* de movimentação, ou puxados, são levados ao processo *imediatamente anterior*, poderia ser transformado em um sistema onde os *Kanban* de movimentação sejam levados a processos mais a montante. Isso seria possível somente se o ciclo de produção fosse consideravelmente reduzido e o sistema das operações de fluxo entre processos fosse ampliado para incluir processos iniciais. Ou seja, se os processos iniciais estão produzindo as peças necessárias à montagem, ou outros processos estão esvaziando seus paletes e se o fluxo de peças é rápido, não será necessário levar os *Kanban* de movimentação ao processo imediatamente anterior. Uma melhoria como essa diminuiria substancialmente o número de *Kanban* e causaria uma acentuada redução nos estoques entre processos.

REDUÇÃO NOS CUSTOS DE MÃO DE OBRA

O Sistema Toyota de Produção enfatiza que os movimentos devem ser aperfeiçoados antes que o equipamento o seja. Mesmo que uma mecanização de baixo custo aumente a eficiência em 20%, essa despesa configura desperdício, se uma melhoria nos movimentos de execução do trabalho pudesse ter elevado a eficiência na mesma proporção. A eliminação do desperdício nos movimentos é, portanto, prioridade número um.

O próximo passo é mecanizar o trabalho humano; isso não significa simplesmente mecanizá-lo, mas dotar as máquinas de funções da inteligência humana, ou seja, que elas sejam capazes de detectar anormalidades, ao ponto em que cada vez mais o trabalho humano seja transferido para as máquinas, com o objetivo de levar a cabo a autonomação ou pré-automação.

A etapa seguinte é a automação completa, em que as máquinas são equipadas com dispositivos capazes de detectar e responder a situações anormais.

Os custos de mão de obra cairão na medida em que vencermos os estágios abaixo:

1. Os movimentos do trabalho humano forem melhorados
2. As folgas marginais forem integradas
3. O trabalho humano for transferido para as máquinas
4. As máquinas tenham capacidade de detectar situações anormais
5. As máquinas tenham capacidade de detectar situações anormais assim como responder a elas

Serão necessárias imaginação e inovação em cada estágio para obter a mecanização e automação a um baixo custo.

DESENVOLVIMENTO DAS OPERAÇÕES MULTIMÁQUINAS

Como já discutido em capítulos anteriores, as operações multimáquinas podem ser de dois tipos:

- Multimáquinas (operações multimáquinas horizontais)
- Multiprocessos (operações multimáquinas verticais)

Todo esforço deve ser feito para implementar as operações multimáquinas, pois elas proporcionam maior economia. As tarefas humanas devem ser aperfeiçoadas, e o trabalho sistematicamente transferido dos trabalhadores às máquinas, a fim de maximizar o número de processos que uma única pessoa possa coordenar.

Como a perda por unidade de tempo é cinco vezes maior para trabalhadores do que para máquinas, todo esforço deve ser feito para impedir esperas por parte dos trabalhadores, mesmo que o resultado seja taxas mais baixas de operação de máquinas.

A noção de operações multimáquinas está baseada no critério de que as taxas de operação das máquinas não precisam ser altas. Ao mesmo tempo, deve-se projetar e construir as máquinas próprias, baratas, que tenham características de desempenho específicas. Essas máquinas dedicadas devem ser versáteis, assim que, com simples modificações, elas possam ser usadas para o próximo produto que se aproxima.

Não se deve esquecer que todos esses esforços têm como origem a ideia de tornar as máquinas independentes dos trabalhadores.

ELIMINAÇÃO DE QUEBRAS E DEFEITOS

Falhas nas máquinas exigem que estejamos comprometidos a detectar situações anormais, interrompendo as máquinas instantaneamente, assim que tais situações ocorram e prevenindo que anormalidades semelhantes venham a surgir novamente.

A abordagem em relação aos defeitos é similar. O objetivo de zero defeitos somente pode ser alcançado a partir de inspeções que *previnem* defeitos – a inspeção para *detectar* defeitos é inadequada. Consequentemente, a função de um dispositivo *Poka-yoke* deve ser a de tornar impossível a ocorrência de defeitos dentro de um determinado processo; por exemplo, impedir que uma peça encaixe em um dispositivo, no processo seguinte àquele em que ocorreu o defeito, não é o suficiente.

Finalmente, é um engano pensar que a inspeção do primeiro e do último dos 100 itens em um sistema de alimentação com prensa de alta velocidade seja um tipo de inspeção 100%. Um dispositivo de inspeção 100% de alta velocidade que possa acompanhar o ritmo da prensa é necessário para realmente prevenir os defeitos.

AUMENTO DA FLEXIBILIDADE DA CAPACIDADE DE PRODUÇÃO

O Sistema Toyota de Produção tem como verdade incontestável que as flutuações da demanda devem ser tratadas sem aumento de pessoal, na medida do possível. A produção mista balanceada foi desenvolvida em resposta às flutuações de carga que ocorrem no decorrer de um mês. Quando esse método deixa de absorver as flutuações, o número de funcionários é mantido aos níveis mínimos exigidos pela carga e aumentos da carga são resolvidos com hora extra e o auxílio do pessoal indireto.

Quando a demanda permanece alta por um prolongado período de tempo, pode ser necessário contratar trabalhadores temporários ou tentar obter assistência de subempreiteiros. Quando isso acontece, as tarefas melhoradas e simplificadas permitem que, em apenas três dias, os trabalhadores recém-chegados já estejam produzindo ao máximo. Normalmente, há também alguma margem de segurança nas taxas de operação dos equipamentos.

Quando a carga sobe, o número de máquinas sob o controle de um único operador decai, e as taxas de operação das máquinas são melhoradas para aumentar o rendimento da produção diária.

Diminuições na carga criam problemas mais sérios. Atualmente, existem várias medidas defensivas:

- Aumento do número de máquinas comandadas por um único trabalhador
- Tirar os trabalhadores extras da linha para que realizem tarefas tais como manutenção não programada nas máquinas, praticar trocas de *setup* e construir gabaritos, ferramentas e outros dispositivos para projetos de melhorias
- Se ainda assim não houver trabalho para eles, é melhor deixá-los ociosos

No futuro, métodos melhores certamente serão desenvolvidos para tratar desse problema. A forma mais eficaz de administrar essa situação seria empregar a pré-automação. A prorrogação do número de horas de operações não supervisionadas para administrar cargas maiores e a diminuição do número de horas de operações não supervisionadas quando a carga diminui constituiria o uso mais efetivo das horas de mão de obra.

EXPANSÃO ÀS PLANTAS DE FORNECEDORES

Pelo fato da indústria automobilística ser integrada, e bastante dependente dos fornecedores, existe um limite que pode ser atingido com a simples racionalização da produção na planta matriz.

No futuro, será mais usual auxiliar os fornecedores a melhorar seus sistemas de produção. Serão realizados esforços no sentido de expandir o Sistema Toyota de Produção para o grupo inteiro de empresas da Toyota, de maneira que a matriz e seus fornecedores possam se desenvolver como um todo integrado.

12

Implementação do Sistema Toyota de Produção

Este capítulo discute a introdução e o desenvolvimento do Sistema Toyota de Produção nos meios de produção americanos, especificamente, leitores deste livro. O capítulo responde a duas perguntas:

O que deve ser levado em conta ao considerar a introdução do Sistema Toyota de Produção em uma empresa média?

Que considerações e procedimentos devem ser adotados ao trazer o Sistema Toyota de Produção para sua empresa?

Ao responder a essas questões, o capítulo, inicialmente, reitera os princípios básicos do Sistema Toyota de Produção, para então fazer recomendações específicas e comentários sobre sua implementação.

Acredito que seria um erro simplesmente copiar as características externas do Sistema Toyota de Produção. O sistema não pode ser aplicado corretamente sem uma compreensão geral dos princípios sobre os quais está embasado. Além disso, é importante empreender a sua implementação somente após um claro entendimento de como as técnicas individuais se encaixam no quadro geral. Essas precauções aplicam-se igualmente ao sistema *Kanban*.

Se o Sistema Toyota de Produção e o sistema *Kanban* forem adotados sem que esses preceitos sejam seguidos, não só os resultados ficarão aquém das expectativas como os efeitos colaterais poderão induzir a uma espécie de vício que irá confundir a produção e suscitar consequências indesejáveis.

PREPARAÇÃO DO TERRENO

O Sistema Toyota de Produção faz do princípio de minimização dos custos a linha diretriz do seu estilo gerencial, ao contrário do princípio de custo tradicional. Esse princípio de minimização dos custos sustenta que é *o consumidor* quem determina o preço de venda, e que a empresa não terá lucro a menos que baixe seus custos com a eliminação das perdas. A eliminação total da perda requer uma revolução na forma aceita de pensar a produção.

Na busca desse objetivo, o Sistema Toyota de Produção rejeita as ideias convencionais a respeito da produção baseada em projeções e realizada em grandes lotes, em favor da produção contrapedido e executada com lotes pequenos. Além do mais, isso exige uma rígida fidelidade aos princípios da produção com estoque zero.

A adoção do Sistema Toyota de Produção, assim, requer uma verdadeira revolução na produção. Todos, do alto executivo ao trabalhador do chão de fábrica, devem entender perfeitamente os seguintes pontos, aqui divididos em *processo* e *operação:*

Processo

O Sistema Toyota de Produção insiste na eliminação do estoque, ou seja, a perda por superprodução. Em tempos passados, o estoque era considerado útil para atenuar algumas das incertezas da produção. É importante entender que o Sistema Toyota de Produção preocupa-se principalmente com a superprodução programada (produzir mercadorias antes do tempo) ao invés da superprodução numérica (produzir muitas mercadorias).

O Sistema Toyota de Produção é revolucionário no sentido de que se volta para as várias causas que existem por trás da necessidade de estoque. Anteriormente, as quebras de máquinas e defeitos resultavam em incerteza e instabilidade no processo de produção. Além de procurar evitar, antes de mais nada, que esses fenômenos ocorram, o Sistema Toyota de Produção minora suas causas básicas, como mostram os seguintes exemplos:

- Onde o ciclo de produção (P) for maior do que o prazo de entrega (E), o Sistema Toyota de Produção procura reduzir radicalmente P conectando os processos por meio da equalização, sincronização e operações de fluxo de peças unitárias.
- A adoção do sistema TRF possibilitou diminuir os tempos de *setup*, drasticamente, para usar a produção em lotes pequenos e responder rapidamente a mudanças nos pedidos.

Operações

No seu esforço em cortar custos de maneira geral, o Sistema Toyota de Produção leva a cabo reduções profundas na força de trabalho, as quais promovem o avanço na direção da automação. Ele persegue essa meta sem necessariamente elevar as taxas de operação das máquinas. De fato, taxas baixas são toleradas desde que reduções no custo da mão de obra sejam obtidas. Sem essa estratégia, as operações simultâneas de máquinas (multimáquinas e multiprocessos) não poderiam ser usadas.

Em relação a quebras e defeitos, precisamos de medidas fundamentais com o propósito de prevenir a reincidência. Para conseguir isso, o Sistema Toyota de Produção não pode ser usado sem o comprometimento da alta gerência em parar as máquinas e as linhas de produção, se necessário. No passado, estoques eram mantidos como amortecimento para evitar esperas, mas o Sistema Toyota de Produção recusa-se a tolerar estoques, os quais chama de perda por superprodução, qualquer que seja o motivo.

O descrito acima é um esboço rápido do Sistema Toyota de Produção; suas características individuais foram discutidas em detalhe ao longo de todo este livro. Há ainda três outros livros que gostaria de recomendar ao leitor interessado:

1. *O Sistema Toyota de Produção: Além da Produção em Larga Escala*, de Taiichi Ohno[*]
2. *A Fundamental-Oriented Approach to Plant Management* (não está disponível em inglês ou português)
3. *Workplace Management*, de Ohno

Antes de aplicar os princípios do Sistema Toyota de Produção na sua empresa, uma visita a uma planta que já tenha implementado o sistema seria bastante proveitosa.

MELHORIA DO SISTEMA DE PRODUÇÃO

Além de uma avaliação das técnicas do Sistema Toyota de Produção, entender os conceitos por trás dessas técnicas é crucial. Sem isso, os erros na aplicação serão inevitáveis.

---

[*] N. de T.: Publicado pela Bookman Editora, 1996.

Um Sistema de Estoque de Amortecimento

A meta do Sistema Toyota de Produção é criar um sistema sem estoque, ou seja, um sistema que elimine a perda por superprodução. Nas condições de trabalho reais, no entanto, o estoque proporciona um amortecimento contra a instabilidade na produção pela absorção do impacto causado por quebras de máquinas, defeitos, alterações nas programações de entrega e outras irregularidades. Uma mudança abrupta para a produção com estoque zero iria, provavelmente, resultar em grande confusão no chão de fábrica. Uma parte dessa confusão se daria devido a irregularidades reais na produção, mas ela seria ampliada pelo desconforto em relação às mudanças por parte dos supervisores e trabalhadores.

Assim, seria sensato usar o que chamo de sistema de estoque de amortecimento durante os estágios iniciais da transição ao Sistema Toyota de Produção:

1. Projetar o estoque atual como sendo estoque de amortecimento e lacrá-lo.
2. Sem depender desse estoque, realizar um teste, todos os dias, no qual as peças necessárias oriundas de fornecedores ou de processos são supridas em lotes pequenos diretamente à linha de montagem.
3. "Tomar emprestados" itens do estoque de amortecimento somente quando ocorrerem defeitos ou quebras no equipamento.
4. Repor as quantidades emprestadas no dia seguinte.

Com esse método, você poderá descobrir exatamente quanto de estoque de amortecimento é necessário para servir como amortecimento nos níveis de controle correntes. Além disso, você pode sentir-se seguro porque você sabe que há um estoque amortecedor como proteção contra problemas imprevistos.

Anteriormente, observamos o caso da Asahi National Electric, que utilizou esse sistema de estoque de amortecimento por dois meses na produção de lavatórios. Citamos alguns resultados daquela experiência:

- Das 60 peças utilizadas nos lavatórios, 24 (40%) não foram tocadas. Os estoques correspondentes a essas 24 peças foram eliminados.
- Das 36 peças restantes, em média, não mais do que 1/3 dos estoques anteriores tiveram que ser mantidos.
- Uma dessas peças foi danificada devido a erros na montagem do espelho e a linha teve que ser interrompida duas vezes porque as peças necessárias não puderam ser fornecidas a tempo.

A investigação revelou que a taxa de quebra era inesperadamente alta, porque um trabalhador temporário estava substituindo um especialista que geralmente montava os espelhos. Um exame mais detalhado da tarefa em si levou ao desenvolvimento de um novo método com utilização de um ressalto que facilitou o encaixe dos espelhos nas molduras até mesmo para trabalhadores inexperientes. Isso eliminou completamente a quebra de espelhos.

Como demonstra esse caso, segurar o estoque a níveis baixos acelera as melhorias porque revela os problemas anteriormente ocultos à sombra do estoque.

O exemplo anterior mostra que paradas na linha de montagem podem tornar-se necessárias quando se emprega um sistema de estoque de amortecimento. Porém, esse sistema não terá êxito, a menos que a alta gerência concorde desde o início que as paradas sejam permitidas. Após dois meses de experimentos, supervisores e trabalhadores têm uma melhor noção de quanto estoque realmente é necessário aos níveis de controle correntes. Eles irão então relaxar e não irão opor-se a não utilizar os estoques tanto quanto for necessário. O sistema de estoque de amortecimento é um passo intermediário ideal na transição a um Sistema Toyota de Produção. A mudança pode ser feita fácil e suavemente, e efeitos colaterais podem ser evitados.

Rumo aos *Setups* TRF

O Sistema Toyota de Produção tem como meta atingir a produção contrapedido; mas, sem a TRF, não seria possível responder prontamente a alterações nos pedidos. De fato, nenhuma transição a um Sistema Toyota de Produção pode ocorrer sem radicais reduções nos tempos de *setup*.

Além disso, o sistema dá ênfase à eliminação da perda por superprodução, e a produção em pequenos lotes é uma estratégia extremamente importante para eliminar os estoques de produto acabado. A produção em lotes pequenos, consequentemente, requer a adoção do sistema TRF, o qual deve evoluir para *setups* de um toque e sem toque.

É por essa razão que uma visita a um estabelecimento industrial que tenha adotado o sistema TRF com sucesso é importante. O primeiro passo, a primeira pré-condição importante, é acreditar firmemente que os *setups* TRF são viáveis. Se você disser ao pessoal médio do chão de fábrica que trocas de *setup* de 2 horas podem ser concluídas em, por exemplo, 6 minutos, 99 de um total de 100 não irão acreditar em você; e mesmo aquele que acredita irá pensar que melhorias tão admiráveis exigirão equipamento mais sofisticado ou aumentarão os custos.

Quando essas pessoas puderem observar um *setup* TRF real e examinar o equipamento, ficarão pasmos ao ver que medidas tão simples podem produzir reduções tão grandes no tempo de troca. Perceberão instantaneamente o que são os *setups* TRF e sua forma de pensar será modificada radicalmente.

Após essa demonstração, você deve iniciar a implementação da TRF em duas matrizes na sua fábrica e convencer o resto dos trabalhadores, dando a eles uma demonstração do que é uma Troca Rápida de Ferramentas.

Redução do Ciclo de Produção

Por estar o Sistema Toyota de Produção direcionado para a produção contrapedido e com estoque zero, ser capaz de satisfazer demandas por entrega rápida é essencial. Isso requer uma drástica redução nos ciclos de produção. Mais uma vez, várias técnicas devem ser usadas para isso:

- Efetivar a produção em pequenos lotes
- Efetivar equalização, sincronização e operações de fluxo de peças unitárias para cada processo, inclusive montagem, usinagem, prensagem, forjamento e fundição
- Ligar todas as plantas em um sistema de operações de fluxo completamente integradas

Iniciando a Produção de Fluxo Integrado

Até bem pouco tempo atrás, a maioria das pessoas acreditava que as operações de fluxo poderiam ser utilizadas somente em linhas de montagem, mas o mesmo princípio pode ser aplicado com o mesmo êxito para os processos de usinagem, prensagem e outros. Em resumo, algumas medidas simples são suficientes:

- Equalizar processos consecutivos e sincronizá-los
- Como os fluxos de peças unitárias aumentam a frequência do transporte, aperfeiçoar o *layout*, e então, onde for necessário, prover correias transportadoras, ou outros meios suplementares de transporte

Essas melhorias do *layout* trarão três grandes benefícios:

- Economias nos custos de transporte interprocessos
- Eliminação das esperas interprocessos e as consequentes reduções nos custos de mão de obra relativos a essas esperas
- Redução dos estoques de produto acabado

A Tokai Iron Works, por exemplo, melhorou o *layout* na sua seção de prensas e adotou operações de fluxo de peças unitárias com os seguintes resultados:

- A produtividade duplicou num período de três meses
- Não houve mais atrasos na entrega
- As exigências de espaço da planta caíram pela metade

Assim, a melhoria de *layout* é uma pré-condição fundamental para estabelecer o *fluxo,* tão crucial ao Sistema Toyota de Produção. É nessa base que a equalização, a sincronização e as operações de fluxo de peças unitárias devem ser executadas.

Nesse estágio, é bastante útil combinar processos comuns e similares, utilizando "a lei da determinação da localização da máquina baseada no coeficiente de dificuldade de transporte", explicada no meu livro *Techniques of Machine Layout Improvement* (Nikkan Kõgyõ Shimbun, 1965).

Utilização do Nagara como Elemento da Construção do Sistema

Como será observado mais tarde neste capítulo, tentar atingir a produção de fluxo integrado em plantas múltiplas é um enorme desafio. A planta média tem muito mais chance de implementá-lo com sucesso por meio do uso do sistema Nagara para um único produto essencial. Transcender a divisão tradicional de trabalho entre as plantas e alinhar os processos conforme o fluxo de processo das peças seria um bom começo. Por exemplo, seria possível integrar o fluxo de operações da usinagem à pintura e daí à fixação das peças.

O uso dessa estratégia, por etapas, levará gradualmente ao desenvolvimento de uma ampla trama de operações de fluxo integrados. O número de resultados positivos alcançados com essa estratégia é muito alto.

Além disso é uma estratégia sensata, já que o *layout* tradicional das plantas faz com que se suponha que a pintura deva ser realizada em seções de pintura e a prensagem em seções de prensagem. Uma vez superada essa barreira conceitual, a linha pode seguir a sequência de processo específico do produto em um fluxo integrado. Embora por muito tempo os gerentes da produção não tenham tido essa visão, o reexame dos velhos pressupostos irá provocar uma revolução na forma de pensar e facilitar a descoberta e implementação de muitas ideias novas e poderosas.

Rumo à Produção com Fluxo amplamente Integrado

Até hoje, existem poucos exemplos de empresas onde fluxos de operações integradas globais, abrangendo todas as plantas em um sistema coerente tenha sido tentado. Um exemplo de esforços que poderiam ser feitos nessa direção é ligar uma seção de usinagem ou de pintura a uma planta de montagem com o uso de equalização, sincronização e operações de fluxo de peças unitárias.

Esse tipo de produção integrada reduziria o ciclo de produção radicalmente e criaria condições favoráveis para atingir a produção contrapedido. Ao mesmo tempo, contribuiria enormemente para elevar a produtividade ao cortar custos de mão de obra relativos ao transporte e à estocagem. Como observado acima, as melhorias no *layout* da planta são uma pré-condição nesse caso.

Rumo a um Sistema de Produção Segmentado

O fato de que os planos de produção na maior parte das plantas são determinados mensalmente, com frequência causa considerável confusão no chão de fábrica, porque aumentos na demanda são satisfeitos no mês seguinte, ou introduzidos à força como tarefas urgentes.

Portanto, somente planos de capacidade e de materiais devem ser determinados uma vez ao mês; já os planos de produção reais devem ser estabelecidos num regime semanal ou de 10 dias. Assim, a produção segmentada pode ser efetivada quando, por exemplo, uma quota mensal de 30 mil carros é produzida em quantidades de 10 mil unidades durante cada período de 10 dias.

Essa abordagem evita bastante confusão no chão de fábrica. A produção urgente torna-se desnecessária porque as variações que ocorrem na demanda podem ser atendidas com o prolongamento da produção ao próximo período de 10 dias.

O método segmentado, é claro, vincula mais fortemente a produção com a demanda. Como a produção inicia com o próximo período de 10 dias, os estoques podem ser consideravelmente reduzidos, porque estoques de produtos acabados não mais têm de ser mantidos como um *buffer* de segurança contra demandas inesperadas.

Balanceamento e Sistema de Produção Mista

O Sistema Toyota de Produção é totalmente favorável ao balanceamento. Balancear a produção tem dois objetivos:

- Dotar os processos a montante de cargas balanceadas
- Reduzir os estoques de produtos acabados

No passado, a expressão "ajuste de carga" era utilizada para referir-se ao balanceamento de cargas nos processos a montante, de maneira que a ideia em si não é nova. A grande ruptura com a lógica convencional foi combinar essa ideia com a produção em lotes pequenos e tornar os ajustes de carga compatíveis com a noção de estoque zero na forma de produção mista.

Com a produção mista, múltiplos produtos são produzidos em paralelo. Isso, com frequência, resulta em reduções significativas nos estoques de produtos acabados. Também são obtidas importantes melhorias no âmbito das perdas nas trocas de ferramentas, quando se passa de um produto a outro.

Por outro lado, a produção mista resulta em uma acentuada elevação na frequência de trocas de ferramentas. O uso de trocas de um toque ou sem toque é, portanto, obrigatório. A montagem sucessiva de produtos múltiplos também torna imperativa a adoção de medidas pertinentes, como, por exemplo, os dispositivos *Poka-yoke*, para impedir o surgimento de defeitos oriundos da falta ou montagem incorreta de peças.

A experiência recente com a produção mista indica que, apesar de muitas preocupações, poucos problemas sérios dela decorrem. A implementação é mais simples do que o esperado e os resultados são muitas vezes impressionantes. Como diz o velho ditado, você não tem nada a temer a não ser a você mesmo.

Espero que muitas empresas aceitem o desafio de pôr em prática a produção mista.

Rumo às Operações Multimáquinas

As operações multimáquinas são um importante componente do Sistema Toyota de Produção.

Como já vimos, essas operações são de dois tipos: multimáquinas e multiprocessos. Para fins de implementação, cada tipo tem diversas vantagens.

Operações multimáquinas. Com as operações multimáquinas, as máquinas A e B não têm relação de processo. Isso tem duas vantagens:

- A tarefa pode ser executada de forma eficaz, porque as máquinas estão funcionando automaticamente. Enquanto a máquina A está executando processamento automático, o trabalhador pode fixar e remover produtos na máquina B, e vice-versa.

- O trabalhador não tem que manter chaves de segurança pressionadas, porque as máquinas são ativadas à distância, com um toque de botão.

Esse método, geralmente, eleva a produtividade humana em 30 a 50%.

Com as operações multimáquinas, o número de máquinas designadas a um único operador é determinado pela duração do processamento automático e pela rapidez com que a colocação, a retirada e a ativação da chave podem ser realizadas. As máquinas devem parar imediatamente assim que o processamento esteja completo.

Operações multiprocessos. Nas operações multiprocessos, as máquinas A e B estão conectadas pela sequência do processo. Isso tem a vantagem de eliminar os movimentos efetuados para estocar produtos temporariamente em prateleiras de armazenagem na operação multimáquinas. O primeiro trabalhador retira um item acabado da máquina A, com uma mão, e insere material não processado na matriz, com a outra. Ele, então, dá partida à máquina B, ativando uma chave próxima a A. Finalmente, ela retira um item acabado da máquina B, com uma mão, e insere uma nova peça, já processada pela máquina A, na matriz de B, com a outra mão.

A consequência é o aumento da produtividade humana de 50 a 100% com as operações multiprocessos.

Às vezes, é proveitoso reverter a ordem do processo, uma vez que o último, na sequência, tenha sido atingido. Assim, uma sequência de A $\to$ B $\to$ C pode ser seguida imediatamente por uma sequência do tipo C $\to$ B $\to$ A.

Uma segunda vantagem das operações multiprocessos consiste no fato de que elas podem absorver desequilíbrios na linha, quando os tempos de processamento por peça diferem de um processo a outro. E, finalmente, elas tornam mais simples a resposta às flutuações da demanda: tudo o que tem a ser feito é acrescentar ou subtrair o número de máquinas sob responsabilidade de um único trabalhador.

Existem dois fortes motivos para realizar as operações simultâneas de máquinas:

- Ao passo que o uso da máquina não terá qualquer custo após o período de depreciação, será sempre preciso pagar salários aos trabalhadores – e a tendência natural do salário é crescer com o tempo.
- A perda unitária decorrente das operações manuais é em média 5 vezes maior que as perdas decorrentes das operações mecanizadas.

Disso conclui-se que a eliminação do tempo ocioso da mão de obra deve ser prioridade absoluta, mesmo às custas de uma queda nas taxas de operação das máquinas. De qualquer forma, até há bem pouco tempo, operações simultâneas de máquinas não eram sequer consideradas, pois as indústrias concentravam-se somente em altas taxas de operação das máquinas. Também nesse caso uma perspectiva de corte de custos deve prevalecer.

Rumo à Pré-automação

A pré-automação, ou autonomação, é resultado da soma das funções manuais humanas com as funções mentais, transportadas para as máquinas. Pode ser dito que é a forma sistematizada dessa transferência. Custos de mão de obra extremamente baixos podem ser o resultado da adoção da pré-automação. A razão disso é que sob condições normais não há necessidade de manter-se um operador ao lado da máquina. O único momento em que se requer um trabalhador é quando a máquina dá sinal de irregularidade. A frequência das irregularidades pode ser reduzida e o seu impacto atenuado se cada irregularidade receber atenção, análise e ação corretiva imediatas. A longo prazo, esse método contribui para a redução dos custos de mão de obra.

Flutuações na demanda podem ter rápida resposta pelo aumento ou diminuição do período das operações não supervisionadas. Isso é vantajoso, principalmente quando a carga diminui, porque parar as máquinas não acarreta grandes perdas.

O desafio dos Zero Defeitos

Defeitos geram desperdício em si mesmos e causam confusão no processo de produção. Quando da implementação do Sistema Toyota de Produção, portanto, devemos desafiar a nós mesmos a atingir zero defeitos. São três os componentes desse esforço:

Inspeções. O objetivo das inspeções deve ser desviado da detecção para a prevenção de defeitos. Isso requer trocar a inspeção por amostragem pela inspeção 100%, a forma definitiva de atingir a garantia da qualidade.

Controle da qualidade. Os métodos de controle da qualidade devem ser baseados no critério acima, empregando métodos tais como inspeção na fonte, autoinspeção e verificações sucessivas.

Dispositivos **Poka-yoke.** Desenvolver e instalar esses dispositivos como uma forma prática de satisfazer as condições acima.

RUMO A UM SISTEMA KANBAN

Como explicado anteriormente, o sistema *Kanban* não é mais que um meio de colocar o Sistema Toyota de Produção em prática, e a racionalização total da produção não pode ser atingida simplesmente pela sua aplicação. A total implementação do Sistema Toyota de Produção irá, seguramente, incluir o sistema *Kanban*. O procedimento correto, contudo, é, em primeiro lugar, realizar uma profunda melhoria no sistema de produção em si. O uso de *Kanban* irá fluir naturalmente, se a eliminação da perda por superprodução for enfatizada e se for tomado o rumo da produção contrapedido.

Um sistema *Kanban*, porém, pode somente ser aplicado a processos repetitivos e não a uma produção sob projeto não repetitivo – a menos que funcione como mera identificação, instrução de tarefa e etiquetas de transporte.

Se o número de *Kanban* for gradualmente reduzido, os seguintes benefícios podem ser esperados:

- O limite para redução de estoque ao nível de controle atual pode ser identificado.
- Redução adicional de *Kanban* irá detectar processos gargalo que poderão, então, ser melhorados.
- Os estoques não podem exceder o número fixado de *Kanban*.

A Sailor Pen Company criou um sistema no qual apenas bens que tiverem sido vendidos são produzidos. Os estoques na planta estão reduzidos a 1/4 dos níveis anteriores e o estoque do posto de vendas à metade. Um *Kanban* acompanha cada caixa transportada da planta ao posto de vendas. O *Kanban* é mandado de volta à planta, quando a caixa é expedida aos varejistas e a planta produz apenas o que tiver sido vendido.

Meio ano depois de ter estabelecido esse sistema, a empresa havia obtido uma redução de 60% nos estoques totais. Os estoques no posto de vendas puderam ser reduzidos, porque a planta havia se comprometido a satisfazer mesmo a demandas inesperadas dali advindas.

O fato de que a planta já havia feito grandes progressos na implementação de *setups* TRF e reduzido seu ciclo de produção por meio de operações de fluxo de peças unitárias foi um fator de grande importância no sucesso do sistema *Kanban*.

Obviamente, seria possível implementar o sistema *Kanban*, mesmo antes de adotar o sistema TRF, por meio da elevação do número de *Kanban*. Não se poderia esperar, no entanto, mais que tímidos resultados.

UM CRONOGRAMA PARA INTRODUZIR O SISTEMA TOYOTA DE PRODUÇÃO E O SISTEMA *KANBAN*

Os procedimentos para introduzir o Sistema Toyota de Produção e o sistema *Kanban* são mostrados na Figura 40. A figura fornece um cronograma para uma planta média hipotética. Os tempos podem ser ajustados para refletir os níveis de controle e as capacidades de cada planta. Alternativamente, a introdução dos sistemas poderia começar no meio do processo em que certas melhorias já tenham sido implementadas.

Em geral, no entanto, penso que a ordem geral de implementação dada na Figura 40 é a mais adequada.

O Sistema Toyota de Produção levou 20 anos para chegar onde está hoje. Obviamente, as plantas que desejam aprender o sistema não precisarão dos mesmos 20 anos. O ponto crítico – e o que requer mais tempo para adquirir consistência – é o claro entendimento do tema e o empenho necessário para levar a cabo as reformas por parte da alta gerência. Mais importante de tudo é garantir a compreensão e consentimento de todos na planta, especialmente do pessoal do chão de fábrica. De fato, esse é o elemento-chave que irá determinar o sucesso ou fracasso final.

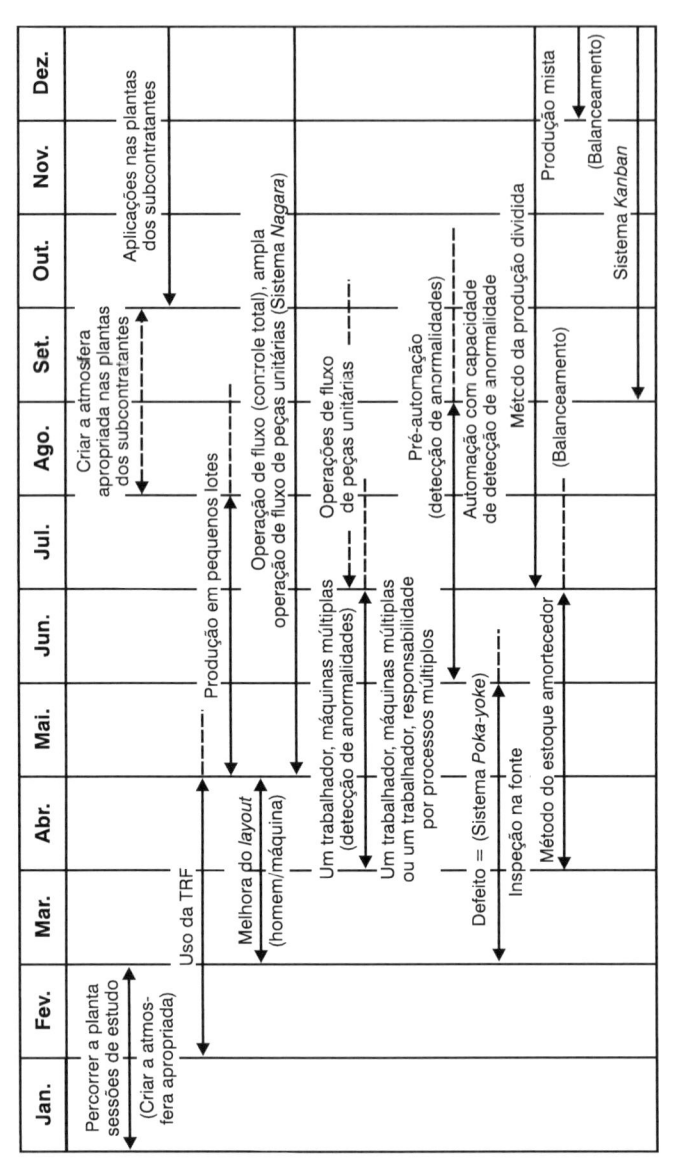

Figura 40. Plano para introdução do Sistema Toyota de Produção.

13

O Sistema Toyota de Produção em Resumo

O Sistema Toyota de Produção evoluiu até sua presente condição após repetidas tentativas e erros. Este capítulo resume os princípios básicos sobre os quais ele foi erigido e apresenta a filosofia, a metodologia e a perspectiva dessa revolucionária abordagem da produção moderna na sequência do seu desenvolvimento.

1. O Princípio do Não Custo

O primeiro conceito desenvolvido como base para o gerenciamento da produção é o princípio da minimização dos custos. Ele vê a origem dos lucros de uma perspectiva totalmente diferente: ao invés de aderir à fórmula fácil

$$\text{Custo} + \text{Lucro} = \text{Preço de Venda}$$

os produtores devem deixar que o mercado determine o preço, empregando a fórmula

$$\text{Preço} - \text{Custo} = \text{Lucro}$$

Com essa abordagem, a única maneira de aumentar os lucros dá-se por meio da redução dos custos. Para reduzir os custos, o único método é a eliminação total da perda. Esse é o fundamento sobre o qual todos os outros princípios se desenvolvem.

2. Estoque Zero: a Pedra Fundamental da Eliminação da Perda

Que perdas devem ser eliminadas? Por muito tempo, o estoque foi considerado um mal necessário, não tendo sido dada a ele a necessária atenção por parte da gerência da produção. O questionamento do *porquê* ele era necessário revelou que manter estoque era, na verdade, um tremendo desperdício. Isso trouxe como consequência a determinação de eliminar o estoque e o nascimento do conceito de *just-in-time*. A eliminação da perda por superprodução tornou-se uma nítida possibilidade.

Da mesma forma, a perda por produzir fora de hora foi reexaminada. No passado, os sistemas de produção em grandes lotes geravam estoques enormes de produtos acabados. Dúvidas em relação a essa prática levaram ao desenvolvimento da produção contrapedido como a melhor maneira de atender à demanda.

São necessárias, seguramente, duas coisas para atingir a produção contrapedido: produção em lotes pequenos e ciclos de produção extremamente reduzidos.

3. Rumo às Operações de Fluxo

As demandas da produção contrapedido geraram soluções para diversos problemas. A primeira dessas soluções consiste nas operações de fluxo. Uma vez implementadas na linha de montagem, outra questão veio à tona: por que não usar essa técnica também nos processos iniciais?

Desde então, o conceito foi aplicado com sucesso na usinagem, na prensagem e outros processos. A essa altura, ficou claro que as operações de fluxo seriam ainda mais efetivas se os processos iniciais fossem conectados diretamente com a linha de montagem, e o sistema evoluiu em direção às operações de fluxo totalmente integradas.

4. Redução dos Tempos de Trocas de Ferramentas e Matrizes

Como observado acima, a alta diversidade e o baixo volume (lotes pequenos) são inerentes à produção contrapedido. Tempos de troca reduzidos são um pré-requisito indispensável para esse tipo de produção.

Essa necessidade fez-se sentir de forma intensa, e, como resposta, propus meu sistema TRF, e sua adoção trouxe avanço significativo.

5. A Eliminação das Quebras e Defeitos

A instabilidade da produção (criada por quebras e defeitos) gera a necessidade de estoque. Em um sistema de estoque zero, portanto, é de absoluta prioridade a eliminação desses fatores. Uma política firme de interromper uma linha ou máquina, sempre que surja uma situação anormal, deve ser adotada. O sistema *andon* é empregado como uma forma de controle visual para prontamente transmitir a informação acerca de irregularidades de uma maneira facilmente compreensível.

6. Fusão do Balanceamento com a Produção com Estoque Zero

Na produção com estoque zero, a ênfase dada à eliminação de estoques significa que as flutuações de carga têm impacto imediato no chão de fábrica, e a espera e tempos de operação mais extensos se tornam mais frequentes.

Devido à função atribuída ao estoque, era considerado impossível eliminá-lo e, ao mesmo tempo, absorver efetivamente as flutuações da carga. Essa aparente contradição foi sanada com o uso de balanceamento e produção mista.

7. Rumo às Operações de Fluxo Totalmente Integradas

Operações de fluxo totalmente integradas foram alcançadas pela expansão do conceito de operações de fluxo (item 3). As tradicionais barreiras criadas pela divisão do trabalho em plantas e seções foram superadas com essa medida.

O sistema *Nagara* foi uma experiência pioneira nessa área, e penso que ele ainda se desenvolverá e expandirá ainda mais no futuro.

8. Redução do Custo da Mão de Obra: a Segunda Pedra Fundamental da Eliminação da Perda

A redução dos custos de mão de obra transformou-se no próximo foco na luta contra a perda. Ela foi efetivada de três formas:

- Melhoria nos movimentos de trabalho humanos
- Combinação das folgas marginais
- Transferência dos movimentos humanos para as máquinas

Medidas como a eliminação de ilhas isoladas foram implementadas, baseadas na convicção de que o mínimo de força de trabalho, e não simplesmente economias de mão de obra, é o requisito essencial para efetivamente reduzir custos. Além disso, a transferência do processamento manual para as máquinas não poderia tornar as máquinas totalmente independentes, a menos que elas interrompessem o trabalho automaticamente quando o processamento fosse concluído. A criação de dispositivos de parada automática levou à adoção das operações multimáquinas. Esse progresso está baseado no reconhecimento de que, do ponto de vista da redução de custo, as perdas por tempo unitário são muito maiores em relação aos homens do que em relação às máquinas.

9. Da Mecanização à Autonomação

O próximo passo foi passar as funções manuais de fixação, remoção e acionamento de chaves às máquinas. Mesmo depois disso feito, porém, era ainda necessário que houvesse operadores próximos às máquinas, porque a mecanização – na qual o trabalho manual passa a ser feito pelas máquinas – não foi suficiente. Havia necessidade de uma transferência a um nível mais alto – das funções mentais humanas às máquinas, chamada de autonomação. Neste caso, as máquinas eram equipadas com dispositivos que não só detectavam situações anormais como também paravam a máquina, sempre que ocorressem irregularidades. Essa forma sistematizada de autonomação é chamada de pré-automação.

10. Mantendo e Desenvolvendo Operações-padrão

As operações foram sendo aperfeiçoadas gradualmente e operações-padrão determinadas em cada etapa. Desvios de um padrão específico eram verificados para manter o nível das operações. Ao mesmo tempo, as operações-padrão eram impressas em "roteiros de operação-padrão" para que todos as vissem. Essa medida facilitou a melhoria contínua e acelerou ainda mais o desenvolvimento do sistema.

11. Rumo a um Sistema *Kanban*

O sistema básico de produção tomou forma da maneira descrita acima. A criação do sistema *Kanban* partiu de uma necessidade de manter o nível de desenvolvimento. O *Kanban* tornou-se uma ferramenta efetiva para sustentar o funcionamento do sistema de produção como um todo.

O *Kanban* é um sistema de controle visual autorregulador e simplificado, que se concentra no chão de fábrica e torna possível responder a mudanças na produção simples e rapidamente. Além disso, comprovou ser uma excelente maneira de promover melhorias, porque a restrição do número de *Kanban* em circulação identificou áreas com problemas.

O sistema *Kanban* tem o efeito de, gradualmente, aumentar a precisão de um sistema já que o ajuste do número de *Kanban* eleva o nível do próprio sistema de produção. Analogamente, se uma placa com superfície padrão for posta em contato com uma superfície plana coberta com tinta vermelha, qualquer pico de rugosidade que deixe tinta na superfície da placa pode ser então lixada. A repetição desse procedimento irá, gradualmente, aumentar a precisão da superfície da placa.

Isso esclarece por que o Sistema Toyota pode ser aplicado efetivamente somente quando o desenvolvimento do sistema e sua relação com o *Kanban* forem corretamente compreendidos.

A Figura 41 mostra os componentes sistemáticos do Sistema Toyota de Produção, do ponto de vista da Engenharia de Produção, descritos até o momento. Ela fornece uma diferente perspectiva daquela presente na Figura 42, a qual foi tomada do livro do Sr. Ohno, O Sistema Toyota de Produção.

Conclusões

O Sistema Toyota de Produção apresenta as seguintes características principais:

- O princípio da minimização dos custos é um conceito básico subjacente ao Sistema Toyota de Produção. A sobrevivência da empresa depende, portanto, da redução dos custos. Isso requer a eliminação completa das perdas.
- A melhor resposta à demanda é a produção contrapedido. Sob esse sistema, a produção convencional em grandes lotes deve ser abandonada. As exigências da produção contrapedido (alta diversidade, produção em baixas quantidades, entrega rápida e manejo da flutuação da carga) somente podem ser satisfeitas a partir da contínua e inflexível eliminação da perda por superprodução.
- O Sistema Toyota aceita o desafio da redução do custo da mão de obra e reconhece a vantagem de usar máquinas que sejam independentes dos trabalhadores. A redução do custo de mão de obra é

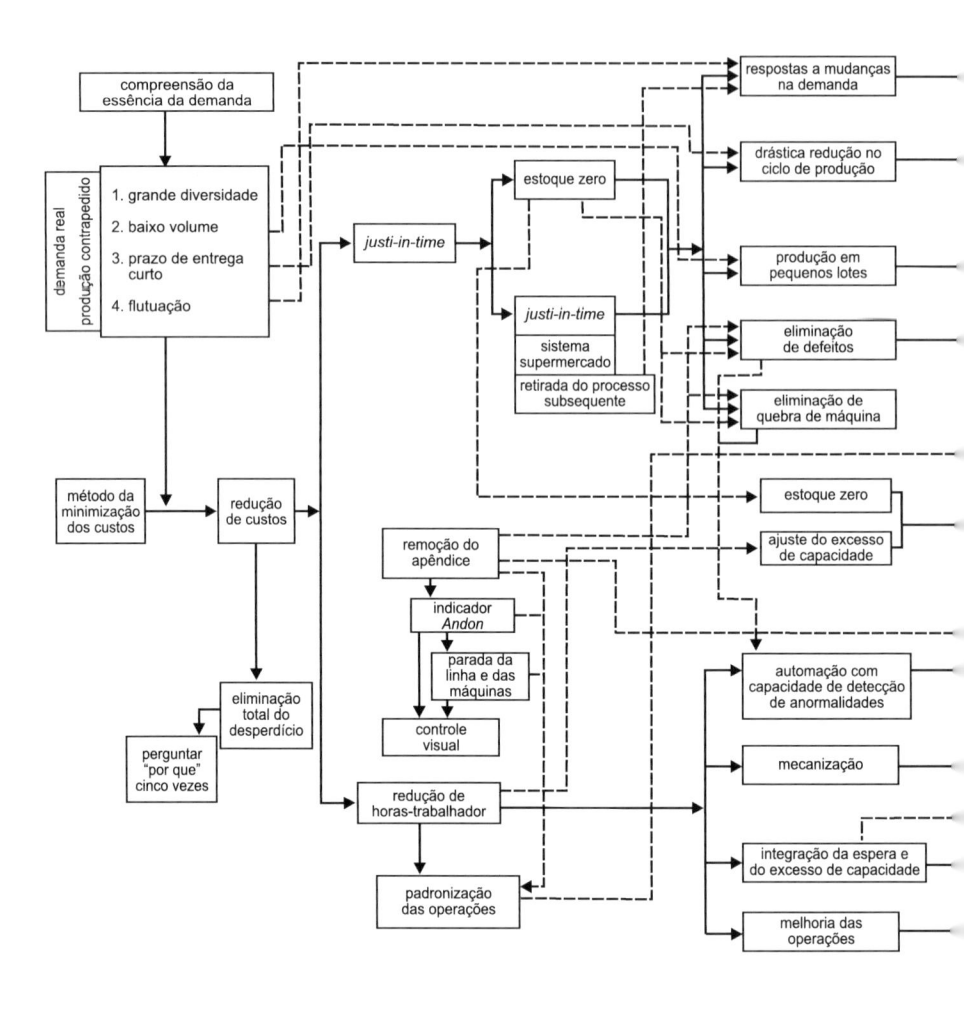

FIGURA 41. Observações sobre o Método Toyota de Produção com base na Engenharia de Produção.

O Sistema Toyota de Produção 265

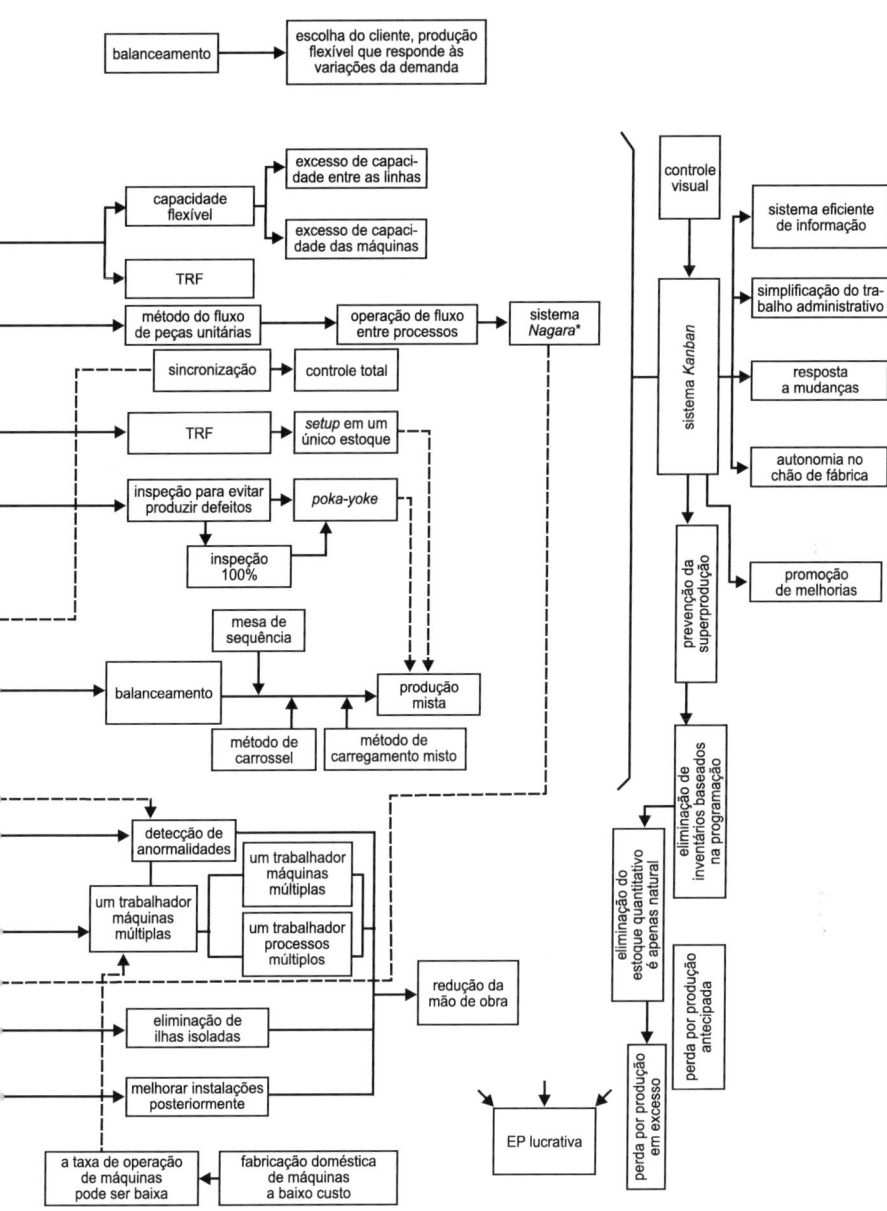

*Nagara significa "fazer duas atividades ao mesmo tempo"

FIGURA 41. *(Continuação)*

266 SHIGEO SHINGO

1945 ▶

JUST-IN-TIME

1949 ▶
Abolidos os depósitos intermediários

1958 ▶
Abolidas as requisições para retirada de material do almoxarifado

1950 ▶
Linhad de usinagem e montagem foram sincronizadas

1955 ▶
As seções de montagem e carroceria foram interligadas

1948 ▶
Retirada pelos processos subsequentes

1953 ▶
Sistema de supermercado na seção de usinagem

HISTÓRIA DO SISTEMA TOYOTA DE PRODUÇÃO

1955 ▶
Adotado sistema de número pedido para os componentes fornecidos

1953 ▶
Sistema de chamada para a seção de usinagem

1955 ▶
Sistema carrossel (transporte de cargas pequenas/mistas)

1945-55 ▶
Setups (2 a 3 horas)

1957 ▶
Adotado roteiro de procedimentos (*andon*)

1947 ▶
Operação de 2 máquinas (*layout* paralelo ou em forma de L)

1949-50 ▶
Operação de 3 a 4 máquinas (*layout* retangular ou em forma de ferradura)

Início da separação do trabalho do homem e da máquina

1950 ▶
Adotado sistema de controle visual *andon* na montagem de motores

1955 ▶
Sistema de produção de linha de montagem da planta matriz (*andon*, paralisação de linha, carga mista) (automação → automação)

1950 ▶ BALANCEAMENTO

AUTONOMAÇÃO

1945

FIGURA 42. História do Sistema Toyota de Produção.

——————————————————————————————— 1975

——————— 1961 ▶ ——————— (fracassou)
Kanban de palete

——————————— 1962 ▶
O kanban é adotado em toda a empresa
(usinagem, forjamento, montagem de carroceria, etc.)

——————— 1961 ▶ ——————————— 1965 ▶
Sistema dos cartões vermelho   Adotado o Kanban para requisitar componentes
e azul para requisitar componentes   dos fornecedores externos, sistema de fornecimento
provenientes de fornecedores externos 100%; início da transferência dos conhecimentos do
                                      Sistema Toyota de Produção às afiliadas
——— 1959 ▶ ———————————————————————— 1973 ▶
Sistema de transferência (interno → interno   Sistema de transferência
ou interno → externo)   (externo → interno)

——————————— 1962 ▶ ——————————————— 1971 ▶
Setups da planta matriz   Setups da matriz e da
(15 minutos)   planta de Motomachi
                                     (3 minutos)
————————————— 1963 ▶ ——————— 1971 ▶
Uso de inter-writer, adotado   Sistema de indicação das
sistema de seleção autonoma-   carrocerias (linha Crown
tizada de componentes, adotado   da Motomachi)
sistema de indicadores
————————————— 1963 ▶
Operação multiprocesso

——————— 1962 ▶ ——————————— 1966 ▶
Controle total das máquinas,   Primeira linha autonomatizada,
máquina baka-yoke   planta de Kamigõ
——————— 1961 ▶ ——————————————— 1971 ▶
Controle andon na planta de   Sistema de parada de
montagem da Motomachi   posição fixa na montagem

DA PRODUÇÃO

——————————————————————————————— 1975

FIGURA 42. *(Continuação)*

um comprometimento cada vez mais presente no Sistema Toyota de Produção, simbolizado pela expressão *mínima força de trabalho.*
- Acompanhando a construção desse sistema revolucionário de produção, o desenvolvimento do sistema *Kanban* proporciona uma técnica de controle simples, poderosa e altamente flexível. Esses dois sistemas têm uma relação de sinergia.
- A Toyota transformou um sistema de produção tradicionalmente passivo e conciliatório, investigando as origens da produção convencional e derrubando crenças comumente aceitas para construir um novo sistema calcado em conceitos que jamais haviam sido antes utilizados.

14

Posfácio

Em dialética, principia-se com uma ideia a qual chamamos *tese*. Oposta a ela existe uma *antítese*. Na lógica comum, o antagonismo entre tese e antítese é geralmente resolvido com uma solução conciliatória.

No entanto, esse problema de contradição e oposição pode ser visto a partir de uma perspectiva diferente. Por meio da ascensão, uma *síntese* de mais alto nível será atingida. A oposição desaparece e ambos os lados ficam satisfeitos. Esse método de cognição é chamado de processo dialético.

Utilizemos agora a dialética para pensar sobre o Sistema Toyota de Produção. Vamos supor, por exemplo, que uma sugestão (tese) seja proposta para redução de estoques, na forma do desejo de que as entregas ocorram quatro vezes ao dia. O argumento oponente a essa sugestão (antítese) diz que entregas mais frequentes irão reduzir a eficiência no carregamento dos caminhões. Debater esses argumentos com a mesma lógica levará apenas à contradição e oposição – e não se chegará a conclusão alguma.

Em uma situação dessas, a discussão terminaria, provavelmente, em alguma medida de meio-termo, talvez um consenso para reduzir as desvantagens de ambos os lados com entregas duas vezes ao dia.

De uma perspectiva mais ampla, no entanto, as vantagens de ambas as propostas podem ser combinadas em uma síntese obtida pela superação dos dois argumentos em jogo. Por exemplo, os caminhões poderiam carregar quatro cargas mistas ao dia, fazendo as rotas de várias empresas e recolhendo uma carga parcial em cada uma delas. Esse arranjo iria preservar tanto a eficiência do carregamento dos caminhões como possibilitaria a redução nos estoques.

Inicialmente, ambos os lados estavam operando na hipótese não comprovada de que os produtos da Companhia A tinham que ser transportados pelos caminhões da Companhia A. Transcender a essa limitação permitiu a formulação da síntese, um plano em um nível superior, envolvendo um método totalmente novo - entregas frequentes com carga mista.

Um segundo exemplo: é proposta uma tese, segundo a qual os custos de processamento poderiam ser reduzidos a partir do aumento dos tamanhos dos lotes nas operações que necessitam longos tempos de troca de ferramentas. Oposto a isso, temos o argumento antitético de que tamanhos maiores de lotes resultam em perdas pelo aumento do estoque.

Da maneira como estão colocadas, as duas proposições parecem irreconciliáveis. A solução típica é determinar um lote econômico com um ponto intermediário entre os dois argumentos. Aprendemos, no entanto, que lotes econômicos não são uma solução para o problema. Eles são, na melhor hipótese, um meio-termo.

Qual é, então, o problema real? A crença, não expressa por ambos os lados, é de que o tempo de *setup* não pode ser drasticamente reduzido. Não obstante, com o sistema TRF, é possível executar *setups* de 4 horas em 3 minutos. Isso elimina completamente qualquer contradição entre os dois argumentos. Isso representa uma solução de alto nível, uma síntese.

O Sistema Toyota de Produção fica muito claro, assim que for entendido que essa dialética é aplicada em todo o sistema.

As características principais do Sistema Toyota de Produção são:

- Eliminação do desperdício (baseado na crença de que a verdadeira fonte de lucros é a redução de custos)
- A demanda requer, inerentemente, produção contrapedido e não baseada em projeções futuras (especulativas)

O Sistema Toyota de Produção pode ser comparado ao ato de extrair água de uma toalha seca. Isso significa que ele é um sistema de eliminação total da perda. Nesse caso, perda refere-se a tudo que não sirva para avançar o processo, tudo que não agregue valor. Em geral, as pessoas decidem acabar com as perdas que todos reconhecem como tal. Mas muitas perdas permanecem; aquilo que não foi ainda reconhecido como perda ou aquilo que se consente em tolerar.

As pessoas acostumam-se a certos problemas e tornam-se reféns da rotina, abandonando a prática da solução de problemas. Voltar às raízes do problema, expondo o seu significado real e propondo melhorias fundamentais, pode ser considerado o eixo central do Sistema Toyota de Produção.

O Sistema Toyota de Produção será, portanto, corretamente entendido da seguinte forma: a total eliminação do desperdício é o núcleo ao redor do qual o sistema é construído, o qual, por sua vez, está sustentado pelo sistema *Kanban*.

Qualquer um que se engaje no estudo do Sistema Toyota de Produção se encontrará face a face com o conceito de Troca Rápida de Ferramentas. Ela é essencial para a produção em pequenos lotes e para responder às variações na demanda. E, de fato, ela está no cerne do Sistema Toyota de Produção.

Como explicado neste livro, e em outros, o conceito de TRF é um produto do meu próprio pensamento e da experiência prática. Com as trocas de *setup* e a exigência da Toyota de que um *setup* para uma prensa de 1.000 toneladas, que já havia sido reduzido de 4 para 1 hora, fosse radicalmente reduzido para 3 minutos.

Alguns argumentam que a manutenção preventiva total leva naturalmente à TRF. Outros, adeptos ao conhecimento prático de engenharia, afirmam que a Toyota levou 30 anos para reduzir um *setup* de 3 horas para 3 minutos e que as aproximadamente 340 mil vezes em que a operação foi executada foram responsáveis por essa redução.

Quando as pessoas me convidam para falar da TRF, não posso fazer com que acreditem em mim apenas dizendo a elas que *setups* de 1 hora foram reduzidos a 3 minutos. Tenho que dar-lhes uma demonstração. Assim, peço um tempo de 1 hora para ir ao chão de fábrica e tomo uma série de providências:

- Peço para que tragam duas matrizes para prensas de 100 toneladas.
- Meço as alturas das matrizes e acrescento placas ou blocos a menor, a fim de uniformizar as alturas das matrizes.
- Para marcar o centro da matriz, meço sua largura e instalo um bloco adequado na parte de trás da matriz.
- Meço a altura dos pontos de fixação e uso blocos para acertar o encaixe.
- Designo dois trabalhadores para executar operações paralelas.
- Faço com que a nova matriz seja posta em uma empilhadeira e que a coloquem próxima à máquina. Outra empilhadeira fica preparada para levar a matriz velha imediatamente.

Feito isso, afirmo que essas simples mudanças possibilitarão realizar a troca da matriz em menos de 3 minutos e, imediatamente, experimentamos um *setup* com a nova disposição. Certa vez, reduzimos um *setup* de 1 hora para 2 minutos e 26 segundos na primeira tentativa. Torna-se claro que o sucesso do conceito de TRF não tem nada a ver com habilidade, mas resulta das melhorias na teoria e na técnica.

Como criador da TRF, aprecio o fato de que o sistema TRF seja usado em centenas de companhias japonesas e atingiu sucesso considerável na Suíça e nos Estados Unidos. Fico um pouco desalentado, no entanto, com o fato de que, com frequência, artigos a respeito da TRF não mencionem meu nome. Certamente, isso seria o mínimo a pedir, por cortesia. Apenas Taiichi Ohno dá crédito à minha pessoa de forma consistente ao referir-se ao sistema TRF.

Pelo fato de ser um sistema de administração da produção, o Sistema Toyota de Produção não pode ser tomado como inteiramente diferente dos métodos de administração da produção comuns. Ele é o que chamo de extrapolação de um sistema de administração da produção. Deve ser entendido, no entanto, que uma de suas características primordiais é que ele está permeado com conceitos próprios e avançados e por técnicas especiais que o acompanham. Isso não significa, no entanto, que se pode simplesmente copiar as técnicas, características externas visíveis do Sistema Toyota de Produção, em outro ambiente fabril.

Por exemplo, seria perigoso tomar uma das técnicas características do Sistema Toyota – como a produção mista – e utilizá-la sem preencher alguns pré-requisitos básicos. O resultado será a ocorrência de defeitos e menor produtividade. A abordagem apropriada é iniciar com medidas como a TRF, prosseguir com um sistema de estoque amortecedor, daí à produção segmentada e, finalmente, a um sistema misto de produção. Em resumo, não há necessidade das técnicas enquanto os custos estiverem sendo reduzidos.

Similarmente, resultados satisfatórios não podem ser esperados se o Sistema Toyota de Produção for simplesmente tratado como sinônimo de sistema *Kanban*, ou seja, implementando-se o sistema *Kanban* precipitadamente, sem antes racionalizar o sistema de produção em si.

O autor

1909   Nasce na cidade de Saga, Japão.

1924   Estuda na Escola Técnica de Saga.

1930   Após se formar como Engenheiro Mecânico na Escola Técnica de Yamanashi, é contratado pela Taipei Railway Factory.

1931   Trabalha como engenheiro na fábrica de moldes da Taipei Railway Factory. Percebe a necessidade de melhoria do processo e faz recomendações nesse sentido.

1937   Participa do primeiro curso de treinamento em Engenharia Industrial de longa duração, patrocinado pela Japan Industrial Association. Recebe ampla capacitação no conceito de "mentalidade do movimento", por Ken'ichi Horikome.

1943   Sob as ordens do Ministério das Munições, transfere-se para Amano Manufacturing Plant (Yokohama), onde trabalha como Chefe da Seção de Manufatura. Nesse período, aumentou a produtividade em 100% aplicando operações de fluxo ao processamento de mecanismos para torpedos aéreos.

1945   Mais uma vez, o Ministério das Munições o transfere para outro fabricante de mecanismos para torpedos aéreos e os mesmos resultados são alcançados. Muda-se então para Takanabe-cho, na província de Miyazaki. É apresentado ao presidente da Japan Management Association durante uma visita a Tóquio. É convidado a participar de uma pesquisa na planta para melhorar as operações nas instalações de manufatura de veículos da Hitachi em Kasado. Mais tarde, é chamado para integrar a equipe da Associação Japonesa de Gerenciamento.

1946   Chega à sua primeira ideia revolucionária quando conclui que os processos e as operações são inseparáveis e formam um todo sistemático e sintético.

1948   Entre 1948 e 1954, ministra aulas em cursos de tecnologia da produção e também em empresas. Começa a questionar a natureza do *layout* das fábricas durante um curso de tecnologia da produção realizado na planta da Hitachi, em Fujita.

1950   Implementa um método para determinação do *layout* dos equipamentos, baseado em um coeficiente de facilidade de transporte na Refinaria de cobre da Kurkawa Electric, em Nikko. Ao analisar o trabalho em uma prensa em Tōyō Kōgyō percebe o que vai se tornar o primeiro estágio da TRF.

1951   Elabora e em seguida aplica o controle estatístico da qualidade em como Chefe do Departamento Educacional.

1954   Um representante da Toyota Motor Co., Morita Masanobu, frequenta um curso de tecnologia da produção ministrado por Shigeo Shingo na Toyota Automatic Loom. Morita Masanobu aplica o que aprendeu durante o curso e obtém resultados impressionantes na Toyota. Com isso, Shigeo Shingo se torna um dos primeiros consultores da Toyota Motor Company.

1955   Observa operações simultâneas de máquinas no primeiro curso de treinamento de tecnologia da produção e fica impressionado com a separação dos trabalhadores e das máquinas.

1956   É responsável por um estudo de três anos nos estaleiros da Mitsubishi Shipbuilding, em Nagasaki. Durante esse estudo, ele implementa um novo sistema para reduzir o tempo total de montagem de navios-tanque de quatro para três meses, contribuindo para o desenvolvimento dessa indústria.

1957   Enquanto nos estaleiros da Mitsubishi Shipbuilding, em Hiroshima, ele duplica a taxa de produtividade e prenuncia um elemento decisivo da TRF: a transformação de *setups* internos em externos.

1959   Depois de 14 anos na Japan Management Association, Shigeo Shingo se desliga da empresa e funda o Instituto para Melhoria do Gerenciamento.

1960–1990   Shigeo Shingo continuou o seu trabalho até desenvolver totalmente o sistema TRF. Seu sistema de obtenção de zero defeito (*poka-yoke*) finalmente viu algumas operações industriais passando mais de dois anos com *zero defeitos*. Ele continuou trabalhando, prestando consultoria e ensinando por todo o mundo até a sua morte em 1990.

Índice

A

Amostragem *ver* Inspeção
Andon (painel indicador), 108-109, 154-155
Autonomação
    automação e, comparadas, 93
    carga e, 243-244
    exemplos, 93
    folgas marginais, melhoria das, 93-94-95
    função de cérebro humano e, 183, 255-256
    mecanização e, diferenciação, 195-197, 264

B

Balanceamento *ver também* Produção Mista Complexa;
    Produção Mista;
        Sistema *Nagara*
    definição, 61-62, 157-158
    fórmulas para, 158-159
    função na produção, 63-64
    função no controle da programação, 133, 141-149
    métodos, 158-159
    planejamento de carga, 159-161, 243-244
    produção segmentada, 159-161
    relação carga-capacidade, 157-158

C

Caixas de Componentes
    estudo do movimento e, 184-185
    uso no STP, 138-139, 228-229
Cartas de Controle, 51-52
Ciclo de Produção, 133-134, 140-141, 148-149, 250-251
Controle da Programação
    just-in-time e, 131-132
    planejamento da produção, a função no, 131-132
    plano agregado de produção, 132-133, 159-161
Controle da Qualidade
    cartas de controle, 50-52
    controle estatístico de processo, 50-51
    inspeção por amostragem e, 52-53
    limites de controle, 50-51
    Zero Defeitos, 255-256
Controle Visual *ver também Kanban*
    cartões de produção-padrão, 178-179
    função do supervisor no, 189-190
    quebras de máquinas e, 153-154
Custos da Força de Trabalho *ver* Melhoria das Operações
Custos de mão de obra *ver* Melhoria das Operações

D

Demanda
    quedas, respostas às, 149-150
    longo prazo, 148-149
    curto prazo, 148-149

E

Eliminação da Perda *ver também*
    Produção com Estoque Zero
    como objetivo do STP

custos de mão de obra, 263-268
exemplos, 113-116
melhoria da inspeção e, 112, 171-172
melhoria do transporte, 112
a natureza oculta da perda, 113-115
processo, relação com, 110-111, 171-172

Esperas de lote *ver também* Produção em Grandes Lotes
ciclos de produção e, 72-73
métodos para eliminação, 68-69
operações de fluxo e, 133, 148-149
transporte e, 70-71
TRF e, 70-71

Esperas de processo
lucros e, 192-193
quantitativas, 60-61
programação, 60-61
redução das, 133, 148-149, 226-228
tipos de, 60-61

Estocagem *ver também* Estocagem C; Estocagem E; Esperas de Lote; Esperas de Processo; Estocagem S
eliminação da, geral, 60-61
relação pedido-entrega e, 71-72
tipos de, 61-62

Estocagem C
definição, 61-62
equilibrando a capacidade com, 62-63
métodos para eliminação da, 62-63, 65-66
quebras de máquinas e, 64-65

Estocagem E
definição, 61-62
sincronização, 63-64

Estocagem entre Processos *ver* Esperas de Processo

Estocagem pelo Tamanho do Lote *ver* Esperas de Lote

Estocagem S
causas da, 66-67
definição, 61-62
eliminação da, 66-67
sistema de estoque de segurança, 67-69

Estoques Amortecedores *ver* Produção com Estoque Zero

Estoque *Buffer ver* Estocagem C

"Estoque de Segurança" *ver* Estocagem S

Estoque "Necessário"
eliminação do, 98
razões para geração de, 97-98

F

Fluxo de Peças Unitárias
atingir, 135-136, 139-140
estoques amortecedores, 138-139
função no STP, 112-113, 128, 139-140
na Ford, 127-128
produção em pequenos lotes e, 134-135
resumo, 262-263
sincronização, 137-140, 239-240
sistema de fluxo global e, 239-240, 250-253
sistema *Nagara* e, 171-172

Fluxo Global *ver Nagara*; Fluxo de peças unitárias

Fluxo Integrado *ver* Fluxo de peças unitárias

Fluxo do Produto *ver* Processo

Fluxo do Trabalho *ver* Operações

Folgas com Pessoal
folgas por fadiga, 76-78
folgas físicas, 76
folgas para higiene, 177-178
métodos de trabalho e, 93-95

Folgas de Trabalho, 112-113

Folgas entre Operações, 112-113

Folgas Marginais
autonomação e, 93-95
custos de mão de obra e, 241-242
folgas de operação, 76, 176-177, 188-189
folgas entre as operações, 76, 93-95, 177-178, 188-189

G

Gerenciamento
interrupções da montagem e, 249-250
demanda, resposta à, 149-150
funções do, 102
planejamento das necessidades de materiais, 232-233
função no STP, 154-155

I

Implementação do STP
  aplicação do princípio de minimização de custos, 245-247
  cronograma para, 257-258
  questões preliminares, 245-246
Inspeção *ver também* Inspeção Informativa; Melhoria da Inspeção; *Poka-yoke*; Inspeção na Fonte
  amostragem *versus*, 50-51
  inspeção por julgamento, 48-49
  perda por, 226-228
  prevenção de defeitos, 48-50, 151-153
  Zero Defeitos e, 255-256
Inspeção Informativa
  amostragem *versus*, 151-153
  autoinspeção, 53-54, 151-152
  geral, 48-49
  inspeção sucessiva, 52-53, 151-152
  Poka-yoke, sua função na, 152-153
  tipos de, 52-53
Inspeção na Fonte
  horizontal, 54-56
  vertical, 54-55
Inspeção Preventiva *ver* Inspeção Informativa
Interruptor de Fim de Curso, 54-55

J

Just-in-Time
  relação pedido-entrega e, 235-236
  planejamento da produção, a função no, 131-132

K

Kanban ver também Sistema *Kanban*
  autoeliminação com o tempo, 230-231
  como etiquetas de identificação, 230-231
  como controle visual, 211-212
  STP e, 101-102, 140-141, 158-159, 201-202
  tipos de, 213-215

L

Layout de Máquinas *ver* Melhoria de *Layout*

M

Mecanização *ver* Autonomação; Melhoria das Operações
Melhoria da Inspeção
  controle da programação e, 132-134
  eliminação da perda e, 171-172, 255-256
  geral, 44-45, 55-56
Melhoria das Operações
  autonomação, função da, 194-195
  economias de mão de obra, 185-188, 241-242, 263-268
  exemplos, 185-186
  mecanização, armadilhas da, 187-188
  melhoria dos equipamentos e, 185-186
  movimentos das máquinas e, 184-185
  movimentos humanos, 184-185
  quebras de máquinas, 153-154
  reduções qualitativas na força de trabalho, 186-187, 246-247
  reduções quantitativas na força de trabalho, 186-187, 246-247
Melhoria do *Layout*
  benefícios, 250-251
  layouts globais, 189-190, 250-251
  rupturas conceituais, 251-252
  métodos, 136-137
  fluxo de peças unitárias e, 251-252
Melhoria do Processamento, 115-116, 225-229
Melhoria dos Processos *ver também* Balanceamento; Sistema *Nagara*; Eliminação da Perda
  aplicações, 246-247
  elementos de, 40-41
  função da TRF na, 175-177
  Engenharia de Valor e, 41-44
  reduzindo esperas, 233
  técnicas de manufatura e, 39-40
Melhoria do Transporte
  balanceamento e, 172-173
  eliminação da perda, 112
  espera e, 112

estratégias de formação de linha, 136138
fluxo de peças unitárias, 134-135
linhas de produção, tipos de, 136-137
melhoria das operações, diferenciação, 60-61
melhoria do *layout* e, 136-137
necessidades de mão de obra, 186-187
princípios gerais, 59-61

Método do Ponto de Pedido
aplicação do sistema *Kanban*, 215-216, 218-220
como técnica de controle, 202-203
consumo, mudanças no, 209-212
estoque, relação com, 202-203
estudos de casos de melhoria progressiva, 203-204, 208-210
fórmulas para, 202-203
tamanhos dos lotes de compra, 202- 203, 211-212

O

Ohno, Taiichi, 73, 81-82, 101-102, 104, 117-118, 177-178, 185-186, 189-190, 201-202, 265

Operações *ver também* Folgas Marginais; Melhoria das Operações; Folgas com pessoal; Operações Principais; Operações de *Setup*; Operações-Padrão
componentes das, 175-176
controle das perdas, 109-110, 112
diferenciação com processo, 37-38
taxa líquida de operação, 110-111
tempo de ciclo, 178-179
tipos de, 75-77, 109-110
valor agregado, 109-110

Operações Multimáquinas *ver também* Operações Multiprocessos
capacidade do trabalhador, 193-194
como operações multimáquinas horizontais, 242-243
demanda e, 149-150
exemplos, 190-191
implementação, 254-255
início, histórico, 106-107, 190
princípios de, 92-93
tipos, 190-191
taxas de operação e, 106-108

Operações Multiprocessos como operações multimáquinas verticais, 190-191
exemplos, 191-193
explicação, 191-192
futuro da, 242-243
operações multimáquinas, comparação, 193-194
produtividade e, 192-195, 254-255
tempo de mão de obra, 193-194
tempo de máquina, 193-194
vantagens, 190-191, 193-194, 254-255

Operações-Padrão
aspectos temporais, 179-181
elementos principais, 177-178
roteiros, tipos de, 180-182
roteiro, uso de, 179-181
sequência no STP, 264

Operações Principais *ver também* Autonomação;

Operações Multimáquinas definição, 75-77
operações auxiliares, 75-77, 91-92, 176-177
operações essenciais, 75-77, 91-92, 176- 177
operações principais, 75-77, 91-92, 176-177
"separação de trabalhador e máquina", 91-92

Operações de *Setup ver também* TRF
componentes principais, 82-83
definição, 75-77
função da TRF, 76
internas, 77-78, 82-83, 89-91
método do ponto de pedido e, 209-210
na produção mista complexa, 165-167
pós-ajuste, 175-176
preparação, 175-176

P

Período de Entrega *ver* Sistema *Kanban*; Produção Contrapedido

Pesquisas de Mercado
  no STP, 121-122
  relação pedido-entrega, 235-236
Planejamento das necessidades de Materiais
  ver Sistema Toyota de Produção (STP)
Planejamento da Produção, 131-132
Planejamento de Equipamento
  projetos próprios, 107-108
  taxas de operação, 107-108, 183
  "custo perdido", 107-108
Poka-yoke
  como lista de verificação, 58-59
  controles, definição, 55-56
  exemplos, 151-153
  funções de advertência, 55-56
  funções de inspeção, 152-153
  funções de detecção do, 56-57
  funções de regulagem do, 55-56
  implementação, 56-58
  produção mista e, 253-254
  tipos de, 55-56
  tipos de, relacionados às funções, 152-153
Pré-Automação *ver* Autonomação
Princípio da Minimização dos Custos *ver* Princípio do não custo
Princípio de Custo *ver* Princípio do não custo
Princípio do não custo
  aplicação, 245-247
  definição, 109
  na Toyota, 109, 199-200
  redução do custo como base, 109
Processo *ver* Esperas de processo; Eliminação da Perda
Produção com Estoque Zero
  balanceamento e, 168-170
  capacidade de máquina e, 137-138
  como base do STP, 103-104, 126-127, 131-132, 168-169, 172-174, 199-200, 246-247, 261-262
  controle da programação, 132-133
  demanda e, 125-126
  estoques amortecedores (*buffer*), 138-139, 247-249
  estoque necessário, geração de, 97-98
  estratégias para, 97-98

função do *Kanban*, 222-223
  método do ponto de pedido, 202-203, 209-210
  quebras de máquinas, 153-155, 242-243
  sistema de assistência mútua, 138-140
  tempo de fabricação unitário, 139-140
Produção Contrapedido
  abordagem da Toyota, 118-122, 147-148, 161-162, 216-217
  características da, 118-120, 147-148
  demanda e, 118-119
  demanda sazonal e, 118-120
  estimativa, 122-124
  período de entrega e, 120-121, 132-133, 212-213, 226-228
  planejamento da produção para, 122-125
  tempos de entrega e, 120-121
Produção em Grandes Lotes *ver também* Produção Contrapedido; Produção em Pequenos Lotes
  fórmulas para, 70-71
  produção em massa e, 117-118
  mitos, 68-69
  natureza da, 117-118
  uso, nos Estados Unidos, da, 126-128
Produção em Pequenos Lotes comparação com a produção segmentada, 164
  desvantagens, 209-210
  Kanban e, 217-218
  produção mista e, 240-241
  TRF e, 147-148
  vantagens, 127-128
Produção Mista
  balanceamento e, 159-163, 243-244, 252-253
  futuro da, 240-241
Produção Mista Complexa
  vantagens, 165-166
  desvantagens, 165-166
  exemplo, 168
  sistema *Nagara*, comparação, 169-170
Produção Segmentada
  balanceamento e, 159-162
  elementos, 161-163
  implementação, 252-253
  pré-requisitos, 164-165
  produção em pequenos lotes, 164
  unidades de planejamento, 162-163

Q

Quebras de Máquinas *ver* Produção com Estoque Zero

S

Sakichi, Toyoda, 195-197
Sincronização *ver* Fluxo de Peças Unitárias
Sistema *Kanban ver também Kanban*;
  Método do Ponto de Pedido
  analogia do supermercado, 212-213
  circulação dos *Kanban*, 216-218, 220
  como sistema "de puxar", 241-242
  exemplos, 256
  flexibilidade do, 221-222
  funções de melhoria, 220-222
  futuro do, 241-242
  implementação, 256
  início, histórico, 201-202
  instruções de produção, 229-230
  instruções de retirada, 229-230
  instruções de transporte, 229-230
  integração com o STP, 228-229, 264
  Kanban de produção, 212-213, 217-218
  Kanban de movimentação, 212-213, 217-218
  Kanban e, diferenciação, 213-215
  prazo de entrega e, 212-213
  quantificação dos *Kanban*, 214-217
  regulagem da carga, 220-221
  resumo, 222-224
  superprodução e, 229-230
Sistema *Nagara*
  como sistema de fluxo global, 239-240, 251-252
  características, 170-171
  definição, 169-170
  exemplos, 169-171, 239-241
Sistema Toyota de Produção (STP) *ver também* Implementação do STP; *Just-in-Time*; Eliminação da Perda
  análise dialética do, 270-271
  o apelido de "sistema maquiavélico", 231-232
  benefícios, geral, 168-169
  como sistema "de puxar", 212-213, 216-217

como sistema do "supermercado", 124-125
controle da programação, 131-132
custos de mão de obra, 150-151, 185-186, 188-189
definição, 101-102
demanda, respostas à, 148-151
determinação da capacidade de produção, 118-120
dialética, exemplos, 271-272
estrutura da produção, 197-200
fornecedores de componentes, 231-232
função da Engenharia de Valor, 198-199
função da gerência, 154-155
função do *Kanban* em, 220-221, 230-231
fundamentos, 72-73
futuro do, 235-236, 244
história do, 268-270
equívocos, 297
método dos "5Ws e 1H", 116-117
método dos, 39-40
"por quês", 116-117
ordem do desenvolvimento, 261-262
pesquisa de mercado, função da, 121-122
planejamento das necessidades de materiais, 232-233
princípios básicos, 102, 109-110
produção de modelos mistos, 127-128, 165-167
resumo, 261-262, 270
sete tipos de perda, 225-229
sistema de estoque amortecedor, 248-250
sistema de fluxo global, 239-240, 250-251
sistema Ford, comparação, 125-126, 128, 239-240
treinamento do trabalhador, 178-181
Zero Defeitos, 255-256
Superprodução
  anátema ao STP, 159
  antecipada, 103-104
  força de trabalho e, 188-189
  perda por, 225-229
  quantitativa, 103-104

T

Tempo de Fabricação Unitário
  definição, 139-140
  em sistemas de produção complexa mista, 168-170
  trocas de ferramentas e, 164-165
Tempo de Produção *ver* Esperas de Lote; Estocagem
TRF (Troca Rápida de Ferramentas) ajustes, eliminação dos, 85-89, 144-147
  batentes de mandriladora, 145
  dispositivos de fixação, 83-84, 142-145
  dispositivos internos, 80-81
  economias de tempo a partir da, 85-86, 146-147
  enumeração das técnicas, 82-83, 142-143
  exemplos, 64-66, 76-78, 80-81, 83-84, 143-144, 238-239
  função de Shingo na, 273-275
  função no STP, 72-73, 140-142, 176-177, 202-203, 273-274
  futuro da, 236-237
  grampos funcionais, 142-143
  história da, 140-141, 273-275
  mecanização da, 88-89
  métodos "de preparação", 237-239
  métodos sem-toque, 237-239
  molas helicoidais, 146-147
  operações paralelas, 85-86
  origens da, 81-82, 273-275
Troca de matriz
  com um toque, 77-78
  produção segmentada e, 164-165
  quatro estágios conceituais, 89-91
  setups externos, 89-91
  setup interno, conversão de, 80-83, 89-91, 141-142
  sistema do mínimo múltiplo comum (MMC), 86-89, 144-147
  trocas automáticas de ferramentas, 236-238
  viabilidade, 249-250
Troca de matrizes com um toque *ver* TRF

Z

Zero Defeitos, 255-256